De gouden kooi

Voor mijn moeder

Voor de vertaling van de soera in hoofdstuk zeven is gebruikgemaakt van:
prof. dr. J.H.Kramers, De Koran
bewerking drs. Asad Jaber en dr. Johannes J.G. Jansen
Arbeiderspers, Amsterdam, 2003.

Oorspronkelijke titel: *Between Two Worlds*
© Oorspronkelijke uitgave: Zainab Salbi and Laurie Becklund, 2005
© Nederlandse uitgave: Arena Amsterdam, 2006
© Vertaling uit het Engels: Jeannet Dekker
Omslagontwerp: Studio Jan de Boer BNO
Foto achterzijde omslag: Deborah Feingold
Typografie en zetwerk: CeevanWee, Amsterdam
ISBN 90 6974 758 8
NUR 302

Zainab Salbi
en Laurie Becklund

De gouden kooi

Vertaald door Jeannet Dekker

ARENA

Inhoud

EEN

De munt

Mijn moeder is opgegroeid in een voornaam huis aan de oevers van de Tigris, dat een binnenplaats had en zestien kamers telde. Het was van mijn grootvader, die nog voor mijn geboorte is gestorven. Van hem had mama een bescheiden fortuin geërfd: een aandeel in het huis en zijn fabrieken, een hoeveelheid goud, en een familienaam die nog steeds iets betekent. Maar de enige tastbare herinnering aan mijn grootvader die echt iets voor me heeft betekend, was een gouden munt die duizend jaar geleden was geslagen door de Abbasidische kaliefs die het culturele hart van de moslimwereld van Damascus naar Bagdad hadden verplaatst. Bagdad is een stad die haar geheimen slechts moeizaam prijsgeeft – en alleen aan hen die zoeken – maar een vriend van mijn grootvader had tijdens de sloop van een oud gebouw een zak met zulke munten gevonden en er drie aan mijn grootvader gegeven. Die gaf zijn drie jonge dochters er elk eentje. Mijn moeder, de jongste, ontwierp zelf een hanger en een kettinkje, zodat ze hem altijd om haar hals kon dragen. Aan de zijkant van de munt zat een klein deukje dat ik nog steeds voor me zie, zo vaak heb ik me afgevraagd hoe dat daar was gekomen.

Tijdens mijn vroege jeugd werkte mijn moeder als lerares. Wanneer ze van haar werk thuiskwam, ging ze altijd op de bank een dutje doen. Ze was altijd meteen onder zeil en straalde tijdens haar slaap een enorme rust uit. Ik kroop dan naast haar op de bank, ademde de ziltige geur van het klaslokaal in die om haar heen hing en probeerde precies op hetzelfde moment als zij in en uit te ademen. De Abbasidische munt rustte tussen haar volle borsten, en ik weet nog dat ik ademhaalde op het ritme waarmee die oude munt op en neer ging. De versleten symbolen glansden in het licht van de middagzon. Ik nam aan dat ik de munt zou dragen als ik later groot was, en hopelijk net zo slim en mooi als zij.

Gezien de latere gebeurtenissen is het misschien moeilijk voor te stellen, maar in wezen verschilde mijn jeugd in Bagdad niet eens zo heel veel van die van kinderen in een Amerikaanse buitenwijk in de jaren zeventig. Ik reed urenlang met mijn moeder door Bagdad heen en weer: we deden boodschappen en gingen winkelen, ze bracht me naar school en haalde me weer op, ze ging met me naar pianoles, balletles en zwemles of nam me op sleeptouw bij een van haar sociale verplichtingen. Haar agenda puilde in die tijd uit van de afspraken, maar in de auto konden we bij elkaar zijn. Ze was dol op Bagdad – ze kwam uit Bagdad – en wanneer we heen en weer reden over de boulevards die werden omzoomd door dadelpalmen vertelde ze me van alles over de buurten waar we doorheen reden. Op die manier nam ik door het raampje aan de passagierszijde mijn stad in me op: het oude hart met zijn donkere, door zuilengangen omgeven soek waar de mannen op koper sloegen en elkaar met politiek om de oren sloegen, en het nieuwe gedeelte met zijn cafés, de modezaken in de wijk Al Mansoer. Alles wat ik over de stad leerde, leerde ik van mijn moeder, zoals tijdens de eerste negen jaar van mijn leven voor nagenoeg alle dingen gold.

Op een dag in juli 1979 reden mijn moeder en ik samen met mijn tante Layla over de Veertiende van de Ramadan-straat toen op de radio het bericht klonk dat Ahmad Hassan Al-Bakr, de man met het grijze haar wiens portret in alle klaslokalen van mijn lagere school hing, zijn ambt neerlegde ten gunste van zijn neef, vice-president Saddam Hoessein. Tante Layla en mijn moeder zaten voor in de auto over het nieuws te praten, dat hen allebei vreselijk blij leek te maken. Ik geloof dat ze zelfs zaten te giechelen.

'Nou, van hem zullen we dus niets meer horen,' zei tante Layla.

'Geen... aaaamo... meer!' joelde mijn moeder.

Ik begreep er niets van. Wie was Saddam Hoessein? Kenden ze de nieuwe president soms? Was hij een oom, een *amo*? Was ik familie van hem? Als onze oom president werd, waarom waren ze dan zo blij dat ze hem nooit meer zouden zien? Ik begreep niets van dit verwarrende nieuws, maar toen ik om opheldering vroeg, gaf mijn moeder me een duidelijk bevel.

'Sommige dingen zijn niet voor kinderoren bestemd, lieverd,' zei ze over haar schouder. 'Sommige dingen moeten je ene oor ingaan en het andere uit. Die hoor je uit je geheugen te bannen.'

Op negenjarige leeftijd leerde ik wat beeldspraak was.

Het ontwijkende antwoord van mijn moeder maakte me natuurlijk alleen maar nieuwsgieriger, maar met voor in de auto twee vrouwen die zo babbelziek waren als mijn moeder en tante Layla, had ik op de achterbank tijd genoeg om na te denken. En dus oefende ik tijdens de rit. Ik stelde me voor dat de gedachte die ze net als een pijl mijn rechteroor in hadden geschoten via mijn linkeroor mijn hoofd weer verliet, zonder een spoor in mijn geheugen achter te laten. Maar elke keer wanneer ik mezelf afvroeg of die gedachte er nog was, dook hij weer op. Het feit dat ik me het hele gesprek nog levendig kan herinneren, geeft al aan dat ik het kunstje nooit onder de knie heb gekregen. Zelfs nu weet ik nog hoe we precies zijn gereden: door het stadsdeel Kadhimiya met de oude winkeltjes waar 24 karaats goud werd verkocht naar de richting van de moskee met zijn koepel van goud en turkoois. Maar op dat moment vroeg ik me al af hoe ik, als ik die gedachte inderdaad uit mijn geheugen zou kunnen bannen, zou kunnen weten of het me was gelukt.

Alle emoties in me – het instinct tot overleven, trouw, woede, ontzetting, wrok, schuldgevoel, maar vooral angst – spannen samen om te voorkomen dat ik de naam van Saddam Hoessein hardop uitspreek. Het feit dat ik zijn naam hier noem en sowieso durf te bekennen dat er sprake is van een band tussen hem en mij is een enorme persoonlijke overwinning, al lijkt die misschien onbeduidend. We zijn geen bloedverwanten van elkaar, maar tijdens mijn vroege jeugd en nagenoeg mijn hele tienertijd is mijn leven nauw met het zijne verbonden geweest. Ik moest *amo* tegen hem zeggen, en hij behandelde me als een nichtje. Het verontrustende is dat ik nog steeds een paar leuke herinneringen aan hem uit mijn geheugen kan opdiepen. Ik zou hem zonder aarzelen voor misdaden tegen de menselijkheid veroordelen, maar niet omdat ik ooit ten prooi ben gevallen aan zijn wreedheid.

Eigenlijk was hij niet meer dan mijn vaders werkgever. Mijn vader was gezagvoerder in de burgerluchtvaart en werd aan het begin van de jaren tachtig door Saddam als privépiloot ingehuurd. Tijdens mijn jeugd in Irak noemden mensen me 'de dochter van de piloot'. Ik had een hekel aan die term, en dat heb ik nog steeds. Die beroofde me van mijn identiteit, van alles wat ik wilde zijn. Die woorden beschreven me in verhouding tot mijn vader, en hem op zijn beurt in verhouding tot zijn beruchtste passagier: de despoot die door miljoenen Irakezen werd gevreesd. Als ik in Irak was gebleven, zouden mensen me ongetwijfeld nu nog zo noemen, al is mijn vader jaren geleden met dat werk opgehouden en vliegt hij ook niet meer. Maar ik ben vanwege een aaneenschakeling van gebeurtenissen die Saddam Hoessein zelf in gang heeft gezet, ten tijde van de Golfoorlog in de Verenigde Staten beland. Dat is de moeilijkste tijd uit mijn leven geweest. Ik had gegronde redenen om niemand meer te vertrouwen, zelfs mijn moeder niet. Ik was net eenentwintig geworden en voor de allereerste keer helemaal aan mezelf overgeleverd. Oude angsten werden versterkt door nieuwe. Ik deed wat ik moest doen om te overleven, maar dat was lang niet zo eenvoudig als het klinkt: ik moest de dochter van de piloot uitwissen en opnieuw beginnen. Ik boog mijn leven doormidden, als de rug van een boek dat je helemaal openklapt. Je kunt de eerste helft van het boek van mijn leven lezen, en daarna de tweede, zonder ook maar een moment te beseffen dat het over een en dezelfde persoon gaat. Dat wilde ik. Ik had geen keuze.

Ik ontwikkelde een geheel nieuwe identiteit voor mezelf; ik werd voorzitter van Women for Women International, een non-profit-organisatie die zich inzet voor vrouwelijke oorlogsslachtoffers en waarvan ik ook een van de oprichters ben. Al meer dan tien jaar reis ik de wereld rond om hulp te kunnen bieden aan vrouwen die zijn getroffen door de oorlog of door die vreselijke, massale verkrach-

10

tingen die we tegenwoordig helaas als een onvermijdelijk gevolg van een oorlog lijken te beschouwen. Ik zag dat er aan dergelijk geweld een patroon ten grondslag lag en probeerde vrouwen ertoe aan te zetten om hun stilzwijgen te doorbreken, zodat hun onderdrukkers konden worden gestraft. Maar mijn eigen stilzwijgen heb ik nog niet kunnen doorbreken. Dat is eigenlijk wel gek. Ik verschijn op tv en houd overal ter wereld toespraken, maar in mijn eigen huis durf ik de woorden 'Saddam Hoessein' nog steeds niet hardop uit te spreken. De vele journalisten die me kwamen interviewen hebben me nooit gevraagd of ik hem persoonlijk heb gekend, en waarom zouden ze ook? Ik kon dus blijven zwijgen, ik kon de verhalen van anderen vertellen, en niet die van mezelf. Ik kon me blijven verstoppen, altijd bang dat iemand me op een dag zou herkennen en zou zeggen: 'O, kijk, daar heb je haar, de dochter van de piloot die bevriend was met Saddam Hoessein.'

Toen Saddam Hoessein in 2003 eindelijk gevangen werd genomen, nadat hij was aangetroffen in een gat dat hij voor zichzelf in de grond had gegraven, merkte ik tot mijn verbazing dat ik vocht tegen mijn tranen. Ik wilde niet genieten van de vernedering van een ander, ook al was die ander mijn vijand. Ik denk dat ik meer om mezelf huilde dan om hem en dat ik mijn eigen menselijkheid niet wilde laten overspoelen door gevoelens als haat en wraakzucht. Toen het nieuws bekend werd, zat ik op een congres in Jordanië. Alle congresgangers begonnen spontaan te juichen. Een van mijn vriendinnen juichte uit naam van haar vader, een ambtenaar die in het openbaar door Saddam was geëxecuteerd. Anderen zwoeren juichend dat ze hem genocide ten laste zouden leggen, als vergelding voor Koerdische familieleden die door hem waren vergast. Ik wilde dolgraag juichen uit naam van mijn moeder. Maar wie zou Saddam beschuldigen van het knakken van menselijke zielen? Ik dacht aan al mijn geliefde tantes; de tantes met pit, de vastberaden, modieuze tantes die hij in de ogen van het Westen had bevrijd, en ik vroeg me af wie er niet alleen oog zou hebben voor de velen die hij had gedood, maar ook voor al diegenen die hij had laten leven, met schijnbaar alleen maar oppervlakkige verwondingen. Zouden vrouwen weer van de radar van de geschiedenis verdwijnen, gewoon omdat historici graag denken in statistieken en termen als kilotonnen en veldslagen en aantallen doden? Hoe lang zouden vrouwen door hun zwijgen medeplichtig blijven aan hun eigen lijden?

Voor het eerst in jaren voelde ik het meisje aan me knagen dat ik ooit was geweest. Er doken herinneringen op die ik uit alle macht had geprobeerd te onderdrukken. Ik wilde mijn verleden niet langer buitensluiten. Ik wilde open kaart spelen. Ik wilde mijn werk kunnen doen zonder me een huichelaar te voelen. Maar omdat ik zo lang bang was geweest, had ik geen idee hoe ik al die lagen angst van me af moest pellen. Omdat ik had kunnen overleven door mijn verleden te verhullen, zelfs voor mezelf, had ik me nooit een compleet beeld van mijn eigen verleden kunnen vormen. Wat waren nu eigenlijk de oorzaken geweest, en wat waren de gevolgen? Wat hadden alle Irakezen ervaren, en wat was kenmerkend voor ons gezin? Ik had in elk geval nooit antwoord op de belangrijke vragen gekregen, zoals op de vraag hoe het mogelijk was dat iemand als Saddam Hoessein, die door bijna alle Irakezen werd gehaat en op wie voortdurend aanslagen werden gepleegd, er toch in was geslaagd om een kwart eeuw aan de macht te blijven. O, hij beschikte over wapens, en in het begin had hij kunnen rekenen op de steun van zowel de vs als de toenmalige Sovjet-Unie, die allebei hun eigen geopolitieke belangen veilig wilden stellen, maar zelfs hij had niet genoeg kogels om 25 miljoen mensen te doden. Hoe was hij erin geslaagd om te bepalen hoe nagenoeg iedere Irakees sprak, beminde, huwde, bad, speelde, glimlachte, leerde, zich kleedde, at, bedroog, wanhoopte, vierde en stierf? Hoe was hij erin geslaagd om fatsoenlijke mensen zoals mijn ouders deelgenoot van hun eigen onderdrukking te maken? Om mijn moeder van een vrije geest te veranderen in een tuttige moeke die op feestjes op het paleis niet opviel? Om mij zo bang te maken dat mijn angst zelfs niet verdween toen hij me niet langer pijn kon doen?

Wanneer was het allemaal begonnen? Ik denk op het moment dat een moeder geen eerlijk antwoord op de vraag van een klein kind durfde te geven. Tegen de tijd dat ik op mijn twintigste naar Amerika vertrok, werd mijn relatie met mijn moeder door zoveel stiltes en half beantwoorde vragen gekleurd dat ik haar de schuld gaf van bepaalde nare wendingen die mijn leven had genomen. Pas toen ze op sterven lag en ik had leren luisteren naar andere vrouwen die tirannen hadden overleefd, vertelde ze me de geheimen die ze gedurende het grootste deel van mijn leven voor me verborgen had gehouden. Ik moet nog steeds huilen wanneer ik eraan denk hoe jong ze was toen ze stierf: nog maar tweeënvijftig. Ze kon niet meer praten en alleen maar via geschreven teksten met me communiceren. Pas toen vroeg ik haar hoe ze samen met mijn vader twintig jaar lang onder Saddams heerschappij had kunnen leven, en zij schreef haar antwoord op in een notitieboekje van de supermarkt. Schrijven kostte haar ook moeite, en vaak waren haar aantekeningen kort en zakelijk. Om een idee te geven van wat ze haar kinderen nooit heeft verteld, heb ik er in dit boek delen uit opgenomen. Ik bewaar dat notitieboekje in een witte weekendtas waarop ik vroeger altijd zat wanneer we op het vliegveld moesten wachten. Ik sla het zelden open omdat het het enige is wat haar geur met zich meedraagt.

De Irakezen zeggen over Saddam Hoessein dat hij hen in de jaren zeventig het hof maakte, dat ze hem in de jaren tachtig verdroegen en dat ze in de jaren negentig en later de prijs moesten betalen. Ik heb mezelf altijd beschouwd als iemand die geluk heeft gehad, en een van de redenen daarvoor is dat ik ben opgegroeid in het meest veelbelovende decennium van het moderne Irak. Begin jaren zeventig zuchtte het Westen onder de oliecrisis, maar bij ons stroomden de oliedollars binnen. De staat had het monopolie op de olie, en de Iraakse dinar steeg tot ongekende hoogten. Dorpjes met lemen hutten kregen stroom, moderne scholen en ziekenhuizen schoten als paddenstoelen uit de grond, en wanneer we terugkwamen van vakantie zagen we soms dat er tijdens onze afwezigheid complete kantoorcomplexen in de woestijn waren verrezen. Iraakse studenten konden dankzij beurzen van de regering in het buitenland studeren en Saddams socialistische Baathpartij startte met een verplichte grootscheepse campagne die een einde moest maken aan analfabetisme (en de ideologie van de partij verder moest verspreiden). Het aantal mensen dat leerde lezen en schrijven was zo indrukwekkend dat Irak een voorbeeld werd voor andere achtergestelde landen en een prijs van de UNESCO ontving. Dat het vertrouwen van de Irakezen ondertussen werd verkwanseld en de generatie van mijn ouders zichzelf wijsmaakte dat er geen prijskaartje aan deze vooruitgang hing, is iets waaraan ik niet al te vaak probeer te denken.

Mijn ouders trouwden vlak voor deze gouden jaren, in 1968. Mijn moeder was net afgestudeerd en mijn vader had na een studie in Schotland zijn opleiding aan de luchtvaartschool voltooid. Mijn lievelingsfoto van mijn ouders is een oude zwart-witfoto die tijdens hun verlovingsfeestje is genomen. Ze staan voor een tuinhek, met op de voorgrond tuinmeubelen van wit smeedijzer. Mijn vader ziet er in zijn pak knap en goed verzorgd uit, en mijn moeder is een donkerharige schoonheid in minirok, opgemaakt zoals in de jaren zestig de mode was. Wanneer ik die foto zie, breekt mijn hart bijna omdat er een prachtig woord bij me opkomt waarvoor ik in het Arabisch geen equivalent kan bedenken: ze lijken daar zo 'onbekommerd'.

Ik werd een jaar later geboren; in dezelfde maand werd mijn vader tot gezagvoerder bij Iraqi Airways bevorderd. In Bagdad verrezen nieuwe wijken met namen als de Lerarenbuurt en de Ingenieursbuurt (alsmede wijken met kleinere percelen voor de lager geschoolde arbeiders), en de regering gaf mensen met zulke beroepen die daarheen verhuisden een premie. Mijn ouders maakten hiervan ook gebruik en lieten een huis in de Luchtvaartbuurt bouwen. Ze waren reuzetrots dat ze dit zonder hulp van familie voor elkaar wisten te krijgen. Omdat mijn geboorte samenviel met de promotie van mijn vader noemden mijn ouders me hun *baraka*, het kind dat zegeningen brengt, en tijdens mijn jeugd werd ik door dat bijgeloof achtervolgd. Telkens wanneer het nieuwe maan was, vroeg mijn moeder of ik naar haar wilde glimlachen, en dan zei ze dat mijn lach de komende maand net zo zou zegenen als mijn geboorte hun eerste jaar had gezegend. Vijf jaar later kregen ze een zoon, Haider, en weer vijf jaar later nog een, Hassan. Na elke geboorte plantte mijn vader een palm in onze achtertuin en vernoemden mijn ouders de boom naar het betreffende kind. Mijn vader was de tuinman van de familie. Onze tuin stond vol gardenia's en mandarijnen, limoenen en zoete citroenen – inheemse citrusvruchten waarnaar ik vaak verlang, maar dat ik buiten Bagdad zelden aantref.

Ik was nog een baby toen mama een plakboek over me bij begon te houden. Ik heb het nog steeds, het is een album met op de dikke, witte kaft een ooievaar van glitters en een paars hondje. Binnenin zitten foto's van ons gezin en van kinderfeestjes, en achteloos gemaakte kiekjes van bekenden, onder wie de christelijke buurvrouw die mijn moeder altijd om advies vroeg over de moslimvriendjes van haar dochter. Al die foto's hebben, doordat ze in het plakboek zijn opgenomen, op de een of andere manier te maken met mijn geboorte. Na haar dood viel het me op dat er geen enkele foto van amo in dat plakboek staat, hoewel er talloze zijn genomen, en ik vraag me af of ze die eruit heeft gehaald of gewoon nooit heeft ingeplakt. Mama was altijd erg kieskeurig wanneer het ging om de herinneringen die ze wel en niet voor me wilde bewaren.

Soms vergeet ik hoe sterk de band met mijn vader was en dat hij me altijd zo gemakkelijk aan het lachen kreeg. Op een van de foto's zijn we allebei gekleed in een *dishdasha*, de lange katoenen tuniek die door mannen en vrouwen wordt gedragen. Hoeveel vaders laten bij elkaar passende kleren voor zichzelf en hun dochtertje van twee maken? Ik noemde hem *baba*, 'papa' in het Arabisch, maar hij heet Basil. De meeste foto's laten hem zien op een van onze vakanties; hij trekt gekke bekken op een tropisch strand, met een plastic kinderzwembandje om zijn middel; hij staat boven op een standbeeld in Thailand; hij babbelt met het beeld van een bebaarde mijnwerker in een Amerikaans pretpark alsof het een oude vriend is. Op bloedhete middagen in de zomer gingen we zwemmen op de Jachtvereniging of voeren we met mijn neefjes en nichtjes op de boot van mijn oom naar Varkenseiland om daar te barbecuen. Mijn vader was als kind ook vaak op dat zanderige eilandje in de Tigris geweest, dat volgens de verhalen naar een wild zwijn is vernoemd, en tijdens die uitstapjes kwam altijd weer het jochie in hem naar boven. Ik bewaar enkele van mijn beste herinneringen aan de rustige zomeravonden die we daar hebben doorgebracht, met op de achtergrond het vredige geluid van de muezzin die opriep tot het avondgebed. Maar er klonk vooral veel gelach; de sterke, aanstekelijke lach van mijn moeder, de ondeugende van mijn vader wanneer hij ijs op het badpak van mijn moeder morste, en het vertrouwde gegrinnik van een groepje kinderen. Na zonsondergang gingen de lichtjes in de cafés aan de Corniche aan, die in trage lijnen van blauw, groen, wit en rood door de rivier werden weerkaatst. Wanneer de wind opstak, leken de kleuren tot leven te komen, en ik stelde me altijd voor dat er elfjes aan de oever zaten die hun vleugels in het water doopten.

Ik werd bemind, onderwezen en verwend. Dankzij de extraatjes van de luchtvaartmaatschappij en het feit dat mijn ouders allebei uit een gegoede familie kwamen, konden we over de hele wereld reizen: Brazilië, Griekenland, Japan en nog tientallen andere landen. Ik heb waarschijnlijk evenveel van de westerse als van de oosterse cultuur meegekregen. Naar verluidt kwam mijn eerste potje babyvoedsel bij Harrod's vandaan. Ik kende de tune van 'Happy Days' en vertelde mijn vader dat de Bionische Vrouw met gemak de Man van Zes Miljoen kon verslaan. Mijn vader bracht van zijn vluchten naar het buitenland altijd van alles voor me mee: het nieuwste speelgoed en kleren uit buitenlandse winkels, chocolade die je in Irak niet kon krijgen, en Big Macs die hij in de koelkast in de pantry bewaarde. Omdat hij zo vaak van huis was, werd hij in mijn verbeelding even mythisch als de Kerstman, die immers ook in een mooi pak en beladen met geschenken door de lucht vloog.

Maar mama en haar vriendinnen waren degenen die me lieten zien wat het leven inhield en hoe je ervan moest genieten. In heel Bagdad woonden vrouwen die ik, volgens de Iraakse traditie die voorschrijft dat kinderen volwassenen met respect moeten bejegenen, allemaal *khala*, 'tante', noemde. Door de jaren heen heb ik tientallen tantes gehad: vriendinnen van mijn moeder, verre familieleden, kunstenaressen en leraressen, echtgenotes van andere piloten, vrouwen van de Jachtvereniging en uit andere kringen die elkaar allemaal kenden. In de vs hadden sociaal-economische factoren ervoor gezorgd dat de vrouwen weer terug naar het aanrecht waren gestuurd, maar in Irak gebeurde het omgekeerde: dankzij de industrialisatie naar socialistisch voorbeeld kreeg de generatie van mijn moeder juist de kans om buitenshuis te gaan werken en uit eeuwenoude keurslijven te breken. Mijn moeder en de meesten van haar vriendinnen hadden een islamitische achtergrond, maar waren niet actief met het geloof bezig. De foto's die ik van hen heb, laten vrouwen zien die hun armen om elkaars middel hebben geslagen, vrouwen die vroeger in mijn ogen altijd zo onoverwinnelijk leken. Ze waren bondgenoten die een nieuwe betekenis aan het begrip 'vrouw' gaven, ze waren feministisch, modieus, spraken twee of drie talen en zagen geen enkele reden waarom ze niet alles konden hebben: een titel, een baan die bevrediging schonk, kinderen, reizen, plezier, en een man die van hen hield.

Wettelijk was er niets vastgelegd, maar de Baathpartij ontmoedigde het dragen van de traditionele abaja, het lange, zwarte gewaad dat mijn oma en traditioneel ingestelde vrouwen op het platteland droegen. De meesten van mijn 'tantes' zochten met opzet de grenzen op en hulden zich in minirokken. Mijn moeder en haar vriendinnen winkelden liever in Londen dan in Parijs, en liever in Parijs dan in een van de nieuwe modezaken in Bagdad die volstonden met allemaal dezelfde, onverwoestbare Russische etalagepoppen die leken te zijn ontworpen om de 'glorie der Iraakse vrouwen' te onderstrepen. Amo vond dat een geweldige uitdrukking. Iraakse vrouwen waren natuurlijk des te glorieuzer omdat ze niet alleen het huishouden bestierden, maar ook nog eens in zijn fabrieken werkten of bijeenkomsten van de Baathpartij organiseerden.

Mijn moeder gaf regelmatig etentjes bij ons thuis waarvoor iedereen wat lekkers meenam. Dan kwamen er een stuk of vijftien, twintig vrouwen bij elkaar en klonk overal gelach en gebabbel en rook je de geuren van dampende ovenschotels en buitenlandse parfums. Ze rukten het cellofaan van hun pakjes Kent of Virginia Slims en staken een sigaret op, zodat er net onder het plafond een blauwgrijze waas bleef hangen die ik toen romantisch vond. Ik liep tussen hen door, luisterde naar hun gelach, hun verhalen en hun grapjes en wist dat ik altijd welkom was, behalve wanneer ze zich terugtrokken in onze welriekende tuin, waar ze bij elkaar dromden en fluisterend roddels of geheimen uitwisselden die hun band leken te versterken. Mama, die brutaal, spontaan en soms een beetje grof was, was altijd degene die een einde aan al het geklets maakte, zodat er kon worden gedanst. 'Het leven is als een komkommer,' zei ze vaak. 'Zo heb je hem in je hand, zo heb je hem in je kont.' Dan moest iedereen lachen en was alle spanning verdwenen. Mama lachte altijd luider dan in de

Arabische samenleving voor een vrouw als gepast werd beschouwd. Haar lach was als een geiser die ergens in de diepte begon en dan tot uitbarsting kwam.

Zoals in een groot deel van de Arabische wereld is ook in Irak het sociale leven van de vrouwen gescheiden van dat van de mannen. Vrouwen dansen hun hele leven met elkaar, een genoegen dat veel westerse vrouwen nooit zullen smaken. Een van mijn betoverendste herinneringen, die in mijn ogen symbolisch is voor de zorgeloze tijd die nu voorgoed voorbij is, betreft mijn moeder die een hele stapel felgekleurde sjaals aan haar vriendinnen uitdeelt en daarna de volumeknop heel hoog zet, waarna al die carrrièrevrouwen op hun plateauzolen beginnen te buikdansen, terwijl ze ondertussen onder luid gejoel de felle stroken chiffon rond hun schouders en heupen wikkelen. Tante Samer, de lange en sierlijke grote zus van mijn moeder, wiegde haar heupen in het langzame, klassieke ritme van verleiding heen en weer, maar mama was het ongeremdst en daardoor het leukst om naar te kijken. Haar lichaam schudde sneller dan een tamboerijn, met kleine schokkende bewegingen zoals niemand anders ze kon maken, en haar lange, glanzende donkere haar zwaaide rond haar hoofd heen en weer, als een stralenkrans die haar probeerde bij te houden.

Mijn vader kon ook goed dansen, vooral op bop en rock. Mijn ouders, die geliefd en spontaan waren, organiseerden ook avondjes voor stellen die in de behoudende kringen ongetwijfeld als een tikje alternatief werden beschouwd. Goede moslims zeggen nee tegen alcohol, omdat drinken volgens de Koran verboden is, maar in ons huis werd drank geschonken aan mannen en vrouwen die zich op de klanken van westerse en Arabische muziek moeiteloos onder elkaar mengden. Overal stonden schaaltjes met verse pistachenoten, amandelen en granaatappelzaden. De *masqoof*, de vis uit de Tigris waar Bagdad befaamd om is, werd aan lange stokjes geregen en langzaam boven een open vuur geroosterd, en de sierlijk bewerkte palissanderhouten tafel die we uit Thailand hadden meegenomen, werd vol gezet met grote schalen rijst, limabonen met dille, met amandelen gevuld lamsvlees, en fruit en kastanjes. Wanneer ik vanaf ons dak in de armen van mijn grootmoeder naar deze feestjes keek, was mijn enige angst dat ik nooit zou kunnen voldoen aan de maatstaven die mijn moeder had gezet, dat ik nooit mijn verlegenheid zou overwinnen, nooit zo zou leren dansen als zij en nooit met zoveel ongebreidelde vreugde zou durven lachen.

De Iraakse zomers kunnen zó heet zijn dat de bewoners van Bagdad vaak op het dak slapen. Een van de dingen die ik me uit mijn jeugd heel goed kan herinneren, is het geluid van zware matrassen die naar boven werden gesleept en op speciaal gemaakte metalen ledikanten werden gelegd. Omdat het belangrijkste maal van de dag 's middags wordt geserveerd, aten we 's avonds altijd iets lichts. Op zomeravonden zag je, wanneer je in de Luchtvaartbuurt om je heen keek, de andere gezinnen met kinderen op hun daken zitten en watermeloen, kaas, brood of iets anders simpels eten.

We hielden op met buiten slapen toen Aboe Traib, de 'moordenaar met de machete', Bagdad in de jaren zeventig begon te terroriseren, in een golf van misdaad die een voorbode lijkt te zijn geweest van al het geweld dat later zou volgen. Hij was een seriemoordenaar die het op rijke gezinnen had gemunt en naar verluidt met zijn vrouw en kinderen huizen binnendrong, de bewoners afslachtte en met hun bezittingen in het donker van de nacht verdween. Een groot deel van de huizen werd bewaakt, maar Aboe Traib was alle veiligheidsmaatregelen op de een of andere manier te slim af. Al snel deed het gerucht de ronde dat hij via het dak binnenkwam, en dus deden we trouw de deuren naar het dak op slot en werden we door onze angst in onze bloedhete huizen gevangengehouden. Omdat ik me niet kon voorstellen dat iemand uit onze kringen zulke dingen op zijn geweten kon hebben, stelde ik me hem voor als een boer met een angstaanjagende blik in zijn donkere ogen en een wit hoofddeksel dat door een wit koord op zijn plaats werd gehouden. Zijn vrouw droeg in mijn fantasie een zwarte hoofddoek en een witte boerenjurk, en zijn zonen en dochters waren net zo gekleed als hun ouders. Ik stelde me voor dat hij en zijn vrouw de vaders en moeders vermoordden, en hun kinderen de kinderen – dit alles wanneer de slachtoffers rustig lagen te slapen. Toen Aboe Traib eindelijk werd gepakt, bleek hij een vooraanstaand lid van de veiligheidstroepen te zijn, wat weer aanleiding gaf tot de niet eens zo ongeloofwaardige veronderstelling dat zijn bloederige slachtpartijen eigenlijk een experiment van de regering waren dat ervoor moest zorgen dat de hele stad doodsbang werd. Afgezien van zijn dikke zwarte haar en angstaanjagende ogen zag hij er heel anders uit dan ik me had voorgesteld. Hij had geen baard, alleen een enorme zwarte snor, en verscheen in een wit overhemd en een jasje op tv. Hoewel hij later ter dood werd veroordeeld, bleef hij in de folklore van de stad voortleven. Aboe Traib heeft me geleerd dat angst altijd kan blijven bestaan, ook al is de aanleiding ertoe allang verdwenen.

'Aboe Traibs huid heeft de kleur van chocola, en zijn haar is stug en zwart,' zei Radya, ons dienstmeisje, minstens drie of vier jaar na zijn dood nog op bazige toon tegen me. 'Hij heeft diepliggende ogen – kattenogen – zodat hij ook in het donker kan zien. En iedereen in zijn familie heeft stug haar en diepliggende ogen. Zelfs zijn kinderen kunnen 's nachts in het donker zien, net als katjes.'

Radya was de dochter van een bewaker die tijdens onze afwezigheid af en toe ons huis in de gaten hield. Ze kwam bij ons wonen toen ze nog maar een jaar of veertien was; dat was een gebruikelijke manier om arme meisjes aan een inkomen en betere leefomstandigheden te helpen. Ik was niet gewend aan een dienstmeisje dat bijna net zo oud was als ik, en op een middag droeg ik haar op me mijn middageten te brengen. Ze snauwde naar me en we kregen ruzie. 'Jij bent de dienstmeid,' zei ik tegen haar. 'En dus moet je doen wat ik zeg.' 'Nee, dat hoef ik niet!' schreeuwde ze. Ze rende huilend het huis uit. Toen mijn moeder thuiskwam, kreeg ik in het bijzijn van Radya een standje. Ik moest mijn verontschuldigingen aanbieden en voor straf klusjes in huis doen.

Radya droeg altijd lange mouwen die haar armen bedekten, zelfs in de zomer wanneer ik in mouwloze blouses en korte broeken liep. Toen ik haar op een dag vroeg waarom dat zo was, liet ze me haar arm zien. 'Ik hielp mijn moeder bij het bakken van het brood,' legde ze uit, terwijl ze me een litteken van een brandwond liet zien dat van haar schouder tot haar pols liep. Ik vond het heel erg voor haar dat ze zich zo lelijk voelde dat ze haar lichaam moest verbergen. Ze had een erg donkere huid, en later heb ik tegen haar gezegd dat vrouwen zoals zij in Amerika tot schoonheidskoninginnen werden gekroond. Mama had gezegd dat ik Radya als een zus moest behandelen, en na een tijdje werden we goede vriendinnen, maar ik wist dat we nooit zussen zouden worden. Wij kwamen overal; zij kwam nergens. Ik speelde met mijn neefjes en nichtjes basketbal in de doodlopende straat waar we woonden; zij werkte in de keuken. Ik ging overdag naar school; zij volgde lessen aan een avondschool.

Mijn ouders gaven Radya de kans om naar de middelbare school te gaan, maar pas toen ik haar een keertje samen met mijn moeder naar haar huis bracht, waar ze altijd het weekend doorbracht, zag ik hoe haar familie woonde: acht personen in een tweekamerwoning van in de zon gebakken gele leem, op een stukje land van de regering in de buurt van het vliegveld. Er was geen privacy. Ik vroeg me af waar ze haar huiswerk maakte en waar haar ouders met elkaar vrijden – ik wist dat ouders dat deden omdat ik wel eens door het sleutelgat van de slaapkamer van mijn ouders had gekeken. Radya's moeder droeg een zwarte abaja en had een kleine tatoeage op haar kin; ze bracht haar dagen door met het bakken van brood in een lemen oven en verdiende er zo een centje bij. Radya's loon was het enige vaste inkomen dat het gezin had. Pas nadat ik jarenlang met vrouwen in andere landen had gewerkt, ontdekte ik dat dit in veel landen de gewoonte is: dochters als Radya moeten het geld verdienen zodat de slimste zoon van het gezin kan gaan studeren en kan helpen het gezin van de armoede te bevrijden. Duizenden arme gezinnen als dat van Radya woonden op stukjes grond van de staat. Aboe Traib stond er dan wel om bekend dat hij het op de rijken had gemunt, maar de angst voor hem leek vooral in buurten als de hare voort te leven. Wanneer Radya een weekend thuis was geweest, zat ze vaak vol nieuwe angstaanjagende verhalen over zijn escapades.

'Weet je wel hoe slim Aboe Traib is?' fluisterde ze op een middag toen we samen op de blauwe bank in onze woonkamer zaten. 'Zo slim dat hij door de muren heen mensen kan horen praten. Waarschijnlijk kan hij nu ook horen wat wij zeggen.'

Wanneer de ergste verzengende zomerhitte voorbij was, grepen mijn ouders mijn verjaardag aan om het grootste feest van het jaar te geven, en voordat de band voor de volwassenen op het toneel verscheen, lieten ze een poppenspeler komen die al mijn neefjes, nichtjes, vriendjes en vriendinnetjes met zijn marionetten vermaakte. Een van de foto's in mijn plakboek is op het feestje ter gelegenheid van mijn zesde verjaardag gemaakt. Je ziet twee meisjes met hun rug naar de camera op het gras zitten en opkijken naar een podiumpje waarop een poppenspeler bezig is: het ene meisje links ben ik, met mijn donkere krullen in korte vlechtjes, en het langere meisje rechts van me, met een lange, kastanjebruine vlecht die tot aan haar middel reikt, is Basma, mijn beste vriendin. Ik had een donkere huid en donker haar, net als mijn moeder, maar Basma had de lichtbruine ogen en lichte teint die in de Iraakse gemeenschap zo geliefd zijn. Ze was verlegen, net als ik, en zodra we elkaar hadden leren kennen, werden we onafscheidelijk. We brachten de middagen vaak bij elkaar thuis door en hoefden tijdens het spelen soms niet eens iets te zeggen. Ze woonde in Al Mansoer, de chique buurt, en hun huis was reusachtig en veel buitenissiger dan onze driekamerwoning met open keuken en woonkamer. Haar vader was minister, en voordat ik de trap op kon rennen naar haar roze slaapkamer, waar veel meer speelgoed stond dan in die van mij, moesten bewapende bewakers de poorten voor me openen. Dat jaar gaf Basma me het cadeau dat ik het mooiste vond van allemaal, een grote pop die voor mij het toppunt van schoonheid vertegenwoordigde omdat ze net als mijn moeder een donkere huid had, en net als Basma lichtbruine ogen.

Basma en ik zaten op de Al-Ta'aseesaya, een moderne school die rond 1900 door de Britten was gesticht toen zij over Irak heersten – of dat in elk geval probeerden. De school, met haar enorme terrein en met leerlingen uit de betere kringen, werd als een van de beste scholen van Bagdad gezien. Basma zat voor in de klas, bij de kinderen wier ouders ook belangrijke functies hadden. Ik plaagde haar altijd omdat de leraressen zich van een suikerzoet toontje bedienden wanneer ze haar aanspraken: 'O, Basma, liefje, neem je huiswerk dan morgen maar mee, hoor.' Zo deden ze nooit tegen mij. Mijn ouders hadden het goed, maar we waren niet beroemd of belangrijk; tegen mij schreeuwden ze als ik vergat mijn huiswerk te maken.

In die tijd was de Iraakse samenleving in religieus opzicht erg ver-

deeld, en de scholen, die halverwege de jaren zeventig waren gena-
tionaliseerd om ervoor te zorgen dat we allemaal hetzelfde, door de
overheid vastgestelde lesprogramma zouden volgen, waren seculier.
De islam was een van de vele onderwerpen die aan bod kwamen,
maar leerlingen die geen moslim waren, mochten indien gewenst
tijdens die uren het lokaal verlaten. Op een dag, toen ik een jaar of
tien was, zei onze lerares godsdienst dat we islamitische gebeden
gingen leren. Ze vroeg of we in een witte *dishdasha* naar school konden komen en of we aan onze ouders konden vragen hoe zij ons wilden zien bidden, want dat kon je op verschillende manieren doen.
Op de bewuste dag was ik toevallig aan de vroege kant – de lampen
in het lokaal brandden nog niet eens. Er was slechts één andere leer-
ling aanwezig, en mijn hart begon sneller te kloppen toen ik zag wie
dat was. Mohammed, de slimste jongen van de klas, stond aan de
andere kant van het lokaal voor het raam. Ik zie hem nog zo voor
me, badend in het zonlicht in zijn eigen witte *dishdasha*, met pik-
zwart haar dat afstak tegen zijn sneeuwwitte huid en lichtbruine
ogen. Ik was een beetje verliefd op Mohammed, maar had nog nooit
de moed gehad om iets tegen hem te zeggen. Toen ik zenuwachtig
mijn boeken op mijn tafeltje legde, hadden we het over het huiswerk, en ik liet hem zien hoe er bij ons thuis werd gebeden: ik hield
mijn handen langs mijn zij, precies zoals mijn moeder me de avond
tevoren had laten zien. Hij trok zijn neus op en keek me aan alsof hij
net iets walgelijks had gezien. 'O,' zei hij, 'je bent een sjiiet.'

Ik kon wel door de grond zakken. Ik voelde me vernederd, al wist
ik niet eens waarom.

Toen de hele klas compleet was – de meisjes met witte hoofddoeken en de jongens met witte *alakcheen*, hoeden van geweven stof –
nam de lerares ons mee naar buiten en moesten we in een rij voor de
kraan in de tuin gaan staan om te leren hoe we ons voor het gebed
op rituele wijze dienden te reinigen, zoals de islam voorschreef.
Het was een prachtige dag. Het plein stond vol bloemen en ik keek
vol genoegen naar het water dat uit de kraan stroomde omdat dat
het zonlicht zo mooi weerkaatste. Toen het mijn beurt was om me te
wassen, nam ik de tijd. Ik spoelde mijn handen, mijn gezicht, de
bovenkant van mijn hoofd, mijn oren en mijn voeten af, precies

23

zoals de lerares dat ons had voorgedaan. Het was een warme dag, en het water voelde niet alleen koel aan, maar ook geestelijk reinigend. Ik genoot ervan, totdat Mohammed me weer kleineerde, deze keer ten overstaan van iedereen.

'Het is geen bad, Zainab,' zei hij, 'het is een rituele reiniging. Ken je het verschil niet eens?'

Later, toen we in de gymzaal zaten om daar het bidden te oefenen, keek ik om me heen en zag dat een aantal kinderen hun handen langs hun zij hielden, zoals ik ook had gedaan, maar dat anderen hun handen voor zich hielden, zoals Mohammed deed. Plotseling voelde ik me verbonden met degenen die net zo baden als ik, al was het maar omdat me duidelijk was gemaakt dat dat als minderwaardig gold in de ogen van mensen die zo baden als Mohammed.

Toen ik thuiskwam, vroeg ik aan mijn moeder hoe dat precies zat, en ze gaf me het standaardantwoord van een schooljuf: 'In Irak hebben we sjiieten en soennieten, maar we zijn allemaal hetzelfde, we zijn allemaal moslims.' Voor zover ik me kan herinneren, was dit de eerste keer dat ik het idee had dat mijn moeder niet helemaal de waarheid sprak. Ik wist dat er wel een verschil was. Dat had ik aan de misprijzende uitdrukking op Mohammeds gezicht gezien. Ik dacht na over hoe hij zich had gedragen en kwam tot de conclusie dat hij onbeschoft tegen me was geweest, wat in de Arabische cultuur een enorme faux pas is. Voordat ik die avond ging slapen, besloot ik hem te straffen door hem niet langer leuk te vinden. Het zou jaren duren voordat ik weer verliefd op een jongen durfde te worden. Pas toen ik in Amerika woonde, leerde ik een uitdrukking die precies beschreef wat voor gevoel Mohammed me had gegeven. Hij had me het gevoel gegeven dat hij 'vies van me was'. Als ik de eerste vage sporen van angst zou moeten beschrijven die je als kind kunt ervaren, dan zou ik het zo doen: ik had het gevoel dat hij vies van me was en moest de neiging onderdrukken om me te verstoppen.

Op 22 juli 1979 – Saddam Hoessein zorgde ervoor dat zijn cameramannen aanwezig waren om het moment vast te leggen – zat mijn moeder aan de keukentafel naar onze kleine zwart-wit-tv te staren. Ik stond naast haar en keek over haar schouder mee. Onze nieuwe president, Saddam Hoessein, een lange man in pak met een grote zwarte snor, stond op het podium van een grote vergaderzaal die was gevuld met mannen die, zo begreep ik later, allemaal belangrijke leden van de Baathpartij of hoge regeringsambtenaren waren. Hij zag er erg streng en droevig uit, alsof een van zijn kinderen hem had teleurgesteld door iets stouts te doen, en meldde dat hij had ontdekt dat er 'ontrouwe' lieden in de regering zaten. Hij liet een stijfjes ogende ambtenaar het podium opkomen die bekende dat hij samen met anderen plannen had gesmeed om het regime van Saddam omver te werpen. Hij noemde vervolgens de namen van de andere 'samenzweerders', en terwijl hij dat deed, liepen gewapende bewakers het publiek in, grepen de bewuste mannen beet en sleepten hen de zaal uit. Van al die honderden mannen die daar die dag aanwezig waren, kan ik me van twee nog het gezicht herinneren. Een van hen schreeuwde dat hij onschuldig was en verzette zich tegen de bewakers die hem weg wilden voeren. De ander was de man die voor mij later amo zou worden en het tafereel vanaf het podium met een vaderlijke uitdrukking op zijn gezicht gadesloeg. Hij rookte een sigaar.

Nadat Saddam ervoor had gezorgd dat al deze 'verraders' in hechtenis waren genomen (en hij zich op die manier van zijn voornaamste politieke tegenstanders had ontdaan) prees hij alle overgebleven aanwezigen om hun trouw. De mannen schoven ongemakkelijk op hun stoelen heen en weer. Ik zag dat velen van hen erg angstig keken. Toen stonden ze, met kleine aantallen tegelijk, op om voor hem te applaudisseren. Ik weet niet of ze dat deden uit instemming of uit angst het volgende slachtoffer te worden, maar ze brachten in elk geval een staande ovatie aan de man die de vrienden en collega's ging executeren die zo-even nog naast hen hadden gezeten.

Dat moment is herhaaldelijk over de hele wereld op tv te zien geweest. Saddam Hoessein heeft nooit geprobeerd te verhullen wat hij die dag heeft gedaan. Hij wilde dat die mannen en alle anderen bang voor hem zouden zijn. Ik heb die beelden als volwassene al diverse keren gezien, zodat ik moeilijk kan bepalen wat ik er toen allemaal wel en niet van begreep. Ik weet dat ik als negenjarige nog niet besefte dat die mannen voor een vuurpeloton zouden eindigen

– en ook niet dat de man die opdracht gaf tot de executies de 'amo' was over wie mijn moeder en tante Layla het een week eerder nog hadden gehad. Maar ik voelde wel de angst die uit dat kleine tv'tje leek te sijpelen, ik voelde de kilte die neerdaalde over onze keuken, een plek waar ik me tot dan toe altijd veilig had gevoeld. Ik weet nog precies hoe mijn moeder keek. Ze zette heel grote ogen op en hield haar blik aan één stuk door op het scherm gericht. Ik had die uitdrukking nog nooit op haar gezicht gezien, maar ik herkende hem onmiddellijk: het was ontzetting.

Na de uitzending bleef mama even roerloos zitten. Toen schakelde ze het toestel uit. Ik merkte dat ze haar gedachten op een rijtje probeerde te zetten voordat ze me aankeek en iets tegen me zei. Ik was nog zo klein dat onze ogen zich op dezelfde hoogte bevonden wanneer zij zat en ik stond.

'Lieverd, van nu af aan zal het bij Basma thuis allemaal een beetje anders gaan,' zei ze. 'Jullie kunnen vriendinnen blijven en elkaar op school zien, maar ik ben bang dat je niet meer bij haar thuis kunt gaan spelen en dat zij niet meer hier kan komen.'

'Waarom niet, mama?'

Ze nam mijn beide handen in de hare en boog zich naar me toe. 'Zainab, haar vader was een van de mannen die is weggevoerd.'

Ik vroeg me af waarom ik huilde: omdat Basma haar vader had verloren of omdat onze vriendschap nu zijn beperkingen zou kennen. Ik weet het niet meer. Die zomer gingen we naar Seattle, zoals we wel vaker deden, omdat mijn vader een twee maanden durende vliegcursus bij Boeing moest volgen. Ik zag Basma pas in september, toen de school weer begon. Ze zat achter in de klas. De leraren deden hun best om haar naam niet te noemen. Andere kinderen gingen haar helemaal uit de weg. Tijdens dat speelkwartier en enige tijd erna liepen we hand in hand over het plein, met onze blikken naar de grond gericht. Er was iets vreselijks gebeurd, maar we durfden er geen van beiden iets over te zeggen. Op een dag verscheen Basma niet op school, en ik heb haar nooit meer gezien. Tegen de tijd dat ik, drie jaar later, de man leerde kennen die de opdracht had gegeven om haar vader te doden, had ik mezelf gedwongen haar achternaam te vergeten.

Uit het notitieboekje van Alia

We zaten niet om zijn vriendschap te springen. We zeiden talloze
keren nee tegen zijn uitnodigingen en wisten hem twee jaar lang te
ontwijken, terwijl hij ondertussen vriendschap sloot met andere
stellen die we kenden, maar we wisten dat we dat niet eeuwig konden
volhouden.

Toen we op een dag om een uur of elf 's avonds besloten om na afloop
van een feestje nog even bij een vriend langs te gaan, troffen we
Saddam Hoessein daar in de woonkamer aan. Die avond zaten we
drie uur lang naar hem te luisteren. Ik zal zijn ogen nooit vergeten.
Zijn blik was heel geconcentreerd, hij bekeek iedereen bijzonder
aandachtig. We spraken die avond over heel veel verschillende
dingen, onder andere over hobby's en dan vooral over jagen, wat een
van zijn favoriete bezigheden was. Toen we die nacht thuiskwamen,
troffen we tot onze verbazing een jachtgeweer aan dat hij bij ons had
laten bezorgen. Het was zijn manier om ons uit te nodigen om
vrienden te worden.

Voordat hij president werd, kwam hij vaak alleen bij ons langs, of
slechts in gezelschap van een lijfwacht. Hij zwierf vaak in de
nachtelijke uren door Bagdad, op weg van het ene gezin naar het
andere. Het was niet ongebruikelijk dat hij midden in de nacht
opbelde om te zeggen dat hij even langskwam en dat we een paar
vrienden moesten vragen om ook te komen. Dan konden we niets
anders doen dan hem binnenlaten en ons best doen om hem te
vermaken, ook al vielen we om van de slaap.

Hij dronk altijd veel. Zijn lievelingsdrankje was whisky, Chivas
Regal. Hij zorgde er altijd voor dat hij dozen van dat spul bij zich
had als hij naar een feestje ging. Hij hield van dansen, vooral op
westerse muziek. Hij kreeg nooit genoeg van het drinken of dansen,
al was hij in geen van beide echt goed. Hij was een sterke man, met

27

energie voor tien. Ik zal niet ontkennen dat hij een sterke
persoonlijkheid had. Zijn charmante kant konden we wel waarderen,
maar we waren ook bang voor hem omdat we geen nee tegen hem
konden zeggen.

Tijdens die avonden en nachten vertelde hij ons vaak over zijn jeugd.
Dan sprak hij over zijn kindertijd, dat hij op een avond aan de
mishandelingen van zijn stiefvader wist te ontkomen door zich in het
huis van een oom te verstoppen, dat een hond hem achterna was
gelopen, dat hij zelfs als kind van tien niet bang voor het donker was
geweest. Hij vertelde dat hij niets liever had gewild dan naar school
gaan, en dat dat hem dankzij zijn oom uiteindelijk ook was gelukt.
Toen hij tien was, begon hij in de eerste klas. Hij zei vaak dat hij het
zo ontzettend leuk had gevonden dat hij toen voor het eerst
ondergoed had gedragen en dat hij die dag op school zijn dishdasha
bleef optrekken om zijn klasgenoten zijn ondergoed te laten zien.
Volgens hem was dat het mooiste wat er was en wilde hij erover
opscheppen. Hij sprak ook over de tijd toen hij nog maar net politiek
actief was, en die verhalen duurden uren. We bleven zitten en
luisterden aandachtig naar hem.

We wisten niet zeker wat er allemaal zou veranderen toen hij
president werd. Op een avond in juli 1979 kwam hij onverwachts
rond een uur of acht bij ons langs. Ik weet nog dat hij zei: 'Nu ben ik
van die ouwe af' (hij bedoelde de toenmalige president, Ahmad
Hassan Al-Bakr). Hij was die avond erg vrolijk en opgewekt. Hij
minachtte Al-Bakr omdat die vaak een waarzegster had
geraadpleegd voordat hij met zijn regering ging vergaderen. Saddam
vond het vreselijk dat een blinde waarzegster uit Al-Doubjee zoveel
invloed op het regeringsbeleid had gehad. Hij vertelde dat hij haar op
het paleis had ontboden en toen eigenhandig had gedood. 'Ze kende
te veel geheimen en ik kon haar niet laten leven,' zei hij tegen ons.
Hij sprak die avond over vriendschap, en dat een vriend die een
vriend verraadt met de dood dient te worden bestraft. We zwegen en
luisterden aandachtig naar wat hij ons te vertellen had. Wat hij tegen
ons zei, was zowel een bedreiging als een verwijzing naar de moord
op een van zijn beste vrienden, Mahmoed Al-Hamdani, de
toenmalige minister van Onderwijs. Op de avond voor diens dood
hadden ze nog samen gegeten.

TWEE

Een speciaal dossier

Toen mama in 1999 voor mij in haar notitieboekje begon te schrijven, merkte ik dat haar aantekeningen zo van elke emotie ontdaan waren dat het eerder voetnoten in een geschiedenisboek dan verhalen over de relatie van mijn ouders leken. Maar ik kende de emotionele context die hier ontbrak omdat ik die jarenlang van dichtbij had meegemaakt; wat ik juist miste, waren de feiten. Hoewel ik al negenentwintig was, was dat pas de eerste keer dat we min of meer openlijk over amo konden praten. Iraakse ouders hebben nooit de luxe gekend die veel andere ouders wel kennen: de luxe om tegen hun kinderen te zeggen dat het allemaal wel goed zal komen en dat ze nergens bang voor hoeven te zijn. Mijn moeder zat altijd gevangen tussen het voor haar vanzelfsprekende verlangen om me de waarheid te vertellen en de neiging om haar mond te houden – simpelweg omdat de waarheid te gevaarlijk was.

In mijn leven zijn vier elementen die telkens weer terugkeren: vrouwen, oorlog, familie en religie. Met die begrippen maakte ik voor het eerst kennis door middel van verhalen die me werden verteld of door gesprekken die ik opving, maar later kwamen daar mijn eigen ervaringen bij. Ik ben opgegroeid met twee grote verhalenvertelsters: mijn oma Bibi, en haar jongste dochter, mijn moeder. Mama, wier sterrenbeeld Vissen was, verzon utopische verhalen die eindigden met groene akkers en regenbogen. Bibi, een traditionele moslimmoeder, gaf de voorkeur aan de verhalen uit *Duizend-en-één-Nacht* die wemelden van de prinsessen en stoere mannen die op hun paarden kwamen aanrijden om hen te redden. Aan die verhalen ontleende ik mijn eerste kennis over vrouwen en mannen, over wat het betekende om moslim of seculier te zijn, en over oorlogen en de tijd tussen oorlogen in, waarvan ik toen al wist dat die geen vrede heette.

Het Utopia van mama was het vrouwendorp, een plek die zij en mijn tantes – vooral tante Samer, wanneer die weer eens ruziemaakte met haar man – door de jaren heen in hun gesprekken naar voren brachten. Ik hoorde voor het eerst over het vrouwendorp toen ik nog klein genoeg was om bij mama op schoot te zitten wanneer ze met haar leerlingen een excursie maakte naar de hangende tuinen van Babylon of naar Hatra, een stad uit de oudheid. Ze zocht dan altijd samen met de andere onderwijzeressen naar een schaduwrijk plekje waar we konden picknicken en opende Tupperwarebakjes vol met tabouleh, gevulde wijnbladeren en *bourak*. Ze zaten altijd over hun mannen te klagen, zoals vrouwen onder elkaar zo vaak doen. Wat waren die toch humeurig, wat waren ze toch veeleisend! Zou het leven zonder hen niet veel eenvoudiger zijn? Zou de wereld er niet veel beter voorstaan wanneer de vrouwen aan de macht zouden zijn? En ze verzonnen verhalen over een idyllisch dorp vol huisjes en boerderijtjes die zo dicht bij elkaar stonden dat de kinderen als familie zouden opgroeien. De hemel boven het vrouwendorp was altijd onbewolkt, en de rivier die erdoorheen stroomde, glansde in het zonlicht. Overal waren bloemen en vogels, en de vrouwen brachten hun tijd zingend en dansend met hun kinderen door. Er was geen armoede of oorlog op deze prachtige ontmoetingsplaats tussen het echte leven en de verbeelding, waar vrouwen zo verstandig waren om met elkaar te overleggen en zo een oplossing voor zulke problemen te vinden. Mannen werden slechts één keer per week een paar uur in dit dorp toegelaten, en in mijn onschuld dacht ik dat dat was omdat ze de vaders van die kinderen waren en hen wilde opzoeken, net zoals baba ons opzocht wanneer hij thuis was. Net als alle utopieën was het vrouwendorp waarschijnlijk niet alleen een idyllisch toekomstbeeld, maar verried het ook waaraan de vertelster in haar huidige leven het liefste zou willen ontsnappen. Ik was toen echter nog te jong om dat te begrijpen.

Bibi had lichtbruine ogen en droeg haar witte haar in lange, dunne vlechten die ze buitenshuis onder een abaja en binnenshuis onder een losse witte doek verborg. Haar bleke, vochtige huid voelde altijd koel aan, zelfs in de zomer. Ze zat graag met haar kleinkinderen om zich heen in haar woonkamer, die was ingericht met kleden in rood, goud en bordeauxrood – wol op de grond, zijde aan de muur – en wij deden niets liever dan onderuitzakken in de kussens die waren versierd met geborduurde dichtregels en voorstellingen uit dezelfde eeuwenoude verhalen die ze vertelde. Op haar oude dag was ze volkomen tandenloos, maar toch nam ze ons mee naar werelden vol schipbreukelingen, veldslagen en tovenarij. Toen ik ouder werd en de verhalen zelf kon lezen, stonden het geweld en de vrouwonvriendelijkheid in die teksten me tegen, maar de op lispelende toon vertelde verhalen van Bibi waren altijd betoverend en romantisch. Mijn lievelingsverhaal ging over een koning met drie dochters die aan iedere dochter vroeg of zijn rijkdom hem of God toebehoorde. 'Uw rijkdom behoort natuurlijk u toe,' antwoordden de twee oudsten, en hij beloonde ieder met een zak juwelen. Maar de jongste dochter zei dat zijn rijkdom God toebehoorde, en daarom verbande haar vader haar uit zijn paleis. Een arme bediende, die een zoon had die zo kreupel was dat hij niet eens alleen zijn behoeften kon doen, ontfermde zich over haar, en de prinses nam de zorg voor de jongen op zich en leerde hem onafhankelijk te zijn. Ze werden verliefd en trouwden, en samen stichtten ze een nieuw rijk dat was gebaseerd op ware liefde en vertrouwen. Bij hen groeiden de bomen de hemel in, terwijl het oude, corrupte rijk van haar vader ineenstortte. Bibi eindigde haar verhalen altijd met een simpele raadgeving: alles wat we hebben, is van God; wees dankbaar. Zorg voor de zwakken; onder de hemel zijn we allemaal eender. Geloof in ware liefde, dan zul je beloond worden.

Deze twee heel verschillende verhalenvertelsters – mijn bevrijde moeder en haar traditionele moeder – leerden me dat mannen met macht werden geboren, maar dat vrouwen macht moesten verwerven met behulp van een scherp verstand en een goed hart. Als je vriendelijk en verstandig was en goede daden verrichtte, zou je net zo kunnen eindigen als de prinses die alles had wat haar hartje begeerde.

Karbala is een van de twee heilige steden in Irak. De stad ligt bijna tachtig kilometer ten zuiden van Bagdad en vormde het toneel van de beslissende slag waarbij Ali, de geliefde schoonzoon van de profeet Mohammed, en diens zonen in 680 de dood vonden. Die veldslag was de oorzaak van een grote scheuring binnen de islam omdat er nu twee kampen waren ontstaan: de sjiieten, die geloofden dat Ali de wettige erfgenaam van de profeet was, en de soennieten, die de voorkeur gaven aan een kalifaat dat na de moord op Ali werd gesticht door diens tegenstanders, het geslacht der Omajjaden. In de loop der eeuwen veranderden hun politieke standpunten in doctrines en zijn de sektarische verschillen als stereotypen gaan gelden. De sjiieten ontwikkelden argwaan ten opzichte van autoriteit en geloofden dat ware gerechtigheid op aarde alleen mogelijk was indien de Mahdi, een figuur die enigszins met de messias te vergelijken is, zou terugkeren. De soennieten ontwikkelden een pragmatischer instelling ten opzichte van de heersende elite. In Irak vormden de sjiieten een meerderheid, maar de regering bestond hoofdzakelijk uit soennieten. Het belangrijkste theologische verschil tussen beide stromingen is tegenwoordig als volgt samen te vatten: sjiitische theologen zijn geneigd te aanvaarden dat het noodzakelijk is om ideeën over het leven voortdurend aan de actualiteit aan te passen, en soennitische theologen vertrouwen bij voorkeur op doctrines die eeuwen geleden zijn vastgelegd door de schriftgeleerden die de basis voor vier soennitische 'scholen' hebben gelegd.

Voor mij was een bezoek aan het huis van Bibi in Karbala een avontuurlijke reis naar een exotisch verleden, naar een pre-middeleeuwse stad vol smalle straatjes en steegjes waar aan één stuk door handel werd gedreven. Hier werden gebedssnoeren, gloeiendhete kebab en groenten in het zuur verkocht en lagen de etalages vol glanzend gouden sieraden. Rondom onze auto vochten fietsers en ezels met zowel goederen als mensen op hun rug om een plekje tussen het gemotoriseerde verkeer. Vrouwen liepen kordaat in zwarte abaja's door de drukte en veel mannen waren in de lange traditionele *dishdasha* gehuld. Het zand van de woestijn, het goud in de juwelierswinkeltjes en het zonlicht dat werd weerkaatst door de met bladgoud beklede koepels van de twee moskeeën die de stad overheersten, leken alles van een goudgele gloed te voorzien.

In het huis van Bibi werden we steevast verwelkomd door de zware, dampende geur van kokende rozenblaadjes en stoofpotten vol zoetzure Iraakse gerechten die op het vuur stonden te pruttelen. Bibi maakte in haar eigen keuken rozenwater, en ik weet nog goed dat er altijd bergen blaadjes op het aanrecht lagen te wachten totdat ze in de wirwar aan plastic buisjes en glazen kolven zouden worden gestopt. Daarin veranderden ze op magische wijze in het rozenwater dat in de keuken en bij religieuze ceremoniën werd gebruikt.

In Bagdad was mijn moeder een wervelwind van afspraken en sociale verplichtingen; we waren altijd haastig op weg ergens naartoe. Maar in Karbala, bij Bibi, werd ze op slag rustig zodra ze binnenkwam en Bibi haar innig omhelsde. De liefde tussen hen was overduidelijk, de verschillen in hun manier van kleden en leven irrelevant. Ik kon me niet voorstellen hoe Bibi leefde, net zomin als een stadskind zich kan voorstellen dat je je brood verdient met een os en een ploeg, maar wanneer ze me omhelsde, voelde ik een golf van onvoorwaardelijke liefde. Ze was het symbool van de premoderne vrouw voor wie mijn generatie grote eerbied koesterde, ook al zouden we er nooit voor kiezen om haar voorbeeld te volgen. Ze was de enige mens in mijn leven die nooit veranderde. Aardig, zacht en sterk op de manier waarop mensen met een onwankelbaar geloof sterk kunnen zijn. Vanaf mijn geboorte tot aan haar dood is ze altijd dezelfde gebleven.

Vreemd genoeg moest ik aan Assepoester denken toen ik voor het eerst verhalen over haar jeugd hoorde. Ze had op jonge leeftijd achtereenvolgens haar ouders en broers en zussen verloren en was helemaal alleen achtergebleven. Een oom die tot voogd was benoemd moest haar erfenis beheren totdat ze volwassen zou zijn, maar hij kweet zich zo slecht van zijn taak dat het grootste deel van haar fortuin verloren ging – een ernstige misstap volgens de islamitische wet. Toen ze net dertien was, huwelijkte hij haar uit aan een rijke zakenman uit Bagdad en vertrok naar verluidt zelf naar Iran. Bibi was nog zo jong dat het huwelijk niet kon worden geconsommeerd, en daarom werd ze toevertrouwd aan de zorg van haar toekomstige schoonmoeder, mijn moeders grootmoeder van vaderskant. Die grootmoeder was in onze familie een legendarische matriarch, een vrouw die aan het begin van de twintigste eeuw haar eigen naaifabriek oprichtte en tientallen jaren voor mijn geboorte al was overleden. Om de een of andere reden is het enige detail dat ik me over haar kan herinneren het feit dat ze haar eigen fabrieksbenodigdheden in Londen bestelde, wat voor die tijd blijkbaar nogal uitzonderlijk was. Ze was vastbesloten om in haar huishouden altijd de touwtjes in handen te houden en leerde haar jonge schoondochter om zich jegens haarzelf en haar dochters, die in mijn gedachten de rol van Assepoesters boze stiefzussen speelden, onderdanig op te stellen. Bibi groeide dan ook passief en onderdanig op, als iemand die altijd klaarstond om haar schoonmoeder, schoonzussen en man op hun wenken te bedienen, totdat ze hen allemaal had overleefd. Ze zocht troost in haar religie en later bij haar kinderen. Toen haar man een paar jaar voor mijn geboorte overleed, verruilde ze hun huis met zestien kamers aan de oevers van de Tigris in Bagdad, waar ze de beschikking had gehad over een hele staf van Farsi-sprekende bedienden, voor een klein huisje in Karbala, waar ze een spiritueel raadgever genaamd Roehallah Khomeini, een nieuwe vriendenkring en een tuin kreeg. De tuin zette ze vol rozenstruiken.

Bibi woonde op loopafstand van de twee moskeeën die waren gebouwd op de plek waar de twee kleinzonen van de profeet in de zevende eeuw waren afgeslacht. De gebedshuizen, met hun hoog oprijzende gouden koepels en minaretten, zaten altijd vol gelovigen en pelgrims uit de hele islamitische wereld. Omdat vrouwen en meisjes een abaja dragen wanneer ze naar de moskee gaan, leende Bibi me er altijd eentje van haar, en ik weet nog dat ik als kind de lange stukken zwarte stof om me heen moest slaan zodat ze niet over de grond zouden slepen. Toen we op een dag werden uitgenodigd voor een picknick met haar vriendinnen bij de Al-Hoesseinmoskee, maakte ze snel een eigen abaja voor me. Toen ik de enorme

34

binnenplaats van die met turkooizen en blauwe tegels beklede moskee betrad, had ik het gevoel dat ik een wereld binnen werd geleid
waar vrouwen heersten die alles wisten over spiritualiteit en dolma's
– druivenbladeren die op Iraakse wijze waren gevuld met uien,
gehakt, rijst en heel veel citroen. Om ons heen koerden de duiven,
en arme pelgrims die zich geen hotel konden permitteren, zaten in
de schaduw te rusten.

Toen we naar binnen liepen, greep ik mijn kleine nieuwe abaja
stevig vast onder mijn kin. Ik wilde voorkomen dat iemand mijn
haar zou zien wanneer ik opkeek naar de enorme kristallen kroonluchters die aan de hoge plafonds hingen of mijn blik richtte op de
voorovergebogen mannen en vrouwen die her en der op de reusachtige rode en bordeauxrode Perzische tapijten lagen te bidden. In
een hoek van de moskee, omgeven door dikke zilveren tralies, was
het graf van Ali's zoon, de martelaar, en iedereen dromde daar
samen om kleine stukjes groen draad of lapjes stof aan de tralies te
binden die symbool stonden voor wensen die men in vervulling
wilde laten gaan. Ik herinnerde me de voornaamste regel van het
gebed dat ik had geleerd: 'Ik geloof dat er geen andere God is dan
Allah, en Mohammed is zijn profeet, en Ali is zijn vriend', maar dat
was alles. Ik keek naar Bibi en mijn moeder en deed hen zo goed
mogelijk na. Wanneer Bibi boog, boog ik ook, en wanneer zij bad,
bad ik ook. *Bismaillahi rahmani rahim*. In de naam van God, de
Barmhartige Erbarmer.

Na ons bezoek aan de moskee gingen we naar een snoepwinkel
waar bonbons uit de Sovjet-Unie werden verkocht.

'Wat ben jij een mooi meisje,' zei de winkelier tegen me. 'Je hebt
de schoonheid van een Iraanse.'

'Ik ben geen Iraanse,' zei ik. 'Ik ben een Iraakse.'

'Maar je komt toch uit Bagdad?' vroeg hij.

'Hoe weet u dat?' vroeg ik.

'Omdat je je abaja zo stevig vasthoudt, alsof je bang bent dat hij
anders zal vallen.'

Dat vond ik helemaal niet grappig, maar Bibi moest lachen. Het
was een warme lach waarin geen spoor van huichelarij of veroorde-
ling te vinden was.

Ik weet nog dat ze ook altijd zo lachte wanneer mama en tante Samer haar plaagden met de spirituele raadgever die ze soms om advies vroeg. Mijn moeder en tante vonden deze Roehallah Khomeini, een fanatieke schriftgeleerde uit Iran, maar een vreemde vogel: hij leek niets liever te willen dan de klok voor vrouwen eeuwen terugdraaien. Nadat hij in de jaren zestig door sjah Reza Pahlawi van Perzië, het huidige Iran, was verbannen omdat hij een revolutie had willen ontketenen, had hij zich in Karbala gevestigd. In 1978 wees de Iraakse regering hem op verzoek van de sjah uit omdat hij een gevaar voor de stabiliteit in de regio dreigde te worden. Mijn vader was toevallig de piloot die hem op die dag naar Parijs vloog. Maar daar bleef Khomeini niet. Een jaar later, in 1979, greep hij in Perzië de macht dankzij een volksopstand die in zowel de islamitische als in de westerse wereld grote opschudding veroorzaakte. De sjah had bijna veertig jaar lang over Perzië geheerst en zich door een open houding ten opzichte van de westerse cultuur, zakenwereld en militaire belangen van de steun van het Westen verzekerd. Maar de miljoenen Perzen die door het corrupte en wrede regime achter die westerse façade tot een armzalig bestaan veroordeeld waren, kwamen, zoals te verwachten was geweest, massaal in opstand en eisen verandering. De revolutie was het werk van nationalisten, communisten, studentenbewegingen, vrouwenorganisaties en nog veel meer groeperingen, maar degenen die er uiteindelijk de meeste vruchten van wisten te plukken, waren de religieuze extremisten die Khomeini in het zadel hadden geholpen en hem tot 'grote ayatollah' hadden benoemd. De Arabische leiders, en dan met name buurman Saddam Hoessein, waren bang dat deze revolutie zich als een olievlek over andere landen zou verspreiden.

Op de dag dat ons land in oorlog raakte met Iran was ik met mijn neefjes en nichtjes een dagje naar een pretpark. Ik heb mezelf altijd gelukkig geprezen dat ik zoveel neefjes en nichtjes van mijn leeftijd had, en die dag waren we met ons zevenen, vier jongens en drie meisjes, in leeftijd variërend van tien tot dertien jaar. Een paar van de broers en zussen van mijn ouders hadden op nagenoeg dezelfde leeftijd kinderen gekregen als zij, en omdat mijn eigen broertjes vijf en tien jaar jonger waren dan ik, heb ik mijn neven en nichten altijd als een soort broers en zussen beschouwd.

Naim was de zoon van de broer van mijn vader en woonde bij ons in de buurt. Hij was een jaar ouder dan ik en haalde altijd tienen op school; hij was slank en interessant, het soort vriend met wie je zowel kon spelen als praten. Ik weet nog dat ik een boodschappentas vulde met plastic raceautootjes die mijn vader voor me had meegebracht en tientallen limoenen die ik in onze tuin had geplukt en dan naar hem toe ging. Daar prikten we gaatjes in de limoenen en vulden die met zout, en we zogen het sap uit al die vruchten terwijl we met de autootjes speelden en ruziemaakten en elkaar geheimen vertelden.

'Kan ik je een heel groot geheim vertellen?' vroeg ik hem toen hij een keertje bij ons kwam barbecuen. Het was een vrijdag, de rustdag in de islamitische wereld.

'Ja, hoor,' zei hij.

'Ik denk aan God als ik op de wc zit,' zei ik.

'Ik ook!' fluisterde hij. 'Ik kan er niets aan doen, maar elke keer wanneer ik naar de wc moet, denk ik eraan dat ik op de wc niet aan God mag denken, en dus denk ik aan Hem.'

'Maar dat is haram!'

Haram was een multifunctionele term die je voor alles kon gebruiken wat volgens de religieuze voorschriften niet was toegestaan. Omdat reinheid in de islam zo'n grote rol speelt, was het haram om op de wc aan God te denken. Het was ook haram om je een voorstelling van Hem te maken. God was overal. Hij was op aarde, in de hemel, achter ons, overal.

'Bestaat er iets als dubbel haram?' vroeg ik.

'Dat weet ik niet,' antwoordde hij.

Dawood, de oudste zoon van oom Adel, de broer van mijn moeder, was mijn oudste neef. De volwassenen vroegen hem altijd een oogje op ons te houden. Ik zat zo vaak in hun huis aan de Tigris dat hij en zijn broer me als een zusje behandelden. Hij had de grote ronde ogen die aan de kant van mijn moeder in de familie zitten, en enigszins mollige wangen die hem een vriendelijke uitstraling gaven. Hij was altijd hip en modieus – om de een of andere reden zie ik hem altijd voor me in een trui met grijze, groene en donkerrode strepen. Omdat hij de oed, de Arabische tiensnarige luit, bespeelde en ik op pianoles zat, maakten we af en toe samen muziek. Hij was altijd aardig en vriendelijk tegen me, zelfs toen we nog op de lagere school zaten en ik hem op het plein omverliep of vroeg of hij een losgeraakte veter wilde strikken. Totdat hij me op een dag leerde hoe ik dat zelf moest doen.

Op de dag dat de oorlog met Iran uitbrak, was Dawood de leider van ons groepje. Het was een bijzondere dag omdat we voor het eerst als oud genoeg werden beschouwd om min of meer met elkaar door het pretpark te zwerven, onder toezicht van slechts één volwassene. Ik kan me nog de felle lampen herinneren, het gelach, de suikerspinnen, en rit na rit in de draaimolen voordat we uiteindelijk het park verlieten om de dag af te sluiten in een befaamde ijssalon in de wijk Al Mansoer, het Beverly Hills van Bagdad. Toen we eindelijk naar huis gingen, was het al bijna helemaal donker, en het leek net alsof de stroom was uitgevallen. Ik was de eerste die thuis werd afgezet, en toen de auto vol drukke kinderen de Luchtvaartbuurt inreed en voor ons huis parkeerde, viel het ons op dat er nergens licht brandde. Mijn moeder stond bij de voordeur te wachten.

'Waar zaten jullie?' vroeg ze. 'Hebben jullie niet gehoord dat er een oorlog is uitgebroken?'

Oorlog? Wat voor oorlog?

Ze nam me snel mee naar binnen en rende toen weg om de andere ouders te bellen en te vertellen dat hun kinderen in veiligheid waren. Niemand, en Saddam Hoessein waarschijnlijk al helemaal niet, had kunnen vermoeden dat de oorlog zo lang zou duren dat al mijn neefjes die die dag in de auto zaten uiteindelijk voor de dienstplicht zouden worden opgeroepen en naar het front zouden worden gestuurd, waar honderdduizenden jongemannen het leven verloren, voor niets.

Een paar dagen na het begin van de oorlog werd ik elf. Ik was te jong om te begrijpen wat de toekomst ons gezin zou brengen, laat staan dat ik kon vermoeden welke invloed de oorlog op de verhoudingen in het Midden-Oosten en de wereldpolitiek zou hebben. Toen het begin van het nieuwe schooljaar werd uitgesteld, was mijn eerste gedachte dat ik nu langer tekenfilmpjes kon kijken en van de vakantie kon genieten. Toen ik voor het eerst 's avonds het luchtafweergeschut in werking zag, rende ik de tuin in en sprong enthousiast op en neer omdat ik dacht dat het vuurwerk was, net als op de vierde juli in Seattle. Omdat mijn vader in het buitenland zat toen de eerste gevechten uitbraken en hij pas een paar weken later naar huis kon komen, was het de taak van mama – en dat was niet haar enige – om haar drie kinderen te vertellen wat een oorlog eigenlijk inhield. In het begin vonden er regelmatig luchtaanvallen plaats, en veel vriendjes en vriendinnetjes van me verstopten zich samen met hun ouders onder de trap wanneer de sirenes klonken. Zo wilde mijn moeder niet leven. Wanneer de stroom werd uitgeschakeld om de stad te verduisteren, sloot ze de gordijnen, stak kaarsen aan en toverde met haar handen schaduwfiguren op de muren. Later wenste ze ons welterusten en stopte ons in onze eigen bedden.

'Het leven gaat door,' verklaarde ze. 'Je kunt het niet stilzetten, zelfs niet omdat het oorlog is.'

Mijn broertjes waren nog zo klein dat ik wist dat ze het tegen mij had.

Toen de school weer begon, hoorden we dat er een Iraanse raket was neergekomen op het huis van een vriendje van mijn broertje. Het halve gezin kwam om, en zo ontdekte ik dat ook kinderen tijdens een oorlog konden sterven. Ik weet nog dat mijn broertje van zeven op de rand van zijn bed tussen zijn spullen naar een foto van zijn vriendje zat te zoeken omdat diens moeder op school had verteld dat ze niet alleen haar zoontje, maar ook alle foto's van hem was kwijtgeraakt. Later hoorde ik over een ander huis dat door een Iraanse bom was getroffen en waarbij een heel gezin was omgekomen. Ik had het huis nog nooit gezien, maar stelde me voor dat het op een hoek stond, net als dat van ons. En ik stelde me voor dat de slaapkamers van de kinderen boven waren, net als bij ons.

Daarna werd het leven een stuk angstaanjagender. Wanneer baba op reis ging, omhelsde en kuste hij mama alsof hij bang was dat hij haar nooit meer terug zou zien. Bibi kwam bij ons logeren, net als de hele familie van Radya, al begreep ik nooit hoe het geweer van

Radya's vader ons tegen de Iraanse bommen moest beschermen. 's Avonds lag ik me in bed af te vragen of de Iraanse piloten die ons bombardeerden wisten dat ze kinderen doodden die ze niet konden zien. Soms schoot er voor het raam van mijn slaapkamer een raket langs de nachtelijke hemel voorbij. Ik bad altijd dat die niet op ons huis zou neerkomen en voelde me steevast schuldig wanneer hij, in een halve cirkel van licht, op het huis van iemand anders terechtkwam. Als dat bij ons in de buurt gebeurde, voelde ik de grond trillen en werd het heel, heel even doodstil voordat het geluid van brekend glas klonk en de gillende sirenes van ambulances te horen waren. Het kwam nooit bij me op dat kinderen in Iran misschien wel hetzelfde dachten over de Iraakse bommenwerpers. Iran was onze vijand.

Op een dag, toen de oorlog nog niet zo lang aan de gang was, gebeurde er iets wat doodeng en spannend tegelijk was. Mama en ik reden vanaf de supermarkt naar huis toen een Iraanse straaljager plotseling zo laag overvloog dat we de piloot konden zien zitten. De Iraakse tv had een paar dagen eerder opnamen van gevangengenomen Iraanse soldaten laten zien, en mijn moeder en een vriendin van haar hadden fluisterend tegen elkaar gezegd dat de Iraniërs zulke mooie gezichten hadden. Ik weet nog dat ik door de voorruit naar de piloot keek om te zien of ze gelijk hadden. Toen hij dichterbij kwam, kon ik zijn gezicht zien, en ik wist dat hij ons ook kon zien. Hij had een snor. Hij zag er heel gewoon uit. Wat dacht hij toen hij mama en mij zag? Wilde hij ons doden? Had hij een hekel aan ons? Was hij bewust naar dit deel van Bagdad gevlogen of was hij de weg kwijt? Op tv zeiden ze dat de moellahs in Iran zo dom waren dat ze de piloten zonder landkaarten op pad stuurden. Zou hij een huis als dat van ons gaan bombarderen? Zou ik door zijn bommen vriendinnen verliezen?

Mijn gezonde verstand vertelt me dat er in zo'n korte tijd nooit zoveel gedachten door mijn hoofd kunnen zijn geschoten, maar toch kan ik me ze allemaal herinneren, en nog veel meer.

Toen die jonge piloot die middag langs ons vloog, deed mama iets heel bijzonders. Ze stak haar hand op en zwaaide naar hem. Daarna, toen hij weer veilig terug hoog aan de hemel was, waar hij hoorde, keek ze me aan en nam mijn ontzette gezicht tussen haar beide handen.

'Was dat niet ontzettend gaaf?' vroeg ze.

Toen de oorlog was uitgebroken, veranderde de sfeer in Bagdad bijna onmiddellijk. Je kon gewoon voelen dat er iets in de lucht hing. Overal wapperden Iraakse vlaggen – rood, wit en zwart met groene sterren – maar op de een of andere manier vond ik dat als kind eerder bedreigend dan geruststellend. Door de straten marcheerden Baathaanhangers die leuzen scandeerden. Op muren van openbare gebouwen wemelde het van de anti-Iraanse teksten. Bijna van de ene op de andere dag stonden er op nagenoeg elke straathoek soldaten met geweren en hingen er overal portretten van Saddam Hoessein. De staatskrant beeldde de militaire leiders van Irak af als geüniformeerde generaals die beleefd aan een ronde tafel instructies van hun president aanhoorden; Iraniërs werden neergezet als geschifte moellahs met vieze baarden die op stoelen tegen elkaar stonden te schreeuwen. Die gestoorde geloofsfanatici hadden ons aangevallen omdat ze hun revolutie over de hele Arabische wereld wilden verspreiden, had Saddam Hoessein tegen ons gezegd, maar hij had gezworen ons te verdedigen. Hij noemde deze oorlog de Tweede Kadissia – de Eerste was in de zevende eeuw uitgevochten om de opkomst van de islam in Perzië te bespoedigen – en hij vergeleek zichzelf graag met de grote moslimstrijders uit die oorlog. Hij noemde onze vijanden geen Iraniërs, maar *al furs Al Majoos*, 'Perzen die het vuur aanbidden'. Pas later besefte ik dat hij met die term een etnische haat wilde aanwakkeren die eeuwenlang een slapend bestaan had geleid: voordat de Perzen zich tot de islam bekeerden, hadden velen van hen het mazdeïsme aangehangen, de godsdienst die door Zarathoestra was gesticht. Door eeuwenoude vijandigheden nieuw leven in te blazen en te beweren dat hij Irak behoedde voor een verdere verspreiding van de Iraanse revolutie kon Saddam Hoessein deze oorlog als een verdedigingsoorlog aan het volk verkopen – de Koran verbood namelijk aanvallende oorlogen. Onze media werden zo strak aan de leiband gehouden dat ik pas twaalf jaar later, toen ik Irak had verlaten, ontdekte dat Iran de oorlog niet eens was begonnen.

Op school leerden we dat we ons land en onze levens moesten verdedigen. We oefenden hoe we ons onder onze tafeltjes moesten verstoppen wanneer het luchtalarm klonk, kregen les in eerste hulp en ontdekten dat onze vijanden niet alleen Iraniërs waren, maar ook stiekeme Iraakse collaborateurs die Iran in het geheim steunden. Om ervoor te zorgen dat deze geniepige verraders zouden worden gepakt, was er een geheime dienst van de overheid in het leven geroepen, zo leerden we. Deze Moekhabarat bestond uit mannen in burger die ons in alle stilte probeerden te behoeden voor de gevaren die deze sympathisanten met Iran voor onze veiligheid vormden. Moekhabarat betekent 'informanten' in het Arabisch.

'Ik weet wie dat zijn, dat zijn die mannen met die grote zwarte snorren,' zei Mohammed, die altijd wilde laten merken dat hij het beter wist.

Het is grappig dat je vergeet dat leraren zoveel moeite deden om je iets te leren, maar dat je nooit vergeet hoe ze keken wanneer ze door iets werden overrompeld. Mijn lerares trok een zenuwachtig gezicht toen Mohammed dat zei. Even later verbeterde ze hem. 'Nee, niemand weet hoe ze eruitzien, want dat is geheim,' zei ze. 'Daar gaat het juist om.'

Maar Mohammed had gelijk. Zelfs ik wist hoe ze eruitzagen. Mama had een week eerder nog lopen klagen dat ze bij de ijssalon rondhingen, een stelletje mannen met grote zwarte snorren die eruitzagen alsof ze het recht hadden om daar te staan en ons van top tot teen te bekijken wanneer we naar buiten kwamen, likkend aan onze hoorntjes met pistache-ijs.

Mijn ouders hadden totaal geen interesse in partijpolitiek. Mijn grootvader van vaderskant was een vooraanstaand ambtenaar op het ministerie van Onderwijs geweest die vaak de mond was gesnoerd omdat hij te open over zijn politieke denkbeelden had gesproken, en mede daardoor hield mijn vader zich ver van de politiek. En voor zover ik weet, schonk een groot deel van de goed opgeleide Irakezen in die tijd evenmin aandacht aan de man die via de Baathpartij, een pan-Arabische nationalistische partij, zijn macht steeds verder op hardhandige wijze uitbreidde. Maar omdat zowel scholen als luchtvaartmaatschappijen volledig in handen van de staat waren, moesten mijn ouders zich, net als veel andere Irakezen, wel aansluiten bij de Baathpartij, anders zouden ze hun baan verliezen. Er waren echter verschillende vormen van lidmaatschap, en we wisten allemaal wat het verschil was tussen meedoen omdat het niet anders kon en een fanatiek aanhanger zijn. Het laagste niveau was *moua'ayed*, of 'steunbetuiger', en dat was het minste wat je je kon permitteren. Wilde je iets zekerder van je baan zijn, dan kon je een paar jaar lang bijeenkomsten bezoeken en opklimmen tot *naseer*, 'volgeling'. Later werd het ons allemaal duidelijk dat je, als je echt hogerop wilde komen in de Baathpartij, 'verslagen over anderen' moest schrijven. Met andere woorden: je moest anderen bespioneren.

Mijn moeder vond het een vreselijke gedachte dat een ander haar zou vertellen hoe ze zich moest kleden of zich moest gedragen, en al helemaal wat ze moest denken. Toen ze te horen kreeg dat ze een bijeenkomst van de Baathpartij moest bijwonen, kwam ze aanzetten op hoge hakken en in haar bontjas van Nina Ricci – een combinatie die (zo concludeerde ik later) het gevolg was van zowel onverschrokkenheid als naïviteit. Toen de leider van de bijeenkomst de woorden 'Een Arabische natie met een verenigde glorieuze boodschap' uitsprak, wist ze gelukkig dat ze samen met de andere leraressen op moest staan en 'Eenheid, vrijheid en socialisme' diende te antwoorden. Maar net toen ze dat wilde doen, viel ze flauw. Ik heb haar neiging om snel flauw te vallen altijd als romantisch beschouwd, als een van haar vele talenten die ik nooit onder de knie heb gekregen. Ik weet nog dat ze die avond naar huis werd gebracht door een groepje tantes die haar maar bleven plagen.

'Je kunt het allemaal niet aan, hè?' zei haar zus, tante Samer, plagerig. Tante Samer was ooit politiek actief geweest, maar nu had ze het gevoel dat haar Baathrevolutie haar door Saddam Hoessein was ontstolen, net zoals ayatollah Khomeini de bevolking van Iran van hun revolutie had beroofd.

'Dat is het niet.' Mama wuifde zich koelte toe. 'Het zijn mijn allergieën. Ik ben allergisch voor de Baathpartij.'

Achteraf gezien begrijp ik dat vrouwen zich juist dankzij het seksisme in de maatschappij konden veroorloven om iets meer kritiek op het beleid te hebben. Wanneer een vrouw zich per ongeluk iets ongepasts liet ontvallen, kon ze altijd nog zeggen dat ze zich zo licht in haar hoofd had gevoeld. Toen tante Samer een keertje de telefoon opnam en de beller haar met een vriendelijk 'Dag, Samer, hoe is het met de Baathpartij?' begroette, snauwde ze: 'Hoezo, Baathpartij?' Toen herkende ze het gegrinnik aan de andere kant van de lijn en besefte ze dat het Saddam Hoessein was. Een man had zich dat nooit kunnen permitteren. Toen Saddam pas aan de macht was, kon een vrouw af en toe blijk geven van een afwijkende mening, mits ze maar grapte, huilde of de indruk wekte dat ze niet al te slim was. Ik denk dat mijn moeder dat spelletje heel goed doorhad en het af en toe, als het haar van pas kwam, heel weloverwogen en onopvallend meespeelde. Mama hoefde daarna vanwege een praktische reden – ze was net van mijn kleine broertje bevallen en voelde zich niet zo lekker – geen bijeenkomsten meer bij te wonen, en kort daarna hield ze ook op met lesgeven. Ik vermoed dat dat iets met haar allergieën te maken had.

In de loop van de oorlog werden de anti-Iraanse gevoelens steeds sterker. Mensen luisterden niet langer naar Iraanse muziek en kochten geen Iraanse pistachenoten meer omdat dat niet vaderlandslievend zou zijn. In ons gezin spraken we geen kwaad over Iran, maar op 21 maart vierden we niet langer Noroez, het Perzische nieuwjaar. Tot dan toe hadden we elk jaar de gezichten van mama, baba en de kinderen op hardgekookte eieren geschilderd, er een plukje katoen als haar bovenop geplakt en het hele eierengezin op de eettafel gezet, omringd door yoghurt, kardemom en ander eten dat het komende jaar *baraka* moest brengen. Noroez was meer dan alleen maar een Perzische feestdag; het was een eeuwenoud festijn dat het begin van de lente aankondigde. De Koerden uit het noorden, die hun eigen gewoonten en een eigen cultuur hadden, vierden ook Noroez, dus waarom wij niet? 'Het is nu allemaal anders,' zei mama vaag tegen me, maar dat antwoord was veel te onbevredigend. 'Dat kunnen we niet meer doen.'

Omdat Iran, onze vijand, door sjiitische geestelijken werd geregeerd, was alles wat sjiitisch was al snel verdacht. Dat gold ook voor de stad Karbala. Mijn moeder en haar zussen lieten Bibi naar Bagdad komen en droegen mij op te vergeten dat Bibi Khomeini kende. Ik had het idee dat de uitdrukking vol walging die ik in de vierde klas op Mohammeds gezicht had gezien, zich over het hele land begon te verspreiden, alsof iedereen vies was van de sjiieten. Op school voelde ik me ook anders. Zainab is een naam die in het Midden-Oosten vrij veel voorkomt, maar Irakezen beschouwen het als een typisch sjiitische naam omdat de dochter van de gedode kalief Ali zo heette. Elke keer wanneer de lerares in de klas mijn naam noemde, had ik het gevoel dat ik een etiket opgeplakt kreeg: Zainab = sjiitisch.

'Ik wil mijn naam veranderen,' zei ik tegen mama toen ze me op een dag van school kwam halen.

'Waarom, lieverd? Zainab is een prachtige naam,' zei ze. 'Ze was een van de moedigste vrouwen die de islam ooit heeft gekend. Ik dacht dat je je naam mooi vond.'

Ik had altijd bewondering voor de historische Zainab gehad. Vanwege haar vierden we Asjoera, de avond waarop de sjiieten de moord op de zonen van Ali gedenken. Met Asjoera wordt de moord in droevige rituelen nagespeeld en worden er aalmoezen aan de armen gegeven. In sommige streken geselen sjiitische mannen zichzelf als symbolische boetedoening voor hun voorouders die er niet in waren geslaagd om de moord op de erfgenamen van de profeet te voorkomen. Maar tijdens de oorlog werd er geen Asjoera meer gevierd en werden er zelfs geen aalmoezen meer rondgedeeld. Ik weet nog steeds niet of dat officieel verboden was of dat we dat alleen maar dachten, maar gevierd werd er in elk geval niets. Dat jaar gingen we niet, zoals gewoonlijk, naar het huis van mijn oom Adel voor een ritueel dat werd besloten door pannen vol dampend voedsel met honderden anderen te delen. We bleven thuis. Mama luisterde naar een stem op een ver radiostation die op klagende toon de traditionele verhalen vertelde en maakte één speciale schotel klaar, rijstpudding met saffraan en kaneel.

Daarna vertelde ze haar kinderen, net als generaties van vrouwen voor haar hadden gedaan, het verhaal over de moord op Ali's zonen en neven op de avond van Asjoera. Die avond sprak ze het meest over Zainab, die getuige was geweest van de bloedige slag waarin haar broers en neven allemaal waren onthoofd. Ze had haar moeder Fatima, de dochter van Mohammed en de eerste heldin van de islam, al verloren, en ook haar vader Ali. Na de slachting werden zij en andere vrouwen gevangengenomen door de man die de ongelijke strijd had geleid, en ze waagde het om hem openlijk tegen te spreken. Ze was zo welbespraakt en bediende zich van zulke krachtige bewoordingen dat hij bang voor haar werd en haar verbande. De rest van haar leven vertelde ze het verhaal over de wreedheden aan anderen en drukte hun op het hart dat verder te verspreiden, zodat geen enkele onderdrukker zich ooit nog aan zulke onrechtvaardigheden schuldig zou maken.

Ik was dol op het verhaal van Zainab, maar ik was nog niet eens een puber. Ik wilde niet opvallen. Ik wilde erbij horen. Het had niets te maken met religie, zei ik tegen mezelf. Zainab was een naam voor een oude vrouw, en ik wilde gewoon een leuke naam hebben, iets als Jasmine of zo.

Mama had gelijk: je kon het leven niet stilzetten, zelfs niet omdat het oorlog was. In het eerste jaar van de oorlog begon mijn kleine broertje te lopen, werd ik voor het eerst ongesteld en ontdekte ik dat mijn moeder geheimen voor me verborgen hield die de ondergang van ons gezin konden betekenen.

Alle meisjes die ik kende, waren aan het menstrueren, alleen ik niet. Voor het eerst ongesteld worden is overal ter wereld een belangrijk moment, maar in de islam al helemaal: vanaf dat moment wordt een meisje als een volwassene behandeld en moet ze tijdens de ramadan vasten. In sommige landen doet ze een sluier om. Begin jaren tachtig betekende het in onze vrijzinnige kringen in Bagdad dat ik niet langer samen met de andere jongens en meisjes op de Jachtvereniging mocht zwemmen, maar dat ik dat voortaan met mijn tantes moest doen, op de speciale vrouwendagen. Voor zover ik kon zien, was dat het enige nadeel van volwassen zijn. Ik kreeg mijn eerste voorlichting, zoals we het later op school noemden, op de dag dat mama en ik mijn vriendin Wasen gingen ophalen, die een nachtje bij ons zou komen logeren omdat haar moeder in Londen zat. Toen ik bij haar thuis aankwam en vroeg of ze klaar was om te vertrekken, zei ze dat er iets mis was, dat ze 'van onderen' bloedde. Haar oma was thuis, maar met haar durfde ze er niet goed over te praten.

'Maak je maar geen zorgen,' zei ik vol vertrouwen tegen haar. 'Mijn moeder geeft les. Je kunt het wel aan haar vragen. Ze weet alles.'

Toen we naar buiten liepen, ging ik zoals gewoonlijk voorin naast mama zitten en nam Wasen plaats op de achterbank. Ik deed de radio aan, en toen Wasen niets zei, wendde ik me uiteindelijk tot mama en zei tegen haar dat Wasen een vraag over iets geheims wilde stellen.

'Wees maar niet bang, Wasen,' zei ik. 'Mama vindt het niet erg.'

Wasen boog zich voorover, legde haar armen boven op de voorstoel en vertelde wat er was gebeurd. 'Ik weet niet wat ik moet doen, tante Alia,' zei ze. 'Wat is er mis met me?'

'O, lieverd, maak je geen zorgen,' zei ze. 'Alles is in orde. Er is helemaal niets mis met je.'

Later, toen we bij ons thuis waren, liet mama ons plaatsnemen aan de keukentafel en vertelde op kalme toon wat er aan de hand was. Haar blik liet die van Wasen geen moment los, en ze klonk alsof ze haar moeder was. Ze legde uit dat er iets heel moois was gebeurd, iets waardoor een meisje in een vrouw veranderde en waardoor we kinderen konden krijgen. Terwijl ik naar haar zat te luisteren voelde ik me heel erg trots omdat ze zoveel wist en zo lief was. Toch voelde ik me ook buitengesloten. Wasen was nu een volwassene, maar ik was nog maar een kind.

Later zeiden mijn vriendinnen plagend dat ze al vrouwen waren, maar dat ik nog steeds een klein meisje was dat met barbies speelde. Ik liep naar mijn kamer en deed al mijn poppen, op Basma na, in een doos en gaf die aan Radya, zodat ze die aan haar zusjes thuis kon geven. Toen pakte ik de Koran van de bovenste plank in het huis, waar het heilige boek hoort te staan, en legde die op mijn schoot. Ik kan me niet meer herinneren of ik echt bad dat ik ongesteld mocht worden, maar ik zei wel een aantal verzen op die Bibi me had geleerd en deed een wens. Korte tijd later werd mijn wens vervuld.

Ik was volgens mij het enige meisje dat blij was dat ze ongesteld was geworden en zeker het enige dat de wc uitrende toen ze het ontdekte en het meteen aan haar vader vertelde. Een dergelijke openheid was kenmerkend voor ons gezin. In de Arabische cultuur wordt het lichaam van de vrouw als iets heel persoonlijks gezien waarover niet met mannen wordt gesproken, zelfs niet met vaders.

'Gefeliciteerd, dan ben je nu een vrouw, *habibiti*,' zei hij, het Arabische woord voor 'liefje' gebruikend.

Mama gaf biologie en had op school een glazen pot staan waarin een baby zat die in de baarmoeder was gestorven. Ze kon heel erg goed tekenen, en toen ze hoorde dat ik ongesteld was geworden, nam ze me mee naar de keuken en pakte het potlood en het witte opschrijfboekje dat bij de telefoon lag. Tijdens het bellen zat ze altijd te tekenen, tijdens het lezen van een boek krabbelde ze altijd in de marge; haar handen waren altijd bezig. Ze versierde de muren van de badkamer met levensechte, sierlijke naakten, schilderde er later weer overheen en tekende vervolgens weer nieuwe, die ze daarna wederom met andere afbeeldingen bedekte. Toen ze die dag met me aan de keukentafel ging zitten, liet Haider zijn lego in de steek en kwam nieuwsgierig bij ons zitten. Ze stuurde hem niet weg. Ze begon tekeningen van mannen- en vrouwenlijven te maken en legde uit hoe alles werkte. In haar sierlijke schema's met al die gebogen lijnen kwamen kunst en wetenschap prachtig samen. In mij, in alle vrouwen, zat iets kostbaars en bijzonders waarvan ik me nooit een voorstelling had kunnen maken. Ze tekende een rondje dat het eitje van de vrouw voorstelde en een kleiner rondje dat het zaadje van de man was en zei dat er een cel ontstond wanneer het zaadje zich met het eitje vermengde. Ze tekende hoe de cellen zich deelden in cellen die zich ook weer deelden, totdat er uiteindelijk een baby ontstond.

'Maar hoe komt het zaadje bij het eitje?' vroeg ik.

Mama aarzelde geen moment. 'Wanneer een man en een vrouw van elkaar houden, zoals baba en ik, trouwen ze met elkaar en gaan ze met elkaar naar bed, en dan kan het zaadje bij het eitje komen,' zei ze, en ook daarvan maakte ze een tekening.

Ik begon te giechelen. Mijn ouders spraken in onze nabijheid niet echt over seks, maar op de een of andere manier wist ik dat het iets geheims was wat ze met elkaar deden en wat ze fijn vonden. Het was een verboden vorm van opwinding die ik pas zou begrijpen als ik getrouwd zou zijn.

'Je hoeft er niet om te lachen, Zainab,' zei mijn moeder. 'Seks is niet raar, het is iets heel moois. Het is een moment waarop een man en een vrouw heel dicht bij elkaar komen en prachtige kindjes maken, zoals jij en Haider en jullie broertje.'

Ik weet nog dat Haider vanonder zijn dikke donkere pony naar de tekeningen staarde. Voor een jongentje in groep twee was hij erg, erg slim. Hij was slim op de manier waarop mijn vader slim was, hij was goed in rekenen en exacte dingen. Hij zei nooit zoveel, behalve wanneer hij ruzie met me maakte; maar hij deed meer dan nieuwe informatie opslaan: hij verwerkte het in zijn hersens totdat het logisch voor hem was. Zo werkte mijn hersens helemaal niet. Ik leerde dingen door toe te kijken en alle vragen te stellen die er maar in me opkwamen, totdat ik het gevoel had dat ik het helemaal begreep.

Mama vertelde die middag ook nog over de emotionele aspecten van seks. God had het lichaam van de man en van de vrouw zo geschapen dat ze elkaar perfect aanvulden, legde ze uit. Het genot dat voortkwam uit seks, was slechts een van de vele heerlijkheden die God ons had geschonken; het krijgen van een kindje was bijvoorbeeld ook een geschenk. In het huwelijk waren man en vrouw gelijk, en ze hadden allebei evenveel recht op dat genot, zei ze, maar ze moesten wel wachten totdat ze getrouwd waren. Daarom kregen dus alleen getrouwde vrouwen kindjes, dacht ik bij mezelf. Seks voor het huwelijk was haram.

Drie jaar later, toen ik in de derde zat, kregen we dit soort dingen ook op school te horen. Ik was de enige die mijn hand opstak en zonder giechelen antwoord op de vragen gaf, ik was de enige die niet moest lachen.

'Praten over seks zou niet *ayeb* moeten zijn,' zei ik. 'Het is iets natuurlijks. Het is een van Gods geschenken aan ons.'

Net als alle Iraakse kinderen had ik geleerd om mijn ouders te gehoorzamen, om niet te liegen, om respect te hebben voor mijn leraren en andere volwassenen, en om geen schande over de familie te brengen. Wie een van die regels verbrak, was *ayeb*, wat 'onbeleefd' of 'onhoffelijk' betekent. Fluisteren in het bijzijn van anderen, een volwassene onderbreken of diens oordeel in twijfel trekken; het was allemaal *ayeb* in een cultuur waar volwassenen en kinderen doorgaans ieder een eigen sociaal leven leiden. Vooral vrouwen moesten oppassen dat ze niets deden wat *ayeb* was, want als ze ook maar enigszins onbescheiden of onbeleefd waren, konden ze al *aar*, schande, over zichzelf én de rest van hun familie brengen. Zelfs bij ons thuis – en wij waren het vrijzinnigste gezin dat ik kende – werd nieuwsgierigheid weliswaar aangemoedigd, maar mocht het oordeel van volwassenen nimmer in twijfel worden getrokken. Mijn ouders waren even seculier als andere ouders, maar het bleef haram om iets te doen waarvan ze zelfs maar zouden gaan zuchten, want zo stond het in de Koran. En hoewel ik af en toe vragen stelde die bijna onbeschaamd te noemen waren, kon ik niet op de man af vragen wat er mis was.

Toen oom Adel steeds vaker een nachtje bij ons bleef logeren, dacht ik eerst dat hij ruzie met zijn vrouw had gemaakt. Maar op een dag gingen tante Samer, oom Adel en mijn ouders met elkaar in de huiskamer zitten en deden ze zenuwachtig de deur achter zich dicht, zodat ik niet zou horen wat er aan de hand was. Ik keek mama vragend om uitleg aan, maar aan haar gezicht kon ik zien dat ik beter niets kon vragen. Het was duidelijk dat iets hun zorgen baarde, maar elke keer wanneer ik het onderwerp wilde aansnijden, werd me gevraagd of ik mijn huiswerk al had gemaakt, of anders of ik alsjeblieft even op mijn broertje wilde letten. In die tijd bracht ik zoveel tijd met Hassan door dat hij, tegen de tijd dat hij begon te praten, 'mama' tegen mij zei. In het begin voelde ik me gekwetst. Ik werd geacht volwassen te zijn, maar ze behandelden me als een klein kind of negeerden me gewoon. Op een dag ging ik op de bank liggen, met een kussen op mijn gezicht in de hoop dat ik dan flauw zou vallen en ze eindelijk aandacht aan me zouden schenken, net zoals iedereen deed wanneer mama flauwviel. Maar niemand zag het. Ik viel in slaap en werd pas een uur later wakker, moe en bezweet. Snapten de volwassenen dan niet dat een kind altijd oog heeft voor wat er om hem of haar heen gebeurt? Begrepen mijn ouders niet dat ik me eenzaam voelde, met een hersenpan vol vragen die ik niet mocht stellen omdat dat *ayeb* was?

Op een avond hoorde ik mijn ouders met elkaar praten in hun slaapkamer op de begane grond. Ik liep op mijn tenen mijn kamer uit en ging op de terrazzotrap zitten om hen af te luisteren. Dat had ik nog nooit eerder gedaan, maar nu wel, omdat ik bang was en me buitengesloten voelde. Toen ik die avond naar mijn blote voeten op de traptreden zat te staren, ontdekte ik iets heel belangrijks: de nicht van mijn moeder, tante Ishraq, had met haar gezin Bagdad verlaten. Ze woonden niet langer in dat enorme huis in Al Mansoer en waren weg uit Irak. Tante Ishraq had dochters van mijn leeftijd en zonen die een paar jaar ouder waren. Bij die jongens had ik mijn eerste pogingen tot flirten gedaan.

'Mama, waarom hebben tante Ishraq en haar kinderen geen afscheid genomen voordat ze vertrokken?' vroeg ik later aan mijn moeder. Ik voelde me gekwetst.

'Hoe weet je dat ze zijn vertrokken?' Ze draaide zich naar me om. We stonden in de keuken.

'Dat heb ik kunnen opmaken uit wat iedereen zegt,' zei ik.

'Dat moet je meteen vergeten, Zainab,' droeg ze me met vastberaden en duidelijke stem op. Het was geen moment voor grapjes.

'Maar dat gaat toch niet, mama,' zei ik.

'Nou, dan moet je het er niet meer over hebben, zelfs niet met neven en nichten,' zei ze. 'We hebben het er later nog wel over, maar nu niet. Je mag hier niets over zeggen, tegen niemand. Begrijp je dat?'

Ik kende alle gezichtsuitdrukkingen van mijn moeder. Wanneer ze boos was, werd haar gezicht helemaal rood en verschenen er zweetdruppeltjes op haar bovenlip. Wanneer ze iets meende, werd ze bleek en verstrakten haar gezicht en mond. Die dag in de keuken verrastte ik haar, en ik zag dat ze bang was. Het vertrek van tante Ishraq had haar bang gemaakt. Nu ze wist dat ik het wist, was ze nog banger, en daardoor voelde ik me niet alleen schuldig, maar ook verdrietig. Ik was gek op mijn moeder, en het laatste wat ik wilde, was haar kwetsen.

Het was koud in Bagdad en het goot van de regen toen baba me vroeg of ik zin had om mee te gaan naar oom Adel. Ik greep de kans met beide handen aan omdat we zo zelden samen iets deden. Het had zo lang geregend dat onze doodlopende straat helemaal blank stond en net een klein meertje leek. Baba klaagde altijd wanneer dat gebeurde, want de regering had beloofd om het riool te herstellen, maar ik vond het leuk. Wanneer baba thuis was en we een meertje in de voortuin hadden, maakte hij vaak een hele vloot bootjes van krantenpapier die mijn broers en ik heen en weer lieten varen. Maar toen we die dag in de auto stapten om naar oom Adel te rijden, was dat wel het laatste waaraan hij dacht. Hij zette een bandje op van Abdul Haleem Hafez, een Egyptische zanger, en probeerde onderweg met me te kletsen. Ik weet niet meer waarover hij het had. Ik weet alleen nog dat ik het gevoel had dat hij vanwege mij extra goed zijn best deed, maar dat hij minder onbekommerd kon kletsen dan mama altijd deed. Hij had moeite met gesprekken over koetjes en kalfjes. Wanneer hij na een lange reis thuiskwam, renden we naar hem toe, deden zijn koffer open om te zien wat hij voor ons had meegebracht, sprongen tegen hem op om hem te omhelzen en lieten hem daarna met rust. Wanneer het om emoties ging, was hij net een kat. Hij had ruimte voor zichzelf nodig.

Het korte straatje dat naar het huis van oom Adel voerde, was modderig, leeg en somber. Ik zag voor het huis van een van zijn buren een grote stapel kratten staan, half verscholen onder een stuk blauw landbouwplastic. Het verbaasde me dat die er nog steeds stonden. Er stonden maar vier huizen in dat straatje, en ik kende de buren goed genoeg om te weten dat er kostbare machineonderdelen in die kratten zaten.

'Waarom laten ze dat allemaal op straat staan?' vroeg ik aan baba. 'Dat gaat toch roesten in de regen?'

Hij gaf pas antwoord toen hij de auto voor het huis van mijn oom had geparkeerd. Toen keek hij me aan, en ik besefte dat hij zich tijdens de rit op iets had voorbereid. Hij probeerde de juiste woorden te vinden, maar ik kon zien dat dat niet meeviel. Ik weet nog dat ik naar mijn voeten keek en dacht dat ik nog niet echt volwassen was omdat ik nog niet kon autorijden. Mijn benen waren niet lang genoeg om bij de pedalen te kunnen komen.

'De buren zijn naar Iran gedeporteerd,' zei hij ten slotte. 'En tante

Ishraq en haar gezin ook, Zainab. Daarom hebben we geen afscheid genomen. Daar hadden ze geen tijd voor.'

Hij legde het me uit zoals hij alles uitlegde: hij beperkte zich tot de feiten. De regering liet mensen van 'Iraanse origine' deporteren. Niemand wist om hoeveel mensen het ging, of wat er precies was gebeurd met degenen die waren vertrokken. Oom Adel zat bij ons thuis om te voorkomen dat hij ook zou worden uitgezet. Ik zat met groeiende ontzetting en verwarring te luisteren en besefte dat hij en mama dit gesprek moesten hebben geoefend. Waarom had ze het me zelf niet verteld? Waarom moest baba me dit vertellen, hier in de auto, in de regen, voor het huis van oom Adel?

Toen vertelde hij iets wat ik gewoon niet kon geloven.

'Zainab, het is mogelijk dat ook je moeder het land zal moeten verlaten,' zei hij. 'De staat geeft Irakezen die willen scheiden van een echtgenote van Iraanse afkomst een bedrag van tweeduizend dinar.' Dat kwam in de jaren tachtig neer op ongeveer zesduizend Amerikaanse dollar.

Tot dan toe had ik doodstil en met stomheid geslagen naar mijn voeten zitten staren, maar nu vroeg ik op harde en beschuldigende toon: 'U wilt toch niet van mama scheiden, hè?' Dat vond ik van alles wat hij had gezegd nog het engst.

'Nee, nee,' zei hij vriendelijk. 'Maar je bent nu volwassen, en ik vind dat je moet weten wat er aan de hand is.'

Toen opende hij het portier en stapte uit. Wanneer ik met mama praatte, kon ik altijd vragen stellen, ook al kreeg ik niet altijd antwoord. Met baba ging dat niet. Ik stapte uit en liep achter hem aan, vol vragen. Zou ik mijn moeder kwijtraken? Hij zei dat hij niet van mama wilde scheiden, maar waarom begon hij er dan over? Dacht hij er soms over na? Hield hij niet meer van haar? Stel dat ze weg zou gaan, wat zou er dan met mij gebeuren? Mocht ik met haar mee? En mijn broertjes? Wat zou er met hen gebeuren?

Toen tante Najwa de deur opendeed, herkende ik haar bijna niet. Deze lange, beeldschone vrouw die de leiding had over een van de fabrieken van oom Adel en altijd bij de kapper haar haar liet doen, zag er afgeleefd en mager uit. Geen make-up, geen mantelpakje. De tante die ik kende, leek te zijn vervangen door een angstige vrouw die voortdurend haar hand door haar haar haalde. Ze zei niet eens hallo tegen baba, maar begon meteen snel te praten. Ik ging op zoek naar mijn neven. Die zaten in de woonkamer en zagen er net zo bang, bleek en genegeerd uit als ik me al weken voelde. Ze zeiden dat ze hun vader al dagen niet meer hadden gezien.

'De Moekhabarat is een uur geleden langsgekomen en heeft om onze papieren gevraagd. Ze willen weten of we soms Iraans zijn,' zei Dawood. 'Mama zei dat baba de stad uit is en onze papieren bij zich heeft.'

'Maar hoe kunnen jullie nu Iraans zijn?' riep ik uit. 'Jullie zijn nog nooit in Iran geweest! Jullie zijn Iraaks! Jullie ouders zijn Iraaks!'

'Dat waren al onze buren ook, maar op een dag zijn ze toch verdwenen,' zei mijn jongste neefje, dat bijna zat te huilen. 'Dit is het laatste huis waar nog mensen wonen.'

Wat was er aan de hand? Waarom kwam de Moekhabarat hierheen, en niet naar ons huis? Liepen mijn moeder en hun ouders gevaar, maar mijn vader niet? En ik? En mijn broertjes? Zouden ze ons ook deporteren?

'Als mama en jullie worden gedeporteerd ga ik mee,' verklaarde ik.

'Ik weet niet of dat mag,' zei Dawood tegen me.

'Als iemand ons uit elkaar probeert te halen, houd ik me stevig aan jullie vast en laat ik niet los,' beloofde ik plechtig. 'Ze zullen mij ook mee moeten nemen.'

We bleven daar een hele tijd zitten, terwijl onze ouders vlakbij met elkaar zaten te praten. We konden flarden van het gesprek opvangen. Blijkbaar was dit niet het eerste bezoekje van de Moekhabarat, maar het tweede, en tante Najwa zei dat ze hadden gezegd dat ze terug zouden komen. Ik keek om me heen, naar de grote eettafel, het backgammonspel, de trouwfoto's, de babyfoto's en de foto's van ons allemaal op hun boot, afgelopen zomer op de Tigris. Ik weet zeker dat we allemaal hetzelfde dachten. Zou de geheime politie dit allemaal afpakken? Zouden we ooit weer samen in dit huis kunnen spelen? Ik was zo bang dat ik de misselijkheid in grote, onbedwingbare golven in me voelde opkomen.

Toen baba me kwam vertellen dat het tijd was om te gaan, pakte tante Najwa zijn schouder vast en zei op smekende toon: 'Doe alsjeblieft iets, Basil. Ik weet niet hoe lang ik dit nog kan rekken. Als je er niet in slaagt om iets te verzinnen, zullen ze ons meenemen!'

Mijn neven draaiden zich allemaal om en staarden me aan.

Baba? Wat kon mijn vader doen?

Met de beste wil van de wereld kan ik me niet meer herinneren wat er in de dagen daarna gebeurde. Ik weet niet meer of ik naar mama toe rende zodra we thuiskwamen, al moet ik dat ongetwijfeld hebben gedaan. Het enige wat ik nog weet is dat mama me een paar dagen of weken later meenam naar een oude buurt in het centrum van Bagdad. Ze stopte om verse vis voor het avondeten te kopen en babbelde wat met de visboer. De zorgen waren verdwenen, ze leek weer zichzelf te zijn, en ik kon merken dat de crisis voorbij was. Er was iets opgelost. De straten in dat buurtje waren te smal voor autoverkeer, en ze zei dat we uit moesten stappen. We liepen een stukje langs de rivier en bleven ten slotte staan voor een erg oud huis. Ik had over dat huis gehoord, maar was er nooit geweest. Het was het ouderlijk huis van mama. Bibi was veertien jaar geleden verhuisd, en sindsdien hadden er padvinders, een kliniek en het gezin van een nachtwaker gezeten. Nu stond het leeg. Mama haalde de ouderwetse deur van het slot, en we stapten een ruime kamer in die tot een ander tijdperk leek te behoren. Er was een binnenplaats die werd verlicht door bundels zonlicht die het hele huis de sfeer van een ongebruikt heiligdom gaven. Hoog boven ons, op de eerste en tweede etage, liep een open galerij met een balustrade van smeedijzer. Deuren gaven toegang tot lege kamers. Toen we langs een betegelde fontein zonder water liepen die inmiddels onder de duivenpoep en het stof zat, zei mama dat tante Samer en zij daar altijd in speelden toen ze nog klein waren.

Toen ze me de trappen op leidde, hoorde ik ergens boven me vleugels klapperen. Ze streek met haar handen over de oude muren en vertelde verhalen bij elke kamer die we binnenliepen. Ze haalde herinneringen op aan de bedienden, die Farsi hadden gesproken, aan de sterke patriarch die haar vader was geweest, aan een broertje dat was overleden, en aan oom Adel, haar vijftien jaar oudere broer die altijd op haar had gelet. Ten slotte kwamen we op de tweede etage en liepen we naar een kamer die uitkeek over de rivier. Die was van haar en tante Samer geweest. Ze liep over de stoffige vloer en deed de hoge ramen met de oude houten kozijnen open, en we liepen het oude, doorzakkende houten balkon op. Voor ons lag de Tigris, met erachter een eeuwenoud panorama van koepels en minaretten. We bleven daar een tijdje staan kijken naar de geschiedenis en de veerlui die hun passagiers van de ene naar de andere oever overzetten. Ik vroeg me af hoeveel Irakezen over de straat onder ons hadden gelopen, hoeveel mensen die onder heel veel verschillende leiders hadden geleefd langs precies deze plek waren gekomen, en wat ze hadden gedragen en hadden geloofd, en hoeveel van hun bloed nu door mijn aderen stroomde, en of ze op me hadden geleken.

'*Habibiti*, ik wil allereerst dat je weet dat ons gezin geen gevaar loopt,' zei ze. 'Niemand wordt het land uitgezet.'

'Dus niemand zal u wegsturen?' vroeg ik.

'Nee, lieverd, dat zal niet gebeuren. En oom Adel en je neven worden ook niet weggestuurd.'

Ik sloeg mijn armen om haar heen en moest bijna huilen. 'Ik was zo bang, mama.'

'Dat weet ik. Baba en ik hadden gehoopt dat we het konden oplossen zonder jou ongerust te maken, maar op een gegeven moment... Nou ja, we vonden dat we je erop moesten voorbereiden voor het geval dat het mis zou gaan.'

'Dus niemand zal u ooit weg komen halen?'

'Nee, lieverd, niemand komt me halen. Alles komt goed. Het was alleen een tijd lang een beetje ingewikkeld.'

De zon scheen warm op onze gezichten, maar de wind was fris. Mama hield haar handen in de zakken van haar jas terwijl ze eerst uitkeek over de rivier en toen mij aankeek. Haar lange zwarte haar werd uit haar gezicht geblazen, en de gedeukte Abbasidische munt rond haar hals glom in het licht. In haar grote bruine ogen, omrand met kohl, was een nostalgische blik verschenen.

'Ik weet nog dat ik tussen de middag vaak op dit balkon stond te kijken of mijn vader al naar huis kwam voor het eten,' zei ze. Ze keek

naar de smalle weg langs de rivier waar mannen, vrouwen en kinderen hun dagelijkse dingen deden. 'Elke middag liep hij door deze
straat naar huis, en altijd nam hij een gast mee. Een portier, een
chauffeur, iemand die hij net ergens had leren kennen. Dat vond ik
vreselijk! Waarom moest hij een volslagen vreemde meenemen voor
het eten? Het was óns gezin. Maar toen legde hij me uit dat de islam
voorschrijft dat je goed moet zijn voor anderen.'

Ze vertelde dat Bibi tijdens de ramadan altijd had toegezien op de
bereiding van de enorme schalen *fesenjoon* en *durshana* en dat ze in
de vastenmaand hun deuren hadden geopend voor de armen, die
vanuit de hele buurt met lege pannetjes aan kwamen lopen en het
eten meenamen voor hun gezin.

'Toen ik nog een klein meisje was, zag ik vanaf precies deze plek
op het balkon dat een man wat rijst in zijn zak propte, en ik voelde
me zo dankbaar voor de *baraka* die ons was geschonken, Zainab.
Dat waren mooie tijden. Het is zo triest, *habibiti*, nu kunnen we met
Asjoera niet eens meer eten weggeven zonder de levens van onze
kinderen in gevaar te brengen.'

Veel ouders kunnen hun kinderen zonder angst over hun voorge-
slacht vertellen, maar toen mama mij die middag inwijdde in het
verleden van haar familie moest ik heel dicht bij haar gaan staan om
te kunnen horen wat ze tegen me wilde – of durfde – zeggen.

'Het is allemaal begonnen met mijn grootvader; zowel onze
voorspoed als onze problemen,' zei ze. 'Hij werd in 1865 in Bagdad
geboren, ik heb zijn geboorteakte nog. Hij was Iraaks! Hoe kunnen
mensen denken dat hij Iraans was?'

Haar grootvader was echter geboren in een tijd toen twee rijken
vochten om Irak: het Perzische rijk der Saffariden, die sjiitisch
waren, en het Ottomaanse rijk, dat in Irak door soennieten werd
vertegenwoordigd en helemaal tot aan de Middellandse Zee reikte.
Deze grootvader – mijn overgrootvader of *jeddo*, zoals we dat in het
Arabisch zeggen – trouwde met een rijke vrouw en begon een succesvolle touwslagerij. Hij maakte touwen, draad en garen en reisde
heen en weer langs de oude handelsroutes terwijl zijn vrouw het
geld beheerde en hun vijf kinderen opvoedde, onder wie de vader
van mama, een man die vijf talen vloeiend sprak en de onderne-

ming zou uitbreiden met leerfabrieken. De vrouw van mijn over-grootvader was de matriarch over wie ik zoveel had gehoord.

'Mijn oma was een sterke vrouw,' vertelde mama. 'Je tantes en ik wilden niets liever dan net zo sterk worden als zij. Ze was zo bedreven in alles, ze had de touwtjes in handen. Maar ze gunde mijn moeder zo weinig vrijheid. Ik vraag me weleens af of mama ons daarom zoveel toestond.'

Op een gegeven moment, waarschijnlijk ergens in de negentiende eeuw, was onze familienaam verloren gegaan, legde mama uit. Mannen die met vrouwen uit rijke families trouwden, namen vaak hun naam aan, en voornamen werden soms vervangen door namen van beroepen. Tegen de tijd dat mama werd geboren, betekende de achternaam van haar familie 'maker van draad', waardoor de geschiedenis van ons geslacht moeilijk na te gaan was. Het was heel goed mogelijk, zei ze, dat de opa van haar opa in Iran was geboren. Bibi kon zich nog heel vaag herinneren dat ze, toen ze nog heel erg klein was, ooit met haar voogd een bezoek aan Teheran had gebracht, en mama dacht dat we daar nog ergens familie hadden wonen.

'Toen ik net zo oud was als jij ben ik ook een keer in Teheran geweest,' zei mama tegen me. 'Het was zo'n mooie stad. Sinds dit allemaal is voorgevallen, vraag ik me af of we daarheen gingen omdat er neven en nichten van me woonden. Ik heb dat altijd nog willen uitzoeken, maar dat gaat nu niet meer. Nu schieten we op elkaar.'

Het vreemde was, legde mama me die dag uit, dat de deportaties niet eens iets met afkomst te maken hadden. Irak, een uitgestrekte vlakte met twee grote rivieren waartussen vruchtbaar land ligt, is in de loop der eeuwen talloze malen veroverd – Bibi had het Ottomaanse rijk, de Britse bezetting, een Iraaks koninkrijk, een communistisch bewind en een aantal regimes van de Baathpartij zien komen en gaan. Aan het begin van de twintigste eeuw, toen het Ottomaanse rijk op zijn laatste benen liep, werd de gezinshoofden tijdens een volkstelling gevraagd of ze van Ottomaanse of Perzische afkomst waren. Dat was niet zo'n onschuldige vraag als het lijkt. Mijn overgrootvader en veel andere sjiieten waren bang dat ze voor het Ottomaanse leger zouden worden opgeroepen of de reisbescheiden zouden kwijtraken die ze zo hard nodig hadden om handel te kunnen drijven met het buitenland, en om die reden gaven ze op dat ze 'van Perzische afkomst' waren. Het Iraakse volk is op papier nog steeds op die manier verdeeld, gebaseerd op inmiddels allang vergeelde gegevens van een telling uit het verleden.

Ik begreep alleen nog steeds niet waarom mijn moeder voor deportatie had moeten vrezen en mijn vader niet. Ze waren volle neef en nicht; dergelijke huwelijken zijn volgens de islam toegestaan omdat de erfenis op die manier in de familie blijft en omdat men gelooft dat een man zijn nicht beter zal behandelen dan een vreemde. Maar afkomst werd blijkbaar bepaald door de bloedlijn van de vader, en zij hadden hun grootvader van moederskant gemeen. Mijn vaders grootvader van vaderskant had laten vastleggen dat hij van Ottomaanse origine was, terwijl die van mijn moeder, die van de touwslagerij, had laten optekenen dat hij van Perzische afkomst was. Omdat mijn vader van Ottomaanse en mijn oom Adel van Perzische afkomst was, hoefden mijn broertjes en ik niet voor uitzetting te vrezen, maar mijn neven wel.

'Ze zetten de rijken als eersten de grens over,' zei mama. 'We denken dat tante Ishraq en haar gezin daarom al zo snel zijn verdwenen. Ik denk dat ze gewoon hun huizen en bedrijven willen inpikken. Ik vraag me af of er ooit een einde aan dit corrupte gedoe komt. Ze hebben het recht niet! Hoeveel mensen zijn er verdwenen? Duizenden, misschien wel tienduizenden. We zijn allemaal Iraaks, maar toch staan er in heel Bagdad huizen leeg.'

Maar hoe kwam het dat we nu niets meer te vrezen hadden?

'We hebben met de president gesproken,' zei ze tegen me. 'Het duurde even voordat we hem konden bereiken, maar toen we hem eenmaal te pakken kregen, was hij erg behulpzaam. We hebben hem de geboorteakte van mijn grootvader laten zien – niet dat die veel te betekenen heeft, maar het was in elk geval iets. Hij heeft een "speciaal dossier" over ons aangemaakt.'

Een speciaal dossier. Ik liet die woorden tot me doordringen, maar wist niet zeker of dat goed of slecht was.

'Maak je geen zorgen, lieverd,' zei mama. 'Irak zal altijd ons thuis zijn.'

We hebben die middag een hele tijd op het balkon gestaan. Mama sloeg haar bontjas open, zodat ik tegen haar aan kon kruipen en het niet koud zou krijgen. Zo dicht bij haar zag ik het deukje in de munt met het prachtige opschrift en vroeg me af, zoals ik elke keer deed, wat die deuk toch had veroorzaakt. Het moest iets krachtigs zijn geweest.

Vanwege ons 'speciale dossier'mochten tante Ishraq en haar gezin uiteindelijk weer thuiskomen. Iedereen kwam beladen met eten naar hun huis, en dat aten we zittend op de grond op. Er was geen tafel meer. Alles – de meubels, het servies, het speelgoed en de schoolboeken – was uit hun huis verdwenen. Het was leeg. Ze vertelden bijna niets over wat hun tijdens hun afwezigheid was overkomen.

Het 'speciale dossier' is voor ons gezin altijd iets angstaanjagends gebleven. Op elk willekeurig moment, om het even op welke plek, kon een ambtenaar ons naar onze papieren vragen, en omdat die papieren waren getekend door een uit duizenden herkenbare officier van de Moekhabarat, wist iedereen meteen dat er ooit vraagtekens bij ons 'Iraakse' burgerschap waren gezet. Dat maakte ons een gemakkelijke prooi voor angst en intimidatie. Ik was toevallig bij oom Adel toen zijn tweede zoon, Hoessam, thuiskwam van zijn nieuwe school en er zo verslagen uitzag dat ik vroeg wat er mis was. Het bleek dat oom Adel zijn zoon niet met zijn 'speciale dossier' naar school had durven sturen en dat Hoessam tegen de leraar had moeten zeggen dat hij zijn papieren was vergeten. Zijn leraar stuurde hem naar het schoolhoofd, en op aanraden van oom Adel zei Hoessam tegen het schoolhoofd dat zijn ouders de stad uit waren, maar dat hij een goede vriend had die hij kon bellen, een volwassene die voor hem kon instaan. Hoessam had een uur op de kamer van het hoofd op die vriend, die een hoge positie binnen de Baathpartij bekleedde, zitten wachten. Uiteindelijk was hij gelukkig toch op school ingeschreven. 'Ik had het gevoel dat iedereen naar me keek,' zei hij tegen me, met gebogen hoofd. 'Wat hebben we verkeerd gedaan? Waarom doen ze zo tegen ons?' Tot op de dag van vandaag krijgt Hoessam tranen in zijn ogen wanneer hij terugdenkt aan de angst en vernedering die hij toen voelde. Toen hij twintig jaar later zijn eigen zoon op school probeerde in te schrijven, kreeg hij te horen dat zijn papieren niet op die afdeling lagen. 'Daarvoor moet u naar de afdeling Speciale Dossiers.' En zo werd de nachtmerrie op de volgende generatie overgedragen.

Ik heb één herinnering die ik graag voor altijd zou willen vergeten. Het is een herinnering aan mijn moeder.

Een paar maanden nadat ons 'speciale dossier' was aangelegd, zat ik boven op mijn kamer mijn huiswerk te maken. Het was laat en mijn broertjes sliepen al. Mijn vader zat beneden tv te kijken en riep op een gegeven moment of ik even bij mijn moeder wilde gaan kijken. Ik liep naar hun slaapkamer en zag dat de deur dicht was. Ik klopte, en toen nog een keer, maar er kwam geen antwoord. Ten slotte deed ik de deur open en liep naar binnen. Een vlaag warme lucht kwam me tegemoet. De verwarming stond hoog en alle lichten brandden. Ze waren heel fel, bijna verblindend. Hun kamer was toen helemaal wit, met witte kasten en witte meubels en witte muren. Het bed was leeg, onopgemaakt en slordig, alsof ze heel rusteloos had liggen slapen en even was opgestaan om naar de wc te gaan. Ik riep haar. Toen zag ik haar opeens aan de andere kant van het bed op de grond liggen. Ze lag in haar witte nachtpon op het Perzische tapijt, in een vreemde houding, met haar armen en benen in een rare hoek en haar haar door de war. Om haar heen lagen pillen – roze, blauw, wit, geel, pastelkleuren op het donkerrode kleed – en lege plastic flesjes.

Ik was zo bang. Ik rende naar haar toe en nam haar in mijn armen. Ze ademde, maar haar lichaam zakte ineen toen ik haar overeind probeerde te trekken. 'Mama, mama! Mama, word wakker! Kunt u me horen?' Ik kon zien dat ze haar ogen probeerde te openen, maar niet scherp kon zien. De huid van haar mooie gezicht was slap, haar gezicht bleker dan ik het ooit had gezien. Zou ze sterven? 'Baba!' riep ik, maar hij hoorde me niet, zodat ik naar hem toe moest rennen. Het was donker beneden. Het licht was uit. Het enige wat ik kon zien, was het flakkerende blauwe licht van de tv en het geluid ervan dat uit de woonkamer kwam. Baba zat op de blauwe bank, met een glas whisky naast zich. Ik rende naar hem toe, maar de whisky leek hem bijna net zo te hebben verdoofd als de pillen dat met mama hadden gedaan. Ik vroeg smekend of hij me wilde komen helpen omdat er iets met mama was, en eindelijk leek hij me te begrijpen, liep met me mee en keek als verdwaasd naar mama die op de grond lag. Ik liet hem om hulp bellen en bleef zelf bij mama zitten, met haar hoofd op mijn schoot. Ik hield haar wakker, bette haar gezicht met een natte handdoek en praatte tegen haar, borstelde haar lange haar met haar borstel en zei dat ze niet dood mocht gaan, dat ze in godsnaam niet dood mocht gaan.

Na een tijdje kwam oom Adel binnen, die me hielp om mama naar zijn auto te dragen. Toen we bij hem thuis aankwamen, wilde ik mama niet loslaten. Ik wilde haar niet laten gaan, nooit. We brachten haar naar de badkamer, waar oom Adel haar dwong om een glas melk te drinken zodat ze de pillen zou uitbraken. Maar ze leek niet te kunnen slikken, en daarom liet tante Najwa me een trechter uit de keuken pakken en hield oom Adel huilend zijn kleine zusje vast, terwijl ik de melk in haar keel goot. Ik huilde niet langer. Het enige waaraan ik kon denken, was dat ik die melk naar binnen moest zien te krijgen. Ik had een missie, ik moest haar leven redden. Ik hield de achterkant van haar nek vast, net zoals ze altijd bij mij had gedaan wanneer ik misselijk was, en uiteindelijk braakte ze die vreselijke pillen uit.

Tegen de tijd dat de dokter aankwam, hadden tante Najwa en ik mama gewassen, haar kleren verschoond en haar in bed gestopt. Ik trok een schone nachtpon aan die tante Najwa me had gegeven en kroop naast haar in bed. Ik wilde haar niet meer uit het oog verliezen. Ik sloeg mijn armen om haar heen en hield haar stevig vast, zoals een moeder een ziek kind zou vasthouden, en luisterde naar haar ademhaling, dankbaar voor elke keer dat haar borst rees en daalde. Die avond bleef ik nog heel lang wakker, bang dat ik haar zou verliezen als ik in slaap zou vallen. Mama had geprobeerd zelfmoord te plegen. Waarom, mama? Waarom? Weet u dan niet dat Haider en Hassan en ik niet zonder u kunnen? Weet u dan niet hoeveel ik van u houd?

Tegen de tijd dat ik in slaap viel, had ik het gevoel dat het kind uit me gewrongen was. Ik had een kant van de volwassenheid gezien waar ik eigenlijk nog niet aan toe was, eentje die stonk naar zure melk en whisky en pijn, maar ik had helemaal geen antwoorden en niemand kon echt uitleggen wat nu de aanleiding was geweest.

Mama sliep heel erg lang en werd zwak en uitgeput van haar beproeving wakker. Ik wilde haar vragen wat er mis was, maar ze zag er vreemd en beschaamd uit.

'Het spijt me zo, Zanooba,' bleef ze maar zeggen. 'Het spijt me zo, lieverd, het spijt me zo.' Ze streelde me over mijn haar. Toen zei ze iets wat ik nooit zal vergeten: 'Ik voel me net een vogel in een kooi. Zorg ervoor dat je nooit een vogel in een kooi wordt, Zainab. Dat moet je me beloven, lieverd. Wees altijd een vrije geest.'

'Dat beloof ik, mama,' zei ik.

Maar ik begreep het niet. Ze zei tegen me dat ik niet zo moest worden als zij, maar tot aan die avond had ik nooit iets anders gewild.

Uit het notitieboekje van Alia

Op een avond liet hij ons bij zich roepen en vierden we feest aan de oevers van de Tigris. Die avond had hij maar een paar van ons om zich heen verzameld en hij dronk whisky alsof het water was. Elk uur kwam een van zijn lijfwachten hem iets in het oor fluisteren. Rond middernacht, toen hij het grootste deel van een fles whisky soldaat had gemaakt, zei hij op luide toon tegen een lijfwacht die hem net iets in het oor had gefluisterd: 'Sla hem en laat het spel beginnen. Moge God ons allemaal vervloeken!' We wisten niet wat hij daarmee bedoelde, maar de volgende morgen hoorden we dat hij zijn schepen de Shatt Al-Arab [de waterweg bij de Perzische Golf die Irak van Iran scheidt] op had gestuurd en dat de Iraaks-Iraanse oorlog was begonnen.

Tijdens de eerste maanden van de oorlog was hij in zijn nopjes. Sterker nog, we hebben hem nooit gelukkiger gezien dan in die tijd. Hij vierde bijna elke avond feest. 's Avonds kwamen vrouwen uit het dorp voor hem dansen en zingen. Vaak kwam er een band spelen die bekendstond als de band van Thubab. De zangeres, een vrouw die Aneesa heette, zat aan zijn voeten melancholieke liederen van het platteland te zingen die hem emotioneel maakten omdat hij aan zijn afkomst werd herinnerd. Hij deelde bijna tweeduizend dinar aan zijn vrienden uit zodat ze het geld naar de danseressen en de zangeres konden gooien. Op die feestjes zag je altijd overal geld, het dwarrelde tussen de danseressen neer op de grond.

We verlieten die feesten altijd met hoofdpijn vanwege de bedoeïenenmuziek en zijn gepraat over de oorlog, maar we hadden geen keuze, we moesten er wel heen gaan. In die tijd wilde hij iedereen om zich heen hebben, dus de feesten waren groots en luidruchtig. Soms sprak hij over zijn militaire plannen en schepte hij op over veldslagen waarachter hij het brein was geweest. Hij bekeek *graag beelden van die slagen en gaf tv-stations de opdracht om die urenlang uit te zenden, zodat hij ernaar kon kijken. Je vader en ik konden het niet eens aanzien, al die beelden van dode Iraanse soldaten. Hij gaf daarentegen openlijk toe dat zulke beelden ervoor zorgden dat hij trek in eten kreeg.*

DRIE

Na Varkenseiland

En jaar nadat de oorlog was uitgebroken, ging ik naar de middelbare school. In Irak is het onderwijs op de lagere school gemengd, maar op de middelbare school worden jongens en meisjes van elkaar gescheiden. Ik wilde niet naar dezelfde eliteschool als mijn vriendinnen, die zich alleen nog maar voor kleren en jongens leken te interesseren. Ik vroeg of ik naar Al-Shamella mocht, een experimentele middelbare school waarover ik een vriendin van mijn moeder, die daar lesgaf, had horen vertellen. De school bood een onorthodox vakkenpakket met vakken die je op geen enkele andere school kon volgen – in de lessen huishoudkunde werd onder andere aandacht besteed aan budgetteren, elektrotechniek, meubelmaken en metaalbewerking – en een groot aantal buitenschoolse activiteiten, zoals muziek en pottenbakken.

Op mijn nieuwe school kende ik helemaal niemand, en me aanpassen bleek moeilijker dan ik had gedacht. Al-Shamella lag vlak bij ons huis, maar wel in een mindere buurt die heel anders was dan wat ik gewend was. Toen mijn moeder me de eerste dag bij de school afzette, voelde ik dat alle ogen op het plein naar me keken toen ik uit onze Toyota stapte. Niemand in ons gezin had eraan gedacht om me de bus te laten nemen; openbaar vervoer was voor mensen zonder auto. Hier kwam iedereen te voet of met de bus. Het bleek dat ik het enige rijkeluiskind was op een school vol kinderen uit arme gezinnen en het arbeidersmilieu.

Een groot aantal van hen ging met veertien, vijftien jaar van school omdat ze gingen trouwen. We droegen allemaal hetzelfde soort uniform, maar dat van mij kwam uit Duitsland of Engeland terwijl mijn klasgenootjes het zelf naaiden. Ik kon na school thuis een lekker bad nemen en de volgende dag geurend naar kiwi of lavendel weer in de klas verschijnen, maar op sommige anderen wachtten thuis alleen ouders die hen mishandelden. Ik hoorde op die school voor het eerst over huiselijk geweld en zag welke prijs mijn klasgenoten moesten betalen voor de armoede en het gebrek aan opleiding die hun families al generaties lang teisterden. Ik weet nog dat een meisje me vertelde dat haar stiefvader haar een pak slaag had gegeven en haar het huis uit had gegooid, zodat ze gedwongen was geweest de nacht voor de deur op straat door te brengen. Ik wist niet wat ik tegen haar moest zeggen. Er was niets wat ik kon zeggen. Wat ik ook zou zeggen, het zou niets uitmaken. Het leven was oneerlijk voor haar. Ze had niets verkeerd gedaan, maar was toevallig in het verkeerde gezin ter wereld gekomen. Ik had het geluk dat ik in het juiste gezin was geboren.

Ik deed op school mijn uiterste best om te laten zien dat ik geen rijk, verwend wicht was. Ik ging bij de padvinderij. Ik deed mee aan buitenschoolse activiteiten. Soms was onze chauffeur te laat om me op te halen en pakte ik stiekem de bus. Ik besefte totaal niet dat ik juist een verwend kind leek omdat ik hem liet wachten en hem ongerust maakte omdat hij dacht dat me iets was overkomen. Op een dag zag hij me blijkbaar in de bus stappen en volgde hij me langs alle haltes. Toen ik hem uiteindelijk in het oog kreeg, kon ik weinig anders doen dan uitstappen en bij hem in de auto gaan zitten, terwijl iedereen op wie ik indruk had willen maken me nakeek. Ik wilde er graag bij horen en vriendinnen maken, maar ik had de grotendeels seculiere wereld waaraan ik zo gewend was geraakt, achter me gelaten en was halsoverkop een wereld van gelovige moslims, sjiitisch en soennitisch, ingedoken. Voor de meesten van mijn klasgenoten was bidden een onderdeel van het dagelijks leven. Op een dag merkte ik dat ik er stilletjes en een tikje onwennig bij stond toen de andere meisjes het over bidden hadden.

'Ik bid ook,' zei ik.

'O, vast,' zei een van de meisjes. 'Ik geloof er niks van. Zeg dan eens wat je in een gebed zegt – als je dat tenminste weet.'

Ik begon met de sjahada, de geloofsbelijdenis van de moslims: 'Er is geen andere God dan Allah, en Mohammed is zijn profeet.' Omdat ik niet goed wist hoe ik moest eindigen, liet ik het gedeelte over Ali weg. Daarna noemde ik de intentie van het gebed en zei ik een vers uit de Koran op.

'Oké, ga verder,' zei het meisje.

Ze hielden me aan de praat, totdat ik niets meer kon bedenken en ze allemaal begonnen te lachen.

'Je weet niet eens hoe je moet bidden, rijke stinkerd,' zei een van de meisjes. 'Jij hoort bij die lui die het hoog in hun bol hebben.'

Ik probeerde er luchtig over te doen, maar was blij toen de bel ging en we weer naar binnen mochten. Ik voelde me gekwetst en buitengesloten omdat de manier waarop ik bad – of niet bad – weer zo belangrijk bleek. Ik was kwaad op mijn ouders omdat die me niet hadden leren bidden en het zelf niet eens konden. Toen Bibi op bezoek kwam, vroeg ik haar of ze het me wilde leren. Ik haalde mijn gebedskleedje tevoorschijn en ging oefenen. De hele familie was erbij. Tante Samer was op bezoek. De tv stond aan. De moeders zaten te lachen en dronken Turkse koffie. Mijn broertjes en neven speelden rondom me.

'Dat is goed, Zanooba,' zei Bibi. 'Maar de volgende keer kun je misschien beter proberen te bidden met de tv uit, alleen op je kamer. Het gaat beter als je je kunt concentreren.' Een tijd lang bad ik braaf bij zonsopgang en zonsondergang. Op de avond voor een proefwerk bad ik ijveriger.

Op een dag zette ik me over mijn verlegenheid heen, vatte moed en deed in de pauze mee aan een potje basketbal. Ik had altijd met mijn neven en nichten bij ons in de straat gebasketbald, en tijdens een van onze zomers in Seattle had ik het zelfs samen met mijn moeder gedaan, die toen in verwachting was van Hassan en lachend over het veld rende, met een buik als een voetbal, en in het Arabisch met een Bagdads accent aanwijzingen schreeuwde, af en toe aangevuld met 'Go, go, go!' in het Engels. Na het potje kwam een van de meisjes naar me toe en gaf me een compliment over mijn spel. We raakten met elkaar aan de praat. Ik vond haar aardig, zij vond mij aardig, en we wisselden telefoonnummers uit.

'Ik heb een nieuwe vriendin,' vertelde ik die middag tijdens het eten.

'Dat is leuk, lieverd,' zei mama.

'Waar woont ze?' vroeg baba.

'In Al Iskaan, die buurt vlak bij school,' antwoordde ik. Het was een buurt die bekendstond om zijn sociale woningbouw.

'Wat doet haar vader?' vroeg baba.

'Dat weet ik niet, baba,' zei ik. 'Dat heb ik niet gevraagd. Waarom zou ik dat doen?'

'Ik moet het weten,' zei hij kortaf. 'Heb je haar je telefoonnummer gegeven?'

'Ja,' zei ik. 'We zijn vriendinnen, baba.'

'Ze moet het teruggeven,' zei hij.

'Waarom, baba?' wierp ik tegen. Ik begreep er helemaal niets van. Ik had net een vriendin gevonden, maar nu wilde papa haar weer van me afpakken.

'Omdat ik dat zeg,' antwoordde hij.

'Maar baba, ik vind haar aardig,' zei ik. 'Waarom verlangt u dit van me? Dit is zo gênant, ik ken haar net. Dat is *ayeb*.'

'Doe het gewoon, Zainab. Ik heb mijn redenen. Doe het gewoon, oké? Dan wil ik er nu niets meer over horen.'

Ik keek mama vragend aan.

'Je vader weet wat hij doet, lieverd,' zei ze. 'Doe wat hij zegt. Vertrouw hem. Hij is je vader.'

De volgende dag liep ik verontwaardigd en beschaamd naar het meisje toe dat ik als vriendin had willen hebben, in de wetenschap dat ik ons allebei zou kwetsen.

'Het spijt me verschrikkelijk,' zei ik tegen haar, 'maar mijn vader zegt dat ik mijn telefoonnummer niet aan jou had mogen geven.'

Ze keek me recht in mijn ogen, haalde haar schrift tevoorschijn en pakte een potlood. Ze had mijn nummer voor in haar schrift geschreven, en ik zag dat ze hard op haar potlood drukte toen ze mijn nummer doorkraste, totdat er alleen nog maar een veeg glanzend zwart grafiet te zien was.

'Zo, dan weet je dat ik jouw nummer nooit, maar dan ook nooit meer zal zien,' zei ze.

Toen liep ze weg.

Ik kon het haar niet eens uitleggen. Ik begreep niet dat mijn vader vanwege Saddam Hoessein had gezegd dat ik mijn nummer moest terugvragen. Toen wist ik nog niet hoe goed mijn ouders hem kenden. Voor mij was hij een gezicht van de tv, een man voor wie we moesten zingen en marcheren en voor wiens gezondheid we moesten bidden: de president van Irak.

Alle kinderen in Irak werd geleerd dat ze hem 'amo Saddam', oom Saddam, moesten noemen. (Amo is de term waarmee kinderen in Irak van oudsher volwassenen aanspreken. Mijn vriendinnen zeiden bijvoorbeeld nooit meneer Salbi tegen mijn vader, maar amo Basil.) Trouw aan amo Saddam werd er bij scholieren zo ingeramd dat die bijna niet te onderscheiden was van de trouw aan de familie of Irak zelf. Jongens en meisjes werden lid van de Voorhoede, de *tala'a*, en droegen camouflagekleren in blauw en wit met bijpassende hoeden. Ze oefenden op school het marcheren en het zingen van liederen als 'Amo Saddam zal de tanden van de lafaard Khomeini breken!' Tieners moesten hem op dezelfde manier aanspreken als de volwassenen deden, dus als Al Sayed of Al Ra'aees, de vorst of de president. Ze deden mee aan poëzie- en kunstwedstrijden of eindeloze marsen om aan te tonen dat zij het meeste van de leider hielden. Ik werd uitverkoren om elke donderdag, volgens de moslimkalender de laatste werkdag van de week, te helpen met het hijsen van de vlag. Dat was een eer, en ik weet nog dat ik heel gespannen in mijn padvinderspakje voor de klas stond: ik moest de vlag op de juiste manier hijsen, een knoop in het touw leggen en een groet aan de vlag brengen. Daarna zongen we het volkslied – hij had gekozen voor een nieuw lied dat ik nog het meeste op een militaire mars vond lijken – en moesten we uiterst aandachtig luisteren naar toespraken van het schoolhoofd, gedichten van leerlingen en liederen die door het schoolorkest werden gespeeld – stuk voor stuk een eerbetoon aan het land en zijn president.

Er werd van ons allemaal verwacht dat we meededen aan buitenschoolse activiteiten waaruit onze vaderlandsliefde zou blijken. Ik sloot me aan bij de drumband van de school. Soms oefenden we urenlang, in vier rechte rijen, en hielden we onze vlaggen of portretten van Saddam Hoessein omhoog en riepen dingen als 'Moge God onze president beschermen!' en 'Moge God hem een lang leven schenken!' Er werd ons geleerd hoe we precies onze voeten moesten neerzetten, maar ook hoe we moesten kijken – aandachtig en vastberaden – en moesten klinken – luid en scherp. *'Yes, yum! Yes, yum!'* riepen we als antwoord op elk bevel dat de lerares ons gaf. Dat 'yes' was naar verluidt een overblijfsel uit de Britse koloniale tijd, maar ik had geen idee wat 'yum' betekende, en niemand legde het ons uit. De monotonie en eindeloze herhalingen beroofden ons van iets waarvan ik later besefte dat het onze eigen individualiteit was. Na een tijdje kon ik geen enkele stem meer onderscheiden, zelfs niet die van mezelf. Ik was deel van een groter geheel en deed wat onze leidster vroeg: marcheren en schreeuwen. Ik schakelde mijn hersens uit en ging over op de automatische piloot; een van de tienduizenden jonge Iraakse kinderen die marcheerden voor Saddam Hoessein. Soms liep onze hele school leeg en voegden de leerlingen zich bij een van de enorme demonstraties op straat, en dan maakte ik van de drukte gebruik en glipte stiekem weg. Ik had nooit zo'n zin om net zo fanatiek als de anderen op en neer te springen en leuzen te roepen als 'Met ons bloed, met onze ziel zullen we u beschermen, o, Saddam!' Op de een of andere manier had hij met dat 'speciale dossier' geholpen het leven van mijn moeder te sparen, maar ik was ook oud genoeg om te begrijpen dat hij verantwoordelijk was geweest voor de deportatie en het leed van mijn neven.

Op tv kwam hij over als een knappe, vriendelijke man die graag bij gewone burgers een kopje thee kwam drinken. Dan deed een huisvrouw de deur open, slaakte een ontzette en verbaasde kreet omdat de president juist haar huis had uitgekozen en vroeg hem of hij binnen wilde komen. Met de camera in zijn kielzog liep hij dan het huis in, gezellig en beleefd keuvelend. 'Hoe gaat het met uw gezin?' vroeg hij dan. 'En met de kinderen? Eet u goed?' Dan liep hij achter haar aan naar de keuken, keek wat er op het fornuis stond te pruttelen en deed de koelkast open. Ik weet nog goed dat hij altijd bij de mensen thuis in de koelkast keek en dan opmerkte dat die zo goed gevuld was: ik weet zeker dat er vrouwen waren die ervoor zorgden dat hun koelkast er altijd voorbeeldig uitzag, alleen maar voor het geval dat hij langs zou komen. Tijdens al die bezoekjes die op tv te zien waren, waren de gezinnen blij en dankbaar hem te zien, al hoorden we via tante Samer dat er een vrouw was die, toen hij haar vroeg of hij iets voor haar kon doen, had geantwoord dat ze zich zo'n zorgen maakte over haar enige zoon, en of hij er misschien voor kon zorgen dat die veilig terug zou keren van het front. Die aflevering werd nooit uitgezonden, en de vrouw had aan tante Samer gevraagd hoe ze het beste haar excuses kon aanbieden om te voorkomen dat haar zoon voor haar fouten zou moeten boeten.

De verjaardag van Saddam Hoessein was een nationale feestdag. Straten werden afgezet, podia werden opgebouwd, en orkesten speelden voor hem terwijl de bevolking op straat danste en marcheerde. 's Avonds kropen we allemaal voor de tv en zagen hem tussen lange tafels vol eten door lopen en naar zijn cadeaus kijken. Aan elk cadeau hing een kaartje met de naam van de gever, en iedereen wilde zien wie wat had gegeven en wat amo ervan vond. Ik heb me altijd afgevraagd of hij echt op 28 april jarig is. Veel mensen van zijn generatie zijn opgegroeid op het platteland, waar het grootste deel van de bevolking analfabeet was en men niet de moeite nam om kinderen bij de burgerlijke stand aan te geven. Voor het gemak werden de geboortedata op 1 juli vastgesteld. Ik weet nog dat mijn vader een keer een grappig verhaal vertelde over een tussenstop die hij met zijn crew in Bangkok had gemaakt: het was toevallig 1 juli, en de hoteldirecteur was zo verbaasd dat er zoveel van hen op die dag jarig waren dat hij een klein feestje voor hen organiseerde.

Onderwijs was gratis – we kregen gratis schriften, boeken, gekleurde pennen en wat we verder maar nodig hadden voor school – maar we werden wel geacht iets 'terug te geven' en geld in te zamelen voor de taart die vanwege de verjaardag van de president werd aangeschaft. Ik weet nog dat leerlingen hun uiterste best deden om zoveel mogelijk kleingeld bij elkaar te krijgen, maar dat ze nooit openlijk durfden te vragen waarom. Toch moesten ze zich net als ik hebben afgevraagd waarom ook onze broertjes en zusjes geld moesten inzamelen. Hoeveel taarten kon die man eten? Hoe kwamen ze bij hem terecht? Op een dag zag ik de leraressen na schooltijd tijdens een vergadering, die nog het meeste deed denken aan een bijeenkomst van de Baathpartij, van zijn taart eten, en de schijnheiligheid deed me pijn. Die avond gingen mijn moeder en ik toevallig op bezoek bij een vriendin en voormalig collega van haar, en toen we naar haar huis liepen, zagen we een portret van Saddam Hoessein voor het raam hangen. Ook stonden er twee kaarsen voor de deur te branden. Ik zie de blik die mama en deze lerares uitwisselden nog voor me. Ik geloof niet dat ze er iets over zeiden, maar dit was het gesprek dat ze in mijn herinnering via blikken en gebaren voerden – het zou te gevaarlijk zijn geweest om zulke woorden hardop uit te spreken.

Mama: 'O, Kawbob, je hebt je wel uitgesloofd met al die Baathpartij-spullen. Zijn die kaarsen niet een beetje overdreven?'

Tante Kawbob: 'Maar Alia, het wordt elke dag erger. Het is vreselijk, maar je kunt niet anders. De laatste tijd komen er steeds vaker partijleden langs. Als je niet je best doet om de verjaardag van Saddam Hoessein te vieren, denken ze dat je de president niet mag.'

Mama: 'Dat is waar. Ik ben zo blij dat ik op tijd ben gestopt met lesgeven. Maar je kunt tegenwoordig niet voorzichtig genoeg zijn. Heb je taart?'

Daarna gingen we binnen met zijn allen taart eten. Mama wist al dat ik begreep hoe het zat. Het aansteken van de kaarsen, het zingen voor amo Saddam, en zelfs het eten van de taart waren allemaal middelen waarmee we het gevaar probeerden af te wenden, en degenen die het kwetsbaarst waren, hadden die middelen het hardste nodig. Iedereen moest zijn of haar trouw aantonen, voor het geval dat. Toen we die avond thuiskwamen, zei mama: 'Zainab, lieverd, haal eens een paar kaarsen. Ik denk dat we die ook maar voor het huis moeten zetten. Tante Kawbob heeft gelijk.'

Op een avond was ik net bijna in slaap gevallen toen ik mijn ouders beneden hoorde ruziën. Ik had hen wel vaker ruzie horen maken, vooral toen ik nog klein was, maar vaak over kleine dingen, en dat hadden ze meestal in het Engels gedaan omdat ze dachten dat we het dan nog niet zouden begrijpen. Maar deze keer was het anders. Mijn ouders hadden echt bonje, en ik hoorde dat mijn vader zijn stem verhief. Hij was erg van streek. Ik kwam mijn bed uit en ging op de terrazzotrap zitten. Baba was kwaad, maar mama probeerde redelijk te blijven.

'Waar zit je met je verstand, Alia?'

'Je zou niet de enige zijn. Heel veel mannen melden zich vrijwillig aan. Misschien zou jij dat ook moeten doen.'

'Hou je niet meer van me? Wil je me dood hebben?'

'Natuurlijk niet, Basil. Natuurlijk hou ik van je. Maar het zal allemaal wel goed gaan.'

'Ik kan gewoon niet geloven dat mijn eigen vrouw hiermee aankomt! Andere vrouwen doen hun best om hun man te helpen om aan de dienstplicht te ontkomen, maar jij beweert dat ik naar het front moet gaan?'

'Je hebt hem laatst zelf gezien. Hij keek je recht in je ogen toen hij beweerde dat mannen uit de stad verwend zijn. Al dat gepraat over dat we niet weten wat ontberingen zijn, hoe het is om in je jeugd geen schoenen te hebben, dat mannen uit Bagdad maar eens iets harder moeten worden en dat de oorlog ze dat wel zal maken. Je weet dat amo van je verwacht dat je gaat, Basil.'

'En dan? Stel dat ik word neergeschoten? Moet ik op die manier bewijzen dat ik hard ben? Door me overhoop te laten schieten?'

Ik hoorde baba opstaan. Hij opende de voordeur en verdween in de donkere avond. Ik zat daar in mijn pyjama in de stilte die volgde. Ik was bang. Zou ik nu baba verliezen? Waarom zou mama zoiets voorstellen? Probeerde ze een van die 'glorieuze Iraakse vrouwen' te zijn over wie ze op tv altijd spraken, die vrouwen die hun mannen en zonen naar het front stuurden? Ik aarzelde even en liep toen naar beneden, naar mama. Hier moest een reden voor zijn.

Ze keek op toen ze me binnen zag komen. 'Heb je ons horen ruziën?' vroeg ze. 'Het spijt me, lieverd. Ik wilde je niet wakker maken.'

'Mama, moet baba echt naar het front? Stel dat hem iets overkomt?'

'Er zal hem niets overkomen, lieverd. Ze zullen hem echt niet naar een gevaarlijke plek sturen. Hij hoeft alleen maar korte tijd zijn plicht te vervullen, hij zal snel weer thuiskomen. Het zal gewoon zijn alsof hij op een lange reis is.'

Zoals ze het zei, klonk het bijna als iets alledaags. Ze leek te denken dat mijn vader niet naar de gevarenzone zou worden gestuurd, maar alleen maar zijn trouw hoefde te bewijzen en na een paar maanden weer thuis zou zijn. En zo is het ook gegaan. Later hoorde ik dat Saddam Hoessein baba weer naar huis had gestuurd en hem onder vier ogen had geprezen om zijn moed. Maar op dat moment zag ik het eerste barstje in het huwelijk van mijn ouders. Ik kan me niet herinneren dat baba veel zei toen hij weer thuiskwam, afgezien van de opmerking dat hij dacht dat Irak zou winnen omdat ons leger sterker was. Ik weet alleen nog dat hij naar binnen liep en dat zijn kistjes moddersporen op de tegels achterlieten, ik kan me herinneren dat hij mama niet eens aankeek, al deed ze haar uiterste best om aardig tegen hem te zijn. Mijn vader hield van mijn moeder. Daar twijfel ik niet aan, maar ik denk niet dat hij het haar ooit heeft vergeven dat ze wilde dat hij zijn leven zou wagen, alleen maar om iets te bewijzen.

Mannen werden onder druk gezet om hun tijd of zelfs hun leven aan de oorlog op te offeren, maar vrouwen werden geacht goud te geven. Leden van de Baathpartij gingen in de duurdere wijken de deuren langs en vroegen vrouwen om hun sieraden. Sommigen voelden zich gedwongen om zelfs hun trouwring af te staan ten bate van onze troepen. In de Arabische wereld toont een vrouw vaak door middel van haar goud aan de buitenwereld hoe rijk ze is. Volgens de sharia, de islamitische wet, erven mannen twee keer zoveel van hun ouders als vrouwen omdat de mannen verantwoordelijk zijn voor de kosten van de huishouding. Maar het deel dat de vrouw erft, is van haar alleen. Voor zover ik weet, heeft mijn vader mijn moeder nooit naar haar erfenis gevraagd; dat waren haar zaken. Wanneer een vrouw in het huwelijk treedt, brengt ze meer mee dan haar tegoeden en bezittingen; haar vriendinnen en vrouwelijke familieleden doen haar kettingen van 24 karaats goud om en schuiven ringen aan haar vingers. Aan het einde van de avond is de bruid behangen met sieraden. Die mag ze houden, zelfs wanneer het huwelijk op de klippen loopt.

Toen ik twaalf was, werden we samen met een aantal andere vooraanstaande gezinnen uitgenodigd om tijdens een tv-uitzending goud te doneren. Mama wilde niet op tv verschijnen, daar was ze volgens eigen zeggen veel te verlegen voor, maar ik denk dat ze het hele gedoe nogal goedkoop vond. Weigeren was echter geen optie, en daarom vroegen mijn ouders of ik in haar plaats wilde gaan. In de studio stonden de vrouwen in een rij voor de camera om hun steentje bij te dragen. Ik geloof dat ik het enige kind was. Ik zei net als alle anderen duidelijk mijn naam, zodat de eer naar ons gezin zou gaan, en overhandigde het zakje met sieraden dat mijn moeder me had meegegeven. Het werd voor de camera gewogen. Ik weet niet precies meer hoeveel het woog, maar het ging erom dat het hele land kon zien hoeveel iedereen gaf, zodat ze zich allemaal gedwongen zouden voelen om meer te geven dan de anderen; een vorm van chantage waarover al snel stilletjes werd gemopperd. Een paar maanden later speldde de president tijdens een besloten ceremonie bij wijze van dank een zilveren speld op mijn kraag. Hij was erg lang aan het woord en noemde bepaalde families bij naam, lovend of kritisch. Hij wist precies hoeveel elke familie had gegeven. Een van de families was 'gierig' geweest, zei hij. Hij noemde hen bij naam en voegde eraan toe dat ze meer van hun honden hielden dan van hun vaderland. Later hoorde ik dat er beslag was gelegd op hun bezittingen en dat het echtpaar, dat geen kinderen had, in de gevangenis zat.

Na mijn eerste jaar op de middelbare school reed er op een zomerdag onverwachts een lange stoet zware Mercedessen en politieauto's de Luchtvaartbuurt in, die onder het basketbalnet in ons doodlopende straatje tot stilstand kwam.

In Bagdad komen mensen vaak aan het einde van de middag even langs. Niet tussen een en vier, want dat zijn de uren waarop wordt gegeten of een dutje wordt gedaan, maar later, en dan wordt er koffie of thee geschonken. Blijkbaar volgde de president ook die gewoonte toen hij besloot ons een bezoekje te brengen. Mijn ouders zaten net een potje backgammon te spelen en sprongen meteen op toen ze de herrie buiten hoorden. Radya had vrij, zodat mama me zenuwachtig naar de keuken stuurde om koffie te zetten terwijl zij en papa de deur openden en de president voorgingen naar de woonkamer. Terwijl ik wachtte totdat het water kookte, keek ik even stiekem naar buiten, en ik was diep onder de indruk van het militaire vertoon dat ik aan de andere kant van de tralies voor het keukenraam kon zien. De straat stond vol auto's en mannen in uniform met wapens en zwarte snorren.

Ik haalde onze speciale pot voor Turkse koffie tevoorschijn, en drie kleine kopjes en schoteltjes met een gouden opdruk. Ik zette alles op het versierde zilveren dienblad van mijn oma, dat uit Iran kwam – pas later besefte ik dat dat een politieke misstap was. Ik was trots op mezelf omdat ik wist hoe ik Turkse koffie moest zetten, al was ik zelf nog te jong om het te drinken. Ik woog zorgvuldig alle ingrediënten af en zorgde ervoor dat ik de koffie precies op het juiste moment van het vuur haalde, zodat er een schuimlaagje bovenop zou komen. Geen schuim betekende dat de koffie middelmatig was en dat de gastvrouwe zich er te gemakkelijk vanaf probeerde te maken.

Toen liep ik zenuwachtig met het blad naar de woonkamer. Mijn ouders zaten naast elkaar op het kleine bankje. Saddam Hoessein zat in zijn eentje op de grote bank, met één arm bungelend over de leuning en de andere in de buurt van het pistool rond zijn middel. Door de manier waarop ze met elkaar praatten, wist ik meteen dat ze meer waren dan alleen maar kennissen: ze kenden elkaar goed. Hij leek zich bij ons thuis op zijn gemak te voelen – op dat moment meer dan mijn vader. Baba glimlachte en probeerde ontspannen over te komen, maar ik kon merken dat hij ook zenuwachtig was. Ik zette het blad heel voorzichtig neer om ervoor te zorgen dat ik niet zou morsen.

'En dit is onze Zainab,' zei baba. Hij begon te stralen toen ik binnenkwam. Mijn vaders liefde voor mij voelde soms net als zonneschijn. Ik kan me nog heel goed herinneren dat het op die dag ook zo was. Ik zag dat hij heel trots was omdat hij zijn dochter aan de president van Irak mocht voorstellen.

'O, dus dit is Zanooba!' zei de president, alsof hij al jarenlang verhalen over me had gehoord.

Ik kreeg de opdracht om hem amo te noemen, net zoals mijn ouders deden. Later vertelde mijn moeder dat het een soort codenaam was waarmee zijn vrienden hem moesten aanspreken.

'Goedemiddag, amo,' zei ik beleefd. Ik boog me glimlachend voorover en kuste hem driemaal op de wang, zoals in Irak gebruikelijk is. Een keer op de ene wang, toen op de andere, en de derde keer weer op de ene. Hij had verrassend zachte wangen, alsof hij zich net had geschoren, en hij rook naar aftershave. Hij lachte naar me; het was een prachtige lach, waarmee hij een erg wit, regelmatig gebit toonde. Toen hij zijn kopje pakte, zag ik dat hij een tatoeage met een etnisch motief op zijn hand had.

Nadat ik de koffie had geserveerd, glimlachte ik beleefd en verliet de kamer, zoals van me werd verwacht. Ik liep naar de keuken en keek uit het raam om te zien voor hoeveel mensen buiten ik koffie moest zetten. Ik telde tien lijfwachten in onze straat. Een ervan herkende ik; het was oom Arshad, de man van tante Nawal. Tante Nawal was de zus van amo. Ik kende hen. Ik was zelfs een paar keer bij hen thuis geweest en wist dat mijn ouders met zijn familie bevriend waren. Ik nam de grootste pot koffie die ik kon dragen mee naar buiten, maar daar kreeg ik te horen dat de lijfwachten niet mochten drinken wanneer ze aan het werk waren. Ik kon zien dat de toegang tot onze buurt aan het einde van de straat helemaal was afgesloten en dat er enige opschudding was ontstaan. Het bleek dat de hele buurt bij wijze van veiligheidsmaatregel was afgesloten, maar een tiener die in de buurt woonde, had daar niets van geweten en was opgepakt omdat hij zijn huis had proberen te bereiken. Mama vertelde me later wat er was gebeurd; ze had het gehoord van een van de lijfwachten die de president kwam vertellen wat er aan de hand was.

'Wat wilt u dat we met hem doen?' had de lijfwacht gevraagd.

'Het is gewoon een jongen die verderop in de straat woont,' had baba gezegd. 'Maakt u zich maar niet druk over hem.'

'Zullen we hem in de cel gooien, gewoon om hem bang te maken?' vroeg de lijfwacht. 'Hij is brutaal tegen ons geweest.'

Amo besloot op mijn vader te vertrouwen en liet de jongen gaan, zodat hem en zijn familie de schrik van een gevangenisstraf bespaard bleef. Omdat mijn vader een vriend van amo was, mocht hij tussenbeide komen en de jongen helpen. Natuurlijk zou die jongen helemaal nooit zijn gearresteerd als mijn vader niet met de president bevriend was geweest. Vriendschap en angst waren onlosmakelijk met elkaar verbonden.

Na amo's vertrek liep ik de woonkamer in om de kopjes weg te halen. Ik was alleen en zag het kopje van Saddam Hoessein – van amo – staan. Ik wist dat mama en haar vriendinnen soms de toekomst voorspelden door het koffiedik te lezen, en ik liep naar het kopje, pakte het op en schudde het laatste beetje vloeistof heen en weer, zoals zij ook altijd deden. Toen keerde ik het om boven een schoteltje en keek of ik een patroon kon ontdekken dat me iets over de toekomst kon vertellen. Een vogel betekende dat iemand je een nieuwtje zou vertellen. Een vis betekende dat je geld zou krijgen. Maar het enige wat ik zag, was koffiedik.

Uit het notitieboekje van Alia

Ik heb je dit ook al verteld toen je klein was, weet je nog?
We hebben hem leren kennen in 1972, toen we samen met een groepje
vrienden, voornamelijk jonge getrouwde stellen zoals wij, een feestje
vierden op de Tigris. We hadden een grote boot met een band
gehuurd en hebben de hele avond gelachen en gedanst. We wilden
alleen maar lol maken, meer niet. Plotseling vroeg een vriend van ons
aan de schipper of hij even wilde aanmeren bij het eilandje dat
Varkenseiland wordt genoemd. We dachten dat we daar zouden gaan
barbecuen en verder zouden feesten.
Maar toen we in het donker het strand opliepen, werden we tot onze
verbazing begroet door een jonge man die op ons had staan wachten.
Hij droeg witte kleren. Zijn pak, zijn schoenen; alles was wit. Hij
glom bijna in het maanlicht. We keken elkaar aan en vroegen: wie is
dat? Wat moet hij hier? Achter hem stonden twee andere mannen die
zeiden dat hij Saddam Hoessein was. Saddam Hoessein? Wie is
Saddam Hoessein? We keken elkaar weer aan, maar niemand wist
wie hij was. Ik was uiteindelijk degene die hardop vroeg: 'En wie is
Saddam Hoessein?' Een van de twee mannen antwoordde dat hij de
vice-president van Irak was. Maar dat zei ons nog niets omdat we
geen belangstelling voor politiek hadden.
Hij schudde ons een voor een de hand en vroeg of we zin hadden in
een drankje. Binnen een paar tellen werd er drank aangevoerd vanaf
de boten die rond het eiland lagen. Hij had een bijzonder innemende
persoonlijkheid, en iedereen die hem leerde kennen, was onder de
indruk van hem. We hadden die avond veel plezier. Hij zorgde ervoor
dat hij met ieder stel even een paar woorden wisselde en ons allemaal
leerde kennen. Hij had de gewoonte om te beginnen met stellen van
wie de vrouw erg mooi was en danste met alle blondines in ons
groepje. Hij dronk heel veel en liet overal lege champagneflessen
slingeren.

De volgende dag belde iedereen elkaar. Iedereen stelde vragen: wie had hem uitgenodigd, hoe wist hij dat wij er waren, wat wilde hij van ons enzovoort. Het bleek dat een van onze vrienden die was meegevaren, Mahmoed, een goede vriend van hem was. Saddams aanwezigheid op ons feestje was blijkbaar het gevolg van een verzoek dat hij Mahmoed had gedaan: zou je me kunnen voorstellen aan 'jongelui uit de gegoede kringen'?

VIER

De dochter van de piloot

Mijn vader was gezagvoerder van een Boeing 747, in die jaren het grootste burgervliegtuig ter wereld. De vliegtuigen waarin hij vloog, waren enorme glanzende toestellen met op de zijkant IRAQI AIRLINES in groene en witte letters. Toen ik nog klein was, behandelde het personeel me altijd als een prinsesje wanneer we aan boord stapten. Dan liep ik via de wenteltrap naar de eersteklas helemaal bovenin en kwam een stewardess me een glaasje Fanta brengen en me vertellen dat ik zo bofte omdat ik een vader als gezagvoerder Basil had. Ik kon merken dat ze niet alleen maar aardig probeerden te zijn. Ze vonden hem aardig, ze keken tegen hem op, en ik wist zeker dat iedereen wist dat hij de beste piloot van heel Irak was.

Wanneer ik bij hem in de cockpit mocht komen, kon ik de wereld zien zoals hij die zag, en dan begreep ik waarom hij ons zo vaak alleen liet. Hier, hoog boven de aarde, was de hemel rond en had de kleur van het hart van een saffier. Er waren geen straten, geen grenzen. Er waren geen nationaliteiten. We zweefden in een open ruimte tussen hemel en aarde. Toen ik naar baba's gezicht keek, wist ik dat hij hier thuishoorde. Omgeven door honderden knoppen en schakelaars en lampjes en wijzerplaten die de meeste mensen de stuipen op het lijf zouden jagen, voelde hij zich volkomen op zijn gemak, heerser over dit ongelooflijk ingewikkelde rijk.

Toen ik zijn stem door de luidspreker de passagiers hoorde verwelkomen, besefte ik dat honderden mensen hun levens in zijn handen hadden gelegd.

'Als ik later groot ben, wil ik ook piloot worden, net als u, baba,' zei ik ooit vanaf mijn stoeltje achter zijn copiloot.

'Dan zal ik je op een dag leren vliegen,' zei hij. Toen deed hij zijn pet met het gouden koord af, draaide zich om en zette die op mijn hoofd.

Begin 1982 begon ik me bewust te worden van een zekere spanning bij ons thuis. De geluiden van ons huis veranderden. Mama liep niet langer te zingen, het rollen van dobbelstenen was niet langer te horen – en dat terwijl zij het spelen van backgammon als een van de geheimen van een gelukkig huwelijk beschouwde – en er klonk weer zenuwachtig gefluister. Toen baba en mama het gezin bijeenriepen, was ik bang dat ze zouden vertellen dat er opnieuw mensen werden gedeporteerd, maar ze deelden mee dat baba promotie had gekregen: hij werd de piloot van de president van Irak. Het klonk niet alsof hij daar blij mee was.

'Jullie mogen hierover met niemand buiten ons gezin praten,' zei baba streng. 'Jullie mogen niet opscheppen tegenover je vrienden en vriendinnen. Hierdoor mogen jullie niet verwaand worden.'

Mijn ouders zeiden heel vaak dat we niet verwaand mochten worden, dat we dankbaar moesten zijn voor wat we hadden en dat we niet mochten opscheppen.

Het mooiste aan baba's nieuwe functie was dat we die zomer in Seattle een nieuw toestel voor de president mochten ophalen. We waren dol op Seattle en hadden er vaak de zomer doorgebracht omdat mijn vader daar vliegcursussen volgde. Een jaar eerder was er helaas niets van gekomen omdat er vanwege de oorlog met Iran een verbod op buitenlandse reizen had gegolden, maar nu mochten we weer de grens over. Die zomer van 1982 – de laatste keer dat we met het hele gezin gingen, bleek later – was de mooiste van allemaal. Mijn vader mocht voor de vlucht zijn eigen personeel uitkiezen, en sommigen van hen brachten hun gezin mee, zodat we in totaal met een man of vijftien waren die elkaar allemaal goed kenden. We picknickten en barbecueden samen, met op de achtergrond de stralende zonsondergang boven Puget Sound. De volwassenen bedachten schuine drinkliederen die hen deden bulderen van de lach, en ik besefte tot mijn opluchting dat dat wat mama zoveel zorgen had gebaard, was verdwenen. Seattle deed haar goed en had haar gevoel voor humor weer teruggebracht. We maakten uitstapjes, lagen op het strand of gingen winkelen. In de zomervakantie kochten we altijd kleren en alle andere dingen die we in de nabije toekomst nodig dachten te hebben; in Irak was de keuze beperkt. Mijn moeder huurde een auto, en zij en ik en tante Amel, de vrouw van de boordwerktuigkundige, gingen samen winkelen. Amel was blond, had blauwe ogen en bediende zich van een kinderachtig taaltje dat ik bij een volwassen vrouw niet kon uitstaan, zelfs niet toen ik zelf nog een kind was. Maar haar man, amo Koesai, vond ik een van de leukste leden van ons reisgezelschap. Hij was een macho die iedereen altijd in zijn omhelzing smoorde, een man met het hart op de tong die dol was op zijn vrouw en hun dochtertje en dat altijd liet merken. Ze hadden elkaar leren kennen toen ze allebei nog op de middelbare school zaten, en hij had verteld dat hij haar jarenlang niet had durven aanspreken omdat hij te verlegen was. Ze kwamen uit de lagere middenklasse en hadden samen moeten vechten om iets op te bouwen. Deze promotie was voor hen een grote stap vooruit, en ik kon merken dat amo Koesai het gevoel had dat hij zwaar bij baba in het krijt stond omdat die hem aan deze baan had geholpen.

Omdat Amel niet kon autorijden en nog nooit in het buitenland was geweest, nam mama haar min of meer onder haar hoede: ze nam Amel mee uit winkelen, tolkte voor haar en liet haar kennismaken met Amerikaanse producten. We dwaalden door Amerikaanse warenhuizen, kochten meer jurken voor me dan ik volgens mij redelijkerwijs kon dragen, probeerden allerlei cosmetica uit op Amel, en kochten spullen voor mijn broers. We hingen een hele tijd rond op de lingerieafdeling, waar Amel bergen kanten ondergoed kocht voor haar zus en ik Hassan bij de hand pakte en op zoek ging naar de wijde oma-onderbroeken voor Bibi. Dat was het enige wat ze wilde hebben, op een fles parfum met de geur van theerozen na. Op een dag gingen we naar Ethan Allen en kochten daar nieuwe meubels voor de woonkamer. De verkoper vroeg hoe we die naar Irak wilden krijgen.

'O, maakt u zich maar geen zorgen, we hebben een vliegtuig,' antwoordde mama. Ze probeerde mondain te klinken, maar het lukte haar niet helemaal. Ze keek me aan, barstte in lachen uit en begon opgewonden in haar handen te klappen.

We hadden niet zomaar een vliegtuig, we hadden een gloednieuwe 747 jumbojet. Op weg terug naar Irak waren er slechts vier gezinnen aan boord. Mijn vader gaf ons voor vertrek nog een korte rondleiding door het toestel. Vanbinnen was het adembenemend. Op de vloer lag tapijt in groen en wit, versierd met presidentiële emblemen. Er waren allemaal aparte vertrekken vol hypermoderne meubels, een slaapkamer met een enorm bed, een vergaderzaal en een werkkamer, en achterin een badkamer met douche. Ik had nog nooit eerder zoiets gezien. Toen we ons opmaakten om in Bagdad te landen, kon ik de reusachtige nieuwe luchthaven onder ons zien liggen. Het was een van de modernste gebouwen van het land, met gewelfde witte daken waaraan vanbinnen, zo wist ik, duizenden lampen hingen die net kaarsen leken. Door het hele land werden gebouwen en instanties omgedoopt: Kinderziekenhuis Saddam Hoessein, Theater Saddam, Basischool Saddam, de Saddam-school voor voortgezet onderwijs, en zelfs Saddam-stad. Onze luchthaven heette niet langer Bagdad International, maar Saddam Hoessein International Airport, en Saddam Hoessein stond op ons te wachten toen we landden.

Als ik het moment moet aanwijzen waarop onze vrijheid verdween, dan was het waarschijnlijk toen de zware deur van het vliegtuig openzwaaide en de hete woestijnlucht van Irak de drukcabine binnenstroomde. Ik zag mijn vader de cockpit uitkomen en de uitdrukking op zijn gezicht veranderen toen bewakers met harde gezichten en zwarte snorren in hun kaki uniformen naar binnen liepen, met hun baretten en geweren. De onbekommerde uitdrukking waaraan ik in Seattle weer zo gewend was geraakt, had plaatsgemaakt voor nerveuze oplettendheid. Saddam Hoessein kwam het vliegtuig inspecteren waarbij mijn vader zo nauw betrokken was geweest: baba had invloed gehad op het ontwerp, over de aankoop onderhandeld, proefvluchten gemaakt, het in ontvangst genomen en het ten slotte naar huis gevlogen. We hadden de opdracht gekregen om te blijven zitten totdat vader amo helemaal had rondgeleid door *Al Kadissia*, zoals het toestel was gedoopt – naar amo's favoriete veldslag tegen de Perzen. Toen baba met hem door het gangpad liep en hem voorstelde aan de leden van de crew en hun familieleden, bleef Saddam even naast me staan, haalde een hand door mijn haar en zei op warme toon, alsof hij me echt goed kende: 'Dag, Zanooba'. Toen keek hij naar de rij achter me, en baba stelde hem voor aan Amel.

'O, maar zij is een echte schoonheid, hè?' zei hij. Hij keek haar aan, en toen naar ons voor bevestiging.

Amo was blij met het vliegtuig.

Het jaar daarop raakten mijn broers en ik met amo's leven verbonden zoals de geënte takjes aan de stam van mijn vaders citrusboompjes: we groeiden door, maar op de plaats van de aanhechting bleef altijd een litteken zichtbaar. We zouden naar de hemel reiken, ten onrechte denkend dat vrijheid binnen ons bereik lag, maar we hoefden alleen maar naar beneden te kijken om eraan te worden herinnerd dat het allemaal een illusie was, dat we helemaal niet vrij waren, geen seconde. Onze ouders hadden dat al die tijd al geweten, en daarom had baba nooit zijn piloot willen worden.

Amo wilde blijkbaar dat we zouden verhuizen naar een huis op het terrein van zijn paleis, maar mama zei dat baba de afstand tot mijn school gebruikte als excuus om in ons eigen huis te kunnen blijven. We wilden geen van allen verhuizen, waarop amo ons een weekendhuis gaf. Een van mama's vele talenten was het smaakvol inrichten van huizen, en ze stortte zich op de inrichting van het 'boerderijtje', zoals ze het noemde; ze wilde ons verrassen. Baba nam vaak rollen stof van zijn reizen voor haar mee, die we overal in huis in de vorm van een of ander naaiwerkje aantroffen. Ze zat altijd kleren te maken of ergens kralen op te stikken of kussenhoezen te naaien. Patronen vond ze maar niets; ze drapeerde het nieuwe stuk stof gewoon over de stoel of bank in kwestie en begon te knippen. Vaak drapeerde ze de stof over mij heen en knipte hier en daar wat af, en iets van het beeld in haar gedachten begon vorm te krijgen op mij. Dat was haar grote kracht. Vervolgens legde ze een boek op mijn hoofd en droeg me op om als een mannequin in de aaneengespelde couture heen en weer te lopen. 'Je moet altijd met opgeheven hoofd staan,' zei ze. 'Je moet je niet verlegen en zwak opstellen. Ik heb een hekel aan zwakke vrouwen. Je moet sterk en zelfverzekerd zijn.'

Voordat we voor het eerst naar het weekendhuis gingen, riepen mama en baba ons alle drie voor een gesprek met het hele gezin bij elkaar.

'In het weekendhuis zullen jullie af en toe misschien de president tegenkomen,' zei baba. 'Als dat zo is, moeten jullie amo tegen hem zeggen, net als wij, en jullie moeten gewoon beleefd zijn, zoals jullie altijd zijn. Maar jullie mogen nooit met anderen over hem praten. Jullie mogen nooit zeggen hoe vaak jullie hem zien, als dat al zo is. Tegen niemand. Zelfs niet tegen jullie neven en nichten.'

Haider en ik keken elkaar zenuwachtig aan en vroegen ons af wat er gaande was.

'Begrepen?' Hij keek ons stuk voor stuk aan.

We beloofden ieder plechtig dat we zouden doen wat hij vroeg, en hij leek tevreden te zijn omdat onze beloften zo serieus klonken. Het was niet alleen een belofte aan hem, maar ook aan elkaar. Ik zou die belofte nooit schenden, en voor zover ik wist, zouden mijn broertjes dat ook niet doen – zelfs de kleine Hassan niet, die op mijn schoot zat en nog maar drie was. Hassan had nog maar net leren praten, maar nu waren er al dingen waarover hij niet mocht spreken.

Ik geloof dat we kort voor mijn veertiende verjaardag voor het eerst naar het weekendhuis gingen. Mama was erg opgetogen, dat weet ik nog. Het huis lag aan de weg naar het vliegveld, en onderweg passeerden we mijn favoriete Bagdadse standbeeld, dat van Abbas Ibn Fernaz. Hij was een soort tegenhanger van de Griekse Icarus, en mama had me verteld dat hij mensen het idee had gegeven dat ze konden vliegen. Abbas Ibn Fernaz was gevangengehouden achter hoge, dikke muren die ontsnappen onmogelijk hadden gemaakt, en hij wilde niets liever dan een vogel zijn, zodat hij eroverheen kon vliegen. Hij begon veren te verzamelen die overvliegende vogels verloren en wist er genoeg te vergaren om er vleugels van te maken. Maar hij slaagde er niet in om hoog genoeg te komen, stortte neer op aarde en stierf. Elke keer wanneer we langs het beeld reden, vroeg ik me af hoe het zou zijn om een vogel te zijn en kalm met mijn vleugels te kunnen slaan en de lucht onder mijn armen te voelen.

De weg naar het vliegveld werd omzoomd door een lange muur waaraan ik nooit veel aandacht had geschonken. Daarachter lag het terrein met amo's weekendhuizen. We meldden ons bij de bewaakte poort en kregen een teken dat we verder mochten rijden. Na nog een eindje rijden stopten we voor een huis dat met twee andere midden in het niets stond, in een van struiken vergeven stuk woestijn dat slechts werd doorsneden door een irrigatiekanaal. Ik had op een boerderij gerekend, op een klein, rustiek huis met misschien wel dieren waarop we konden rijden. Oom Adel hield op zijn boerderij gazelles, schapen, koeien en zelfs een aap. Maar dit huis was anders – dit was zelfs geen boerderij, zag ik toen we parkeerden. Het was een gewoon huis, met als enige verschil dat dit was omgeven door muren. Toen we met onze weekendtassen naar binnen liepen, deed ik heel erg mijn best om enthousiast te zijn, voor mama, maar ik weet nog dat ik het vreselijk vond. Ze had haar best gedaan om alles er mooi uit te laten zien; ze had in de stad nieuwe meubels gekocht en die met witte stof overtrokken. Er was nieuw servies, een nieuwe tv, dekbedovertrekken met Superman voor mijn broertjes en eentje met bloemen voor mij. Maar ondanks al haar werk was het huis steriel, zonder leven – het deed nog het meeste denken aan een modelwoning die kopers moest lokken. Ik zette mijn tas in de kast in mijn nieuwe slaapkamer en zag dat mama al een paar van de nieuwe jurken had opgehangen die we in Seattle hadden gekocht. Wanneer moest ik op een boerderij jurken dragen? Wat moesten we hier een heel weekend doen? Mama kwam binnen en zei vrolijk dat we ons moesten omkleden omdat we zouden gaan kennismaken met onze nieuwe buren. Ik deed wat ze vroeg en kwam even later in een nieuwe jurk en op mooie schoenen mijn kamer uit. Er waren maar twee buren met wie we kennis hoefden te maken.

Ik heb tientallen, misschien wel honderden uren in dat huis doorgebracht, maar ik kan me met de beste wil van de wereld niet meer herinneren hoe het er aan de buitenkant uitzag. Ik weet alleen dat dat van de buren heel anders was. De twee andere huizen waren omringd door weelderige tuinen die duidelijk door echte hoveniers waren ontworpen en werden onderhouden. Het waren grote huizen van rode baksteen die in een tijdschrift over dure vakantiehuizen in warme oorden niet hadden misstaan. Ze waren ontworpen door de architecten die ook de paleizen hadden ontworpen en ze waren ingericht met meubels uit Italië. Voor beide huizen stonden gloednieuwe, glanzend zwarte Mercedessen geparkeerd.

In het meeste luxe van de twee huizen woonden tante Nada en oom Kais. Oom Kais was een actief lid van de Baathpartij, een man die er duidelijk aan gewend was dat mensen naar zijn pijpen dansten en die op mij erg rigide en afstandelijk overkwam. Zijn vrouw was een elegante, keurige dame die niet alleen de etiquette volgde, maar er ook in geloofde. Tante Layla en oom Mazen werkten allebei en waren in mijn ogen wat gemakkelijker te benaderen. Ze leken minder snel mensen te veroordelen en minder in politiek geïnteresseerd te zijn. Tante Layla had ik al eerder ontmoet, maar ik kende haar niet goed. Ze was lang en sierlijk en veel spontaner dan tante Nada, en het was duidelijk dat mama en zij vriendinnen waren. Toen ik die drie vrouwen bij elkaar zag, werd ik getroffen door hun schoonheid. Tante Nada en tante Layla hadden allebei blond haar en een lichte huid, en mama was de donkerharige uitzondering van wie mensen vaak zeiden dat ze op Sophia Loren leek. Het verbaasde me ook dat ze elkaar alle drie blijkbaar zo goed kenden, omdat mama het nooit eerder over hen had gehad.

Tante Nada en tante Layla hadden bij elkaar opgeteld drie dochters van ongeveer mijn leeftijd die als mijn nieuwe vriendinnen werden bestempeld. Ze waren alle drie beeldschoon en erg elegant gekleed. Luma was de oudste; ze was de ideale dochter, zestien jaar, een evenbeeld van haar moeder Nada. Haar lange, kastanjebruine haar zat altijd perfect in model, en wanneer ze glimlachte, kneep ze haar dunne lippen opeen. Ze volgde het voorbeeld van haar moeder en liet haar handen altijd keurig manicuren. Ze leek zich erg bewust te zijn van haar handen, want wanneer ze iets zei, zette ze haar woorden kracht bij met vrouwelijke, ingestudeerde gebaren. Maar

89

ze volgde ook het voorbeeld van haar vader: ze was afstandelijk en ze was actief in de studentenafdeling van de Baathpartij. Qua leeftijd viel ik tussen Luma en haar zusje Sarah in. Sarah was op jonge leeftijd al bijzonder mooi, en dat wist ze. Ze had goudbruin haar, enorme amandelvormige ogen, een klein neusje en een prachtige mond. Luma was keurig, maar Sarah was modieus, ze was de jongere zus die meer durfde en eigenlijk het liefst korte rokjes wilde dragen en tot aan het ochtendgloren wilde dansen. Het was duidelijk dat ze ook een trouw aanhangster van de partij was, maar ze leek ook een eigen willetje te hebben. Ik kon merken dat er diep in haar een rebels trekje schuilging. De mooiste van de drie was Tamara, de dochter van tante Layla, die ik tegenover mijn moeder altijd met Brooke Shields vergeleek. Ze was lang, had een lichte huid en bediende zich van Europese manieren omdat ze een tijdje bij een tante in Engeland had gewoond. Haar Arabisch was doorspekt met perfect uitgesproken Engelse woorden. Ze was de meest modieuze van het drietal, het meisje dat door iedereen werd nagekeken. Ze droeg alleen maar haute couture en had meer belangstelling voor wat modieus dan voor wat gepast was en meer interesse in Europa dan in Irak. Tamara wekte niet de indruk dat ze vond dat ze overal recht op had, wat de andere twee wel deden. Of ze leek het in elk geval minder interessant te vinden om met haar bevoorrechte positie te pronken.

Hoe zouden ze mij hebben omschreven? Misschien als een rustig meisje met donkere krullen, net als haar moeder, dat niet genoeg aandacht aan haar uiterlijk schonk, een meisje dat op de achergrond bleef en niet helemaal in hun wereldje thuis leek te horen. Zij bewogen zich in de juiste kringen. Ik niet. Zij woonden in het paleis. Ik niet. Luma en Sarah waren dikke vriendinnen met de dochters van amo, en Tamara kende hen ook. Ik had die dochters zelfs nog nooit ontmoet. Het verschil in status was overduidelijk. Met elk woord dat ze zeiden, wilden ze me duidelijk maken dat ik – net als mijn ouders, net als ons huis – op de derde plaats kwam. Pas later begreep ik dat wat ons samen had gebracht hetzelfde was als wat ons van elkaar scheidde: onze ouders waren allemaal aan boord geweest van de boot die amo naar Varkenseiland had laten komen, maar hun ouders hadden zijn vriendschap verwelkomd, terwijl de mijne zich ertegen hadden verzet.

Achteraf gezien kan ik bijna niet bepalen waarin dat eerste weekend van alle weekends daarna verschilde – ze leken allemaal zoveel op elkaar. Ik weet niet eens zeker of ik amo tijdens ons eerste weekend daar heb gezien. Hij had de gewoonte om aan het einde van de middag in een van de twee andere huizen langs te komen en dan met de volwassenen een borrel te drinken. Soms zaten we een heel weekend keurig opgedoft op hem te wachten, maar kwam hij niet opdagen. We hadden de opdracht gekregen om stilletjes in de aangrenzende kamer te gaan zitten en pas tevoorschijn te komen als we werden geroepen. Dan moesten we hem enthousiast begroeten en kussen en in een kring om hem heen gaan zitten voor wat hij onze 'familiebijeenkomsten' noemde, al waren we geen familie en waren zijn eigen familieleden er nooit bij.

'Salam aleikum,' zei amo altijd tegen de kinderen, terwijl hij Hassan of een van de andere kleintjes op schoot nam. 'En hoe gaat het met jullie, schoonheden?'

'Heel goed, amo, heel goed,' zeiden we dan in koor.

Een paar passen achter hem stond steevast zijn lijfwacht, Abed, die hem bij elke stap vergezelde. Hij had een bijzonder geconcentreerde blik en opeengeknepen lippen onder een dikke zwarte snor. Ik heb uren in zijn nabijheid doorgebracht, maar kan me niet herinneren dat ik Abed ooit heb zien lachen of hem iets heb horen zeggen. Ik heb hem alleen soms iets in amo's oor zien fluisteren. Hij zette zijn baret nooit af; soldaten in het Iraakse leger mochten hun baret nooit tussen de epauletten van hun uniform stoppen omdat Israëlische soldaten er zo bij liepen. Ik was stomverbaasd toen ik in 2003, toen Abed werd gearresteerd voor medeplichtigheid aan oorlogsmisdaden en voor het eerst zonder baret verscheen, zag dat hij deels kaal was.

Er was niets natuurlijks aan de manier waarop we zaten of praatten. We bleven doodstil zitten, als acteurs in een scène die, zo begreep ik toen al, het ideale gezinsleven moesten uitbeelden dat amo tijdens zijn jeugd in het landelijke Tikrit nooit had gekend.

Later zouden historici hem afschilderen als de zoon van een vader die het gezin in de steek had gelaten, het kind van een moeder die hertrouwde met een man die hem mishandelde, en de neef van een oom die hem dromen over militaire eer influisterde. Zelfs mijn broertje, dat altijd barstte van de energie, wist heel goed dat hij niets mocht zeggen en doodstil moest blijven zitten wanneer amo er was. De andere meisjes en ik speelden de rol van de perfecte jonge Iraakse vrouw: uiterst beleefd, onberispelijk gekleed, en aan zijn lippen hangend. We waren ons er heel erg van bewust dat alles wat we verkeerd deden – zelfs een verkeerd uitgesproken woord, alles wat ook maar enigszins *ayeb* zou kunnen zijn – vervelende gevolgen voor onze ouders kon hebben.

Amo was de enige die op zijn gemak leek te zijn. Hij was altijd keurig verzorgd en hield alles en iedereen scherp in de gaten. Mensen die hem niet in levenden lijve hebben ontmoet, kunnen zich maar moeilijk een voorstelling maken van het enorme charisma dat hij uitstraalde. Het lukt me nog steeds niet om hem in neutrale bewoordingen te omschrijven. Tijdens die weekends was hij meer dan alleen maar vriendelijk; hij was fascinerend, en eerder innemend dan aardig. Misschien had hij, net zoals zoveel politici, wel het zeldzame talent om iedereen, zelfs kinderen, het gevoel te geven dat ze bijzonder waren en dat hij daarom aandacht aan hen schonk. Wanneer hij je aankeek, was het alsof hij echt naar je luisterde. Het duurde een tijd voordat ik doorhad dat hij weliswaar heel vriendelijk naar je kon glimlachen, maar dat hij ondertussen eigenlijk probeerde vast te stellen wat je echt dacht.

Het eerste wat ik leerde, was dat goede manieren een middel tot overleven konden zijn, en ook in dit opzicht was mijn moeder een voorbeeld voor me. In de nabijheid van amo was je altijd beleefd en vriendelijk. Je had geen eigen mening en gaf geen blijk van een persoonlijke voorkeur, tenzij die met die van hem overeenkwam. Je moest de indruk wekken dat je niets liever deed dan bij hem zijn en luisterde altijd aandachtig naar hem. Kinderen antwoordden alleen als hij iets vroeg en keken dan vol bewondering naar hem op. Als hij iets nieuws had gekocht en vroeg: 'Is dat niet heel erg mooi?' dan antwoordde je: 'O, amo, dat is zoooo mooi!'

En je glimlachte altijd. Altijd. Tegenover mijn moeder, de enige met wie ik in alle eerlijkheid over amo kon praten, had ik het altijd over 'de plastic glimlach'. Het was dat zij me er voortdurend aan herinnerde dat ik moest glimlachen, want anders was ik dat waarschijnlijk af en toe gewoon vergeten. Wanneer ik nu in het openbaar spreek, complimenteren mensen me af en toe met mijn glimlach, maar ik vraag me altijd af in hoeverre die lach oprecht is. Soms, wanneer ik naar een volle zaal lach, voel ik de spieren van mijn gezicht op dezelfde manier samentrekken als toen in dat weekendhuis, toen ik wist dat een simpel lachje niet genoeg was. Ik moest mijn spieren echt uitrekken om te kunnen stralen.

Die weekends waren voor amo het moment waarop hij zich kon ontspannen, en wij moesten hem vermaken. Een van onze taken was om hem op het juiste moment aan het lachen maken. Ik kan zijn lach nog steeds nadoen. Hij liet zijn kin altijd een stukje zakken en liet dan een diep 'Hè, hè, hè' horen, dat helemaal uit zijn keel leek te komen. Als het gelach iets hoger of spontaner had geklonken, had je het gegrinnik kunnen noemen, maar het had altijd een enigszins sinistere ondertoon, als de lach van een schurk in een tekenfilm die de goeien achternazit. Wanneer hij lachte, lachten wij ook, en af en toe had ik het gevoel dat de andere meisjes en ik, en dan met name Sarah, in het geniep om zijn gelach zaten te lachen. Ik voelde me nooit vrij genoeg om daar met hen over te praten, maar ik heb het gevoel dat ze zelfs nu nog zouden weten wat ik daarmee bedoel.

Van die bijeenkomsten kan ik me vooral de gezichtsuitdrukkingen van mijn ouders herinneren. Ze zagen er allebei nerveus en hulpeloos uit, en ik begreep meteen waarom ze absoluut niet wilden dat we de naam van amo ooit in de nabijheid van anderen zouden noemen of zouden vertellen dat we met hem bevriend waren. Al die volwassenen golden als 'vrienden', maar ik wist dat mijn ouders hun echte vrienden heel anders behandelden. Ik weet nog dat de volwassenen veel vaker naar amo keken dan naar degenen naast hen, en dat er zich een subtiele – en soms minder subtiele – strijd om zijn goedkeuring afspeelde. In de loop der tijd ontdekte ik dat iedere volwassene een bepaalde rol speelde. Mijn vader was de nuchterheid zelve, oom Mazen was de grappenmaker en oom Kais was de diplomaat.

Tante Layla was de spontane vrouw, tante Nada de keurige en mama was de sprankelende, wier taak het was om alles met gelach te verluchtigen. Wanneer ze oprecht lachte, verschenen er tranen in haar ogen, maar wanneer haar lach geforceerd was, verstrakten de spieren in haar gezicht. Tijdens deze bijeenkomsten was dat tweede vaak het geval, maar soms lachte ze gewoon omdat ze er niets aan kon doen, en luider dan gepast was voor een vrouw. 'Hemel, mens, hou jezelf eens in de hand,' zei oom Kais dan bestraffend. Maar ik kon zien dat amo van mijn moeders lach genoot, net zoals hij genoot van het standje van oom Kais. De regisseur kon zich ontspannen omdat al zijn acteurs hun rol zo goed kenden.

Ik vroeg me soms wel eens af of amo nog meer van zulke groepjes vrienden had, die in de loop der jaren voor hem mochten komen opdraven. Alleen hij weet waarom hij vriendschap met mijn ouders sloot. Als hij een wereldleider wilde worden – en ik twijfel er niet aan dat dat zijn ambitie was toen hij als arme boerenkinkel langzaam maar zeker opklom binnen het leger en de politiek – moest hij ook door de goedgeschoolde elite van Bagdad worden aanvaard, dus door mensen met geld en invloed. Hij moest de westerse cultuur leren begrijpen die mijn ouders en hun vrienden met de paplepel was ingegoten. Er waren inwoners van Bagdad die rijker en machtiger waren, maar ik denk dat een groot aantal van hen – onder wie bijvoorbeeld de vader van baba – zelf politieke opvattingen of ambities koesterden die een bedreiging voor die van amo vormden. Mijn ouders hadden zo weinig belangstelling voor politiek dat ze bijna onwetend te noemen waren – uit hun ervaringen blijkt dat je soms een hoge prijs moet betalen als je je als burger afzijdig houdt – en konden zijn carrière dus niet schaden. Amo had dus zijn redenen om vriendschap met hen te sluiten, maar ik sluit niet uit dat hij Basil en Alia ook gewoon graag mocht. Anders zou hij hen niet in zijn nabijheid hebben geduld. Dan zou hij hen misschien niet eens hebben laten leven.

Tijdens die weekenden werd amo soms erg emotioneel, en wanneer we tranen in zijn ogen zagen, werden we geacht ons medeleven te tonen. Vaak gebeurde dat wanneer hij over zijn liefde voor Irak sprak. Hij oefende soms toespraken met mijn ouders en andere vol-

wassenen als proefpubliek, en wanneer die dan werden uitgezonden, keek mama van haar schetsboek of breiwerk op naar de tv en
zei: 'O, nu komt dat stukje waar hij moet huilen.'

Ik was zo dol op mijn moeder. Ik zou willen dat ik nu met haar
kon praten.

Tenzij er iets anders voor ons was gepland of wanneer we een
goede reden hadden om weg te blijven – een diploma-uitreiking,
een begrafenis of een reisje de stad uit dat amo had georganiseerd –
werd er tijdens mijn tienerjaren, bijna zes jaar lang, van me verwacht dat ik de weekends in dat huis doorbracht. Er was bijna niets
te doen, afgezien van over mode praten met de andere meisjes, en ik
kon nergens heen. In Bagdad waren twee tv-zenders; eentje zond uit
in het Farsi en werd geleid door Iraanse dissidenten die bij de regering door de beugel konden. Op de Arabische zender waren alleen
Japanse tekenfilms, Egyptische films en soaps als *Dynasty* te zien, en
niet te vergeten urenlange uitzendingen van de toespraken die amo
voor de Revolutionaire Raad of zijn generaals had gehouden. Op
een middag zaten we in het weekendhuis net naar een Egyptische
film te kijken toen het beeld tijdens een kusscène opeens op zwart
sprong en er vervolgens een ander programma begon. Later hoorde
ik van baba, die op dat moment bij amo was, dat amo de directeur
van de Iraakse tv had gebeld en hem had bevolen de film te stoppen
omdat die een verderfelijke invloed op de Iraakse jeugd zou hebben.
Mijn neven en nichten zouden om dat soort dingen hebben gelachen, maar het kwam nooit bij me op om het aan hen te vertellen. Ik
miste hen vreselijk. Ik vond het heel erg dat ik niet gewoon bij hen
kon zijn en me een normaal kind kon voelen. Haider, die daar niemand had om mee te spelen, sloot zichzelf op in zijn kamer met zijn
videospelletjes en liet langzaam maar zeker meer afstand tussen
hem en de anderen ontstaan. Alleen mijn vader kon hem nog bereiken, waarschijnlijk omdat hij hem als enige begreep. Ik begon dat
huis als een gevangenis te beschouwen, en mijn ontsnapping was
lezen. Ik begon met het dikste boek dat ik kon vinden, *Gejaagd door
de wind*, en kwam daarin allerlei bekende thema's tegen: neven die
elkaar in een oorlog doden, weduwen aan wie wordt gevraagd hun
trouwring af te staan, mensen met een donkere huid die zijn voor-

bestemd tot een leven vol armoede terwijl degenen met een lichte huid plezier maken en hun ogen sluiten voor het lot van anderen.

De volwassenen, en dan vooral de mannen, brachten veel meer tijd met amo door dan wij kinderen. Er bestaat een grappige foto waarop baba en de andere mannen met Beierse hoedjes op te zien zijn. Op die foto fietsen ze, samen met een stel lijfwachten, achter amo aan. Amo hulde zich altijd in tenues die volgens hem bij een bepaalde activiteit pasten, en omdat we daar op een boerderij zaten, koos hij vaak voor een overall van blauwe spijkerstof, een rood met wit geruit overhemd, een halsdoek, en soms ook een cowboyhoed. De andere mannen werden ook geacht zich als boeren voor te doen. Ze hadden allemaal een stukje grond, en tegen de tijd dat wij daar een huis kregen, stonden er rondom de huizen van oom Kais en oom Mazen al bosjes goed gewortelde bomen – ik geloof dat het olijfbomen waren – die door het personeel van het terrein werden onderhouden. Baba huurde zelf ook twee boerenknechten in en regelde een kleine tractor, en met zijn drietjes ploegden ze de lege woestijngrond om en plantten rijen kniehoge olijfboompjes. Baba was altijd dol geweest op tuinieren en had zelfs een paar jaar eerder een klein boerderijtje gekocht dat hij bij wijze van cadeau op mijn naam had laten zetten, maar toen we dat weekendhuis kregen, keek hij daar niet meer naar om. In de jaren daarna zag ik baba's olijfbomen langzaam verdorren en afsterven. Ik weet niet zeker wat er mis was. Misschien voerde het irrigatiekanaaltje niet genoeg water aan om ze in leven te houden. Misschien was baba er niet vaak genoeg om ze goed te kunnen verzorgen, of misschien staakte hij wel gewoon zijn pogingen. Na een tijdje zag ik niet altijd meer het verschil tussen de mensen die mijn ouders waren en degenen die ze in de ogen van amo hoorden te zijn.

Ongeveer een halve kilometer bij de drie huizen vandaan lag de boerderij van amo, omsloten en beschermd door een tweede hoge muur. De mannen gingen er vaak heen, en de vrouwen af en toe, maar het zou drie jaar duren voordat ik zelf zou zien hoe het daar was. Ik heb welgeteld één foto die daar is genomen. Een tikje uit het midden van de foto ben ik te zien, gekleed in een dure broek en blouse, boven op de buis die het open kanaal overspant. Ik bracht vaak uren op dat plekje door, en zelfs nu nog zie ik het voor me, alsof mijn herinnering een op afstand bestuurbare camera is die alle kanten op kan zwenken. Onder mijn bungelende voeten zwommen witte eenden die zich altijd precies onder die buis leken te verzamelen. Voor me, een stukje verderop in de vlakke woestijn, stond de hoge, ondoordringbare binnenste muur die het huis van amo beschermde. Recht achter me, vlak bij de buitenste muur die het hele terrein omringde, lagen onze drie huizen, die een eerbiedige imitatie van het zijne leken te vormen. Die twee muren gaven aan hoeveel fouten we konden maken, de ruimte waartussen we mochten leven. Het duurde tien minuten om van het ene stel bewakers dat me binnenhield naar het tweede stel te lopen dat me, als ik het zou hebben gewaagd om door te lopen, buiten zou hebben gesloten. Ik zat op de oever van dat kanaal, luisterde naar de eenden en leerde net zo te kwaken als zij. Ik ging die eenden beschouwen als zwijgzame bondgenoten tegen wie ik mijn beklag kon doen en die me nooit zouden verraden. Kwaak, kwaak, kwaak, deed ik. Kwaak, kwaak, kwaak.

Op een morgen zag ik dat mama de Abbasidische munt niet langer om haar hals droeg. Ik vroeg haar waar hij was.

'Ik heb hem aan amo gegeven,' zei ze.

Ik was stomverbaasd. 'Waarom, mama?' vroeg ik. 'Waarom?'

Het was nooit bij me opgekomen om tegen haar te zeggen hoeveel die munt voor me betekende. Die munt was min of meer mijn eerste herinnering aan haar, en ik was ervan uitgegaan dat ik hem op volwassen leeftijd zou mogen dragen en dat er dan iets van haar schoonheid en elegantie op mij over zou gaan. De munt was een deel van haar.

'Hij was jarig,' zei ze met neergeslagen ogen. 'Ik moest hem iets belangrijks geven.'

Iets belangrijks? Hoe kon de munt van mama nu belangrijk voor hem zijn? Hij had alles wat hij zich maar kon wensen. Mensen stonden in de rij om hem cadeaus aan te bieden die hij nooit, maar dan ook nooit zou gebruiken en waarvoor hij al helemaal geen dankjewel zei. Hij hoefde maar met zijn vingers te knippen of hij kreeg letterlijk alles wat hij maar wilde. Waarom moest hij nu juist dat ene voorwerp hebben dat voor mij waarschijnlijk het belangrijkste ter wereld was omdat het in mijn ogen het wezen van mijn moeder bevatte? Waarom had ze het aan hem gegéven?

'Maar waarom die Abbasidische munt, mama?' drong ik aan.

'Omdat ik hem iets bijzonders moest geven, en dat was het meest bijzondere wat ik kon bedenken,' zei ze op ongemakkelijke toon. 'Ik deed wat ik moest doen.'

Ik liet het onderwerp rusten. Het was mijn schuld dat ze net zo beschaamd had gekeken als ze soms deed wanneer we bij amo waren, en het enige wat ik erger vond dan haar hulpeloos zien, was zien dat ze zich in mijn nabijheid beschaamd voelde.

Toen de verjaardag van amo dat jaar live op tv werd uitgezonden, zagen we honderden kinderen voor hem zingen. Ineens vond ik het er allemaal heel stom en belachelijk uitzien. Daar zat hij dan, op een gouden troon: onze president, van top tot tot teen gehuld in een wit pak, witte sokken en witte schoenen, die glimlachend zat te wachten totdat hij de kaarsjes op zijn taart mocht uitblazen.

'Het is net een kind!' zei ik. 'Hij gedraagt zich eerder als een kind dan als een volwassene.' Ik zei het zonder erbij na te denken.

'Zeg dat nooit!' zei mijn vader streng. 'Zeg dat nooit, maar dan ook nooit meer.'

Baba's stem klonk luid en scherp. De uitdrukking op zijn gezicht veranderde binnen een tel, alsof hij een knop omzette. Ik was er niet aan gewend dat hij zoiets tegen me zei, en het deed pijn. Maar ik begreep wat hij ermee wilde zeggen: ik mocht nooit kritiek hebben op amo, zelfs niet binnen de vier muren van ons eigen huis, en ik mocht zijn woorden of daden nooit in twijfel trekken.

Later kwam mijn moeder naar me toe. 'Je moet heel voorzichtig zijn, lieverd, de muren hebben oren,' zei ze troostend. 'Als je iets wilt zeggen wat gevoelig ligt, kun je dat beter buiten in de tuin doen.'

Daardoor moest ik denken aan Radya en Aboe Traib. In gedachten zag ik muren om me heen die vol mensenoren zaten. Na die dag keek ik telkens wanneer ik me versprak naar de planten, de schilderijen aan de muur en de meubels van mijn moeder, en hoopte maar dat ze me niet hadden gehoord. Het was alsof doodgewone dingen die we ons huis binnen hadden gebracht zich tegen ons konden keren of ons eraan herinnerden dat amo hier was geweest. Ik heb hem maar één keer bij ons thuis gezien, maar hij kon beter dan wie dan ook zijn stempel op iets drukken en ervoor zorgen dat zijn aanwezigheid lange tijd voelbaar bleef, ook wanneer hij allang weg was. Zelfs op doodgewone dagen kon ik opeens iets voelen, op de bank in onze woonkamer waar hij had gezeten; ik rook het aan de koffie die we 's middags dronken, en ik zag het zelfs aan de manier waarop onze buren naar ons keken. Iets had zijn intrek in ons huis genomen, maar pas later was ik in staat het te benoemen. Het was angst, in hoogsteigen persoon.

Nu ik de 'weekendgasten' kende, zoals ik hen was gaan noemen, ging ik af en toe met mijn moeder mee wanneer ze doordeweeks op bezoek ging bij tante Nada of tante Layla. Beiden woonden op het terrein van het paleis in Bagdad. Toen ik 's avonds een keer bij Tamara op haar kamer zat om kleren uit te zoeken die we later wilden aantrekken, hoorden we beneden plotseling de stem van amo schallen. We wisten niet eens dat hij er was. Ik kon horen dat tante Nada en tante Layla ook door hem waren verrast. Hij sprak op luide toon, een toon die ik hem nog nooit eerder had horen bezigen, en klonk erg kwaad. Ik kon bijna voelen hoe verstikkend de stilte rond zijn woede was. Tamara en ik wisten allebei dat dit soort dingen absoluut niet voor onze oren bestemd waren; dit stond boven aan de lijst met zaken die het ene oor in en het andere oor uit hoorden te gaan. We raapten de kleren van de grond, begonnen over verschillende combinaties te praten en deden allebei net alsof we niet hoorden wat er een verdieping lager gaande was. Of misschien dachten we wel dat het zou ophouden als we het gewoon zouden negeren.

Maar de stem van amo werd steeds luider. Ik hoorde hem de naam Samira noemden. Zijn toon was scherp als een slagersmes.

'Jurba!' schreeuwde hij, en zijn stem klonk door het hele huis.

Het was een lelijk woord, een nare, onbeleefde en ordinaire term die 'iets lelijks met een donkere huid' betekent en waarmee een buitenlander wordt bedoeld. Het was een woord dat alleen op vrouwen kon slaan, en opeens besefte ik dat hij tegen mijn moeder stond te schreeuwen. Tamara besefte dat ook. Ze deed niet langer alsof en keek me aan. Ik zal de uitdrukking op haar gezicht nooit vergeten, die angst die een weerspiegeling van de mijne leek. Toen hield het schreeuwen even onverwachts op als het was begonnen en viel er een vreselijke stilte. We liepen op onze tenen naar de rand van de trap, en ik haalde pas weer adem toen ik de stem van mijn moeder hoorde. Amo was weg, maar ik kon de kille angst voelen die hij had achtergelaten. Toen ik vanaf de overloop naar beneden keek, zag ik tante Layla haar armen om mama heen slaan in een poging om haar te troosten. Ze zagen ons niet.

'Zainab, kom je naar beneden? Je moeder gaat naar huis,' riep tante Layla, die haar best deed om normaal te klinken.

Tamara en ik liepen naar beneden en probeerden net te doen alsof we helemaal niets hadden gehoord. Het gezicht van mijn moeder was vuurrood en haar ogen stonden vol tranen. Ze kon niet verhullen dat ze vreselijk overstuur was, maar er knapte pas iets toen we buiten de paleispoorten waren. Toen begon ze te snikken. Ze klampte zich vast aan het stuur terwijl ik mijn best deed om haar te troosten. Mijn vader was er niet, en ze was zo van streek dat ze denk ik niet eens haar best deed om zich in te houden. Amo was boos op haar vanwege Samira, zei ze, en ik probeerde te begrijpen wat ze daarmee bedoelde. De zus van Amel? Degene voor wie we in Seattle lingerie hadden gekocht?

Mama vertelde dat Samira nu de vriendin van amo was en dat amo wilde dat we allemaal vriendinnen zouden zijn. Maar mijn ouders konden Samira niet luchten of zien. Ze was heel anders dan haar zus, en ze wilden niet met haar omgaan. Samira had blijkbaar iets heel grofs tegen baba gezegd, maar hoewel mama me niet wilde vertellen wat, wist ik dat het iets heel ergs moest zijn omdat amo Samira naar ons huis had gestuurd om haar verontschuldigingen aan te bieden. Maar baba was zo koppig geweest, vertelde mama, dat hij niet eens open wilde doen. Hij wilde niet dat Samira ook maar één stap over onze drempel zou zetten, zodat mama weinig anders kon doen dan voor de deur gaan staan en haar de toegang tot ons huis ontzeggen. Voor Irakezen, een volk dat prat gaat op zijn gastvrijheid, is een bezoeker de toegang tot je huis weigeren een van de ergste voorbeelden van *ayeb* gedrag die je maar kunt bedenken. Daarom was amo zo woedend op mama. Ze had de schuld op zich genomen. Als amo al zo tegen mama had durven schreeuwen, wat zou hij dan een man hebben aangedaan? Ik vroeg me echter wel af waarom baba zijn trots niet opzij had kunnen zetten en Samira's verontschuldigingen had kunnen aanvaarden. Nu had hij mama's leven op het spel gezet.

Ik luisterde naar mama alsof ik de beste vriendin was aan wie ze zo'n behoefte had. Ik voelde me vooral dankbaar dat ze nog leefde, en toen we thuiskwamen, troostte ik haar en kuste haar welterusten. Inwendig werd ik door allerlei gevoelens verscheurd. Ik voelde me meer haar moeder dan haar kind, en een klein stemmetje vanbinnen zei dat ik daar nog niet aan toe was. Ik had ernaar verlangd om volwassen te zijn, zodat ik zou kunnen begrijpen wat er gaande was, maar nu drong het tot me door dat een deel van mij liever klein wilde blijven. Mama hoorde me niet te vertellen hoe ze over baba dacht. Hij was mijn vader, en ik was zijn kind.

Ik heb nooit meer met mama over die avond gesproken, en al helemaal nooit met baba. Ik stopte die gebeurtenis gewoon ergens diep in mijn gedachten weg.

Toen we op een dag op het punt stonden om naar school te gaan, ging plotseling de telefoon. We waren in de keuken, waar mama en Radya boterhammen voor in de pauze aan het smeren waren. Baba nam op, en toen ik naar hem opkeek, zag ik hem 'Nee, nee, nee!' zeggen. We keken hem allemaal aan. Toen hij ophing, liepen de tranen over zijn wangen.

'Koesai is dood,' zei hij, terwijl hij mama aanstaarde.

'Wat is er gebeurd?' vroeg mama.

'Hij heeft op weg naar het vliegveld een auto-ongeluk gehad,' zei hij. 'Ze denken dat hij de hele nacht niet heeft geslapen en achter het stuur in slaap is gevallen.'

Mama keek naar hem en werd lijkbleek, en ik zag dat ze een veelbetekenende blik uitwisselden.

'Ze zeggen dat een vrachtwagen hem heeft geschept,' zei baba. 'De chauffeur is doorgereden. Ze hebben zijn lichaam zojuist gevonden. Ze zeggen dat ze er wel nooit achter zullen komen wie het heeft gedaan.'

Toen liep hij de keuken uit. Ik was er niet aan gewend om baba te zien huilen, en ik kon aan zijn gezicht zien hoe erg hij het vond. Amo Koesai was niet alleen een lid van zijn crew, maar ook een vriend van hem geweest.

Die dag kon ik me op school amper concentreren. Ik bleef maar aan baba's woorden denken en moest mijn best doen om niet in tranen uit te barsten. Ik kon me nog herinneren hoe gelukkig amo Koesai en tante Amel samen in Seattle waren geweest. Hoe kon hij dood zijn gegaan, zomaar, op een weg die hij zo goed kende? Ze *zeggen* dat het een ongeluk was, had baba gezegd. Ze *zeggen* dat hij door een vrachtwagen was geschept. Baba geloofde niet dat het een ongeluk was, en aan het gezicht van mama te zien, geloofde zij het evenmin. Ik vroeg of ik naar de wc mocht. Ik had een hekel aan de toiletten op school en probeerde die doorgaans te vermijden. Het was er altijd vies. Het stonk er. Maar het was de enige plek waar ik alleen kon zijn, en ik liep naar binnen en begon te huilen, starend naar de grijze muren waaraan geen spiegels hingen. Wat was er echt met amo Koesai gebeurd? Was hij vermoord? Was een gewoon 'ongeluk' nog wel mogelijk in Bagdad?

Toen ik die dag thuiskwam, vroeg ik aan mama of ze mee de tuin in wilde gaan.

'Hoe gaat het met baba?' vroeg ik aan haar.

'Hij redt zich wel,' zei ze. 'Hij gaat naar de begrafenis. Ik ga straks naar Amel toe om haar te condoleren. Ze is heel erg van streek. Ik heb gehoord dat ze zichzelf in een kamer heeft opgesloten en met niemand wil praten.'

'Mama, is amo Koesai vermoord of was het echt een ongeluk?'

Ze keek me aan alsof ze zich afvroeg hoeveel ze me moest vertellen. 'We zullen het misschien wel nooit weten, lieverd,' zei ze zacht. 'Amo wilde vrienden met hem zijn, maar ik geloof dat Koesai dat niet wilde.'

'En daarom is hij gedood?'

'Zainab, dat weet ik niet,' zei ze. 'Soms kun je gewoon niets doen en kun je er beter niet over nadenken. Probeer het allemaal maar te vergeten, goed? Het heeft niets met jou te maken.'

Natuurlijk had het iets met mij te maken. Gedroegen mama en baba zich daarom altijd zo nerveus in de nabijheid van amo en probeerden ze hem daarom altijd te plezieren? Omdat het mijn ouders het leven kon kosten als we niet langer bevriend met hem wilden zijn?

Uit het notitieboekje van Alia

Jaren geleden, voordat hij president werd, nodigde hij ons soms uit op de club. Soms bracht hij dan ook zijn vrouw Sajida mee, die niet echt een gezelligheidsmens was. Maar meestal was hij alleen, of in het gezelschap van een maîtresse.

Voordat hij een relatie met Samira kreeg, was hij met Hana'a. Ze was niet alleen zijn vriendin, maar ook degene die volgens hem al zijn wensen en verlangens kende. Tijdens een van de avonden die we in zijn gezelschap doorbrachten, vertelde hij hoe hij haar had gedood. Ze had een andere man leren kennen, en Saddam was jaloers geworden. Hij was naar haar huis gegaan en had haar en haar moeder in hun slaap vermoord. Hij had hen eigenhandig met een kogel uit zijn pistool gedood, terwijl Hana'a's drie jaar oude dochter stond te gillen en te huilen dat amo haar moeder pijn deed. Het meisje had na die gebeurtenis lange tijd geen woord meer gesproken. Maar er volgde geen onderzoek naar hun dood en de zaak werd gesloten.

Zijn vriendschap was niet gemakkelijk. Hij zorgde ervoor dat hij iedereen persoonlijk leerde kennen. Hij vertrouwde een man pas wanneer hij diens vrouw vertrouwde. Hij oefende macht uit door verdeeldheid te scheppen en ons allemaal angstig en achterdochtig jegens elkaar te maken. Maar iedereen dacht dat amo zijn beste vriend was. De spelletjes die hij speelde om onze angst en achterdocht te vergroten, zijn bezoekjes 's avonds laat, zijn geflirt met de echtgenotes, het onvermogen om nee tegen hem te zeggen omdat dat je het leven kon kosten... dat, en meer, was voor sommigen van ons aanleiding om het land te verlaten. De eerste van onze vrienden die vertrok, was Mahmoed, die ons nota bene aan hem had voorgesteld. Mahmoed was een rijk man, maar voor ons was het minder gemakkelijk om te vertrekken. We bleven denken dat we de

vriendschap wel aankonden, als we maar voorzichtig waren.
Tijdens een van onze avondjes met hem vroeg hij aan Bahir, een
vriend van ons die een uitstekende opleiding had genoten en erg
belezen was, wat hij van Napoleon vond. Bahir antwoordde heel
onschuldig met een bekende uitspraak over Napoleon: het feit dat hij
zijn moed niet had weten te beteugelen, was zijn uiteindelijke
ondergang geworden. Hij beschreef Napoleon als iemand die nooit
naar een ander luisterde, die zonder over de gevolgen na te denken
zijn eigen zin doordreef. Saddam keek Bahir kwaad aan en zei op
scherpe toon: 'Wat bedoel je precies, Bahir? Heb je het over Napoleon
of over iemand anders?' Bij Bahir verscheen het zweet op zijn
voorhoofd, en hij zwoer dat hij het alleen maar over Napoleon had.
Een dergelijk incident werd nooit lichtvaardig opgenomen. Vanaf dat
moment vreesden we allemaal voor Bahirs lot. De vriendschap met
Saddam kende geen zekerheden; we wisten alleen dat we hem altijd
moesten behagen.

VIJF

Leren huilen met de eenden

Ik heb geprobeerd na te gaan op welk moment ik besefte dat de man die ik altijd met een paar zoenen op zijn wang begroette een moordenaar was, maar ik geloof niet dat ik dat kan. Toen ik nog klein was, probeerden mijn ouders te voorkomen dat ik zou horen welke misdaden hij had gepleegd, en bovendien waren er, net als bij de dood van oom Koesai, slechts zelden bewijzen. De media werden zo strak aan de leiband gehouden dat ik pas na mijn vertrek uit Irak ontdekte dat hij zich schuldig had gemaakt aan volkerenmoord op religieuze en etnische gronden, maar zoals iedere Iraakse burger wist ik hoe machtig en gevaarlijk hij was – daar was geen twijfel over mogelijk. De angst had niet eens heel aarzelend de kop opgestoken, maar was vanaf het allereerste moment duidelijk zichtbaar geweest in de blik van mijn ouders. We hadden voortdurend het gevoel dat ons elk moment iets ergs kon overkomen, maar er konden weken voorbijgaan zonder dat er iets voorviel. Soms, op wat mijn moeder zijn 'genadige momenten' noemde, schonk hij ons iets bijzonders, zoals bijvoorbeeld toestemming om naar het buitenland te reizen. Maar ik kwam erachter dat dat soort momenten vaak werden gevolgd door maanden vol vreselijke en vaak onbegrijpelijke afstraffingen.

Waarom zijn ze gebleven? Dat is een vraag die de kinderen van ouders die de opkomst van een dictator niet hebben tegengehouden

106

zich over de hele wereld stellen. Nu ik eindelijk durf na te denken over die gruweljaren met amo is dit het enige logische antwoord dat ik kan bedenken: mijn ouders zaten gevangen in een verstikkende relatie. Ik heb hier nooit met hen over kunnen praten, maar ik heb hen zien worstelen met die relatie, ik heb hen pogingen zien doen om nog iets van hun waardigheid en eigenwaarde te behouden, zelfs in de nabijheid van de wreedste meester van allen. Ze wisten hoe wreed hij kon zijn en durfden daarom geen misstap te begaan en al helemaal niet te ontsnappen. Daarom gedroegen ze zich net zoals iemand die door zijn of haar partner wordt mishandeld: ze liepen op eieren en deden hun best om te overleven.

Ze spraken wel over weggaan uit Irak, vooral toen ik een jaar of elf, twaalf was. Dan zat ik 's avonds laat boven op de trap te staren naar het onregelmatige patroon van het zwart met witte mozaïek en probeerde iets te verstaan van de op een fluistertoon gevoerde discussie die was vervuld van namen die ik niet kende. De toekomst joeg me toch al angst aan, wat ze ook zouden besluiten. 'Ik voel me net een gekooide vogel,' bleef mama maar zeggen. 'Laten we vertrekken, laten we naar Amerika gaan! Het is Mahmoed toch ook gelukt, waarom kunnen wij dat niet?' Dan zei baba, de redelijkheid zelve, iets als: 'Je weet dat we niet zomaar kunnen vertrekken, Alia. Dit is ons thuis. Wat moeten we daar doen? Waar moeten we wonen? Denk je dat we ons dan nog steeds zo'n luxe leventje als hier zouden kunnen permitteren? Wil je dat ik vrachtvliegtuigen ga vliegen? Denk eens na, Alia! Zou je op een klein flatje willen wonen en de eindjes aan elkaar willen knopen? En onze familieleden hier? Wat denk je dat er met hen zal gebeuren als wij de benen nemen? Je weet dat familieleden worden gestraft wanneer iemand vertrekt. Wil je dat risico nemen? Ze letten op iedereen, en zeker op mij. Denk je echt dat ze me zouden laten gaan?'

Ik vond het eng om mama te horen zeggen dat ze zich net een gekooide vogel voelde, maar Irak was mijn thuis. Ik was dol op Bagdad. Ik vond het fijn om de oproepen van de muezzin en het gekrijs van de meeuwen boven de rivier te horen, ik hield van al die vertrouwde plekken uit mijn jeugd. Ik kon me niet voorstellen dat ik mijn vriendinnen en neven en nichten en alle andere familieleden zou moeten achterlaten. Ondanks amo had ik te veel goede herinneringen. Hadden we niet juist ons best gedaan om te mogen blijven? Moesten we het nu zomaar opgeven en ons land aan hem overlaten? Wat zou er met ons gebeuren als we weg zouden gaan? Zouden we ons huis moeten achterlaten, zou de Moekhabarat al onze spulletjes in beslag nemen? Waar zou ik naar school moeten gaan?

Ik weet nog dat mijn ouders ruziemaakten, heen en weer geslingerd tussen de drang om te ontsnappen en de illusie van veiligheid die werd opgewekt wanneer ze zich onderwierpen. Ik kan me niet herinneren dat ze echt de beslissing hebben genomen om te blijven; het was eerder dat we gewoon niet vertrokken. Mijn vader vloog weg, en ik bleef achter met een moeder wier vleugels tegen de tralies om haar heen sloegen en die beurtelings probeerde om aan haar kooi te ontsnappen en haar nestje te bouwen. Soms moest ik letterlijk haar polsen vastpakken om te voorkomen dat ze pillen uit het medicijnkastje in de keuken zou halen. 'Niet doen, mama,' zei ik dan. 'Dat kunt u niet doen, mama. U moet ermee ophouden.' En ik deed mijn uiterste best om te voorkomen dat mijn broertjes haar zo zouden zien. Ik nam haar mee naar de slaapkamer en hield haar in mijn armen totdat we in slaap vielen. Ik leerde om mezelf in slaap te laten vallen. Slapen was een eenvoudige manier om even te ontsnappen, en er was altijd de hoop dat er iets zou zijn veranderd wanneer ik weer wakker werd.

Toen ik op de middelbare school zat en baba voor het derde achtereenvolgende jaar als piloot van Saddam werkte, legde hij met een copiloot bijna een recordvlucht rond de aarde af. Ik heb nog steeds een breekbaar, vergeeld exemplaar van *Boeing News*, het personeelsblad van Boeing, waarin onder de kop VLUCHT VAN 747 VAN IRAQI AIRWAYS VESTIGT BIJNA RECORD te lezen is:

De vlucht van een Boeing 747SP van South African Airways in april 1976 is nog steeds de langste non-stopvlucht die ooit door een commercieel toestel is afgelegd, maar op 20 mei dreigde een 747SP van Iraqi Airways het record te verbreken. Tijdens deze vlucht, van Tunis naar Tokyo, werd binnen 16,5 uur 9676 mijl afgelegd, wat goed is voor een tweede plaats. De vlucht van SAA duurde 17 uur en 22 minuten, waarin 10 259 mijl werd afgelegd tussen Seattle en Kaapstad. Het Iraakse toestel stond onder gezag van...

Ze slaagden er niet alleen in om de afstand in één keer af te leggen, dus zonder tussenlanding om te tanken, maar hadden bij aankomst zelfs nog voor een uur aan brandstof over. Door dit soort dingen verwierf baba respect bij andere piloten. Toch zag hij er vreselijk uit toen hij terugkwam. Hij bleef thuis van zijn werk en klaagde over hartkloppingen. Andere piloten en leden van de crew verzamelden zich in onze woonkamer en spraken op fluistertoon met elkaar, wat me deed denken aan de bezoeken van familieleden in de tijd dat we voor deportatie vreesden. Dreigde ik nu mijn vader te verliezen? Ik wilde hem vragen wat er mis was, maar mijn vader was minder gemakkelijk te benaderen dan mijn moeder. Dit had duidelijk iets met zijn werk te maken, maar baba wilde nooit met me over amo praten. Mama ging mijn vragen een tijdlang uit de weg, maar op een dag kon ze zich niet meer inhouden en vertelde me wat er aan de hand was: er was een onderzoek naar baba ingesteld omdat het in het toilet van het vliegtuig had gelekt.

'Domme rotzakken!' Ik kan me nog zo goed herinneren wat ze zei omdat ze zo bot was. 'Ze dachten dat er water uit een koelelement was gelopen, dus ze zijn aan het onderzoeken of hij de veiligheid van het toestel in gevaar heeft gebracht!'

De rotzakken over wie ze het had, waren stamgenoten van amo die hij nog uit Tikrit kende en die hij had beloond met overheids-baantjes en hoge functies. Ze waren het schoolvoorbeeld van man-nen met dikke zwarte snorren, de leden van de geheime politie die baba en zijn crew tijdens elke vlucht in de gaten hielden en ook ons bespiedden wanneer we in de buurt van amo waren. Ik was doods-bang voor die mannen. Mama voelde verachting voor hen, maar niet alleen omdat ze zo meedogenloos waren: ze keek ook op hen neer vanwege hun afkomst en gaf daardoor blijk van haar eigen stadse snobisme. Hoessein Kamel, een van de neven van amo, zou een onderzoek naar baba instellen. Amo gaf doorgaans zijn naaste adviseurs, meestal familieleden, de opdracht om hun beste vrienden in de gaten te houden, en Kamel moest nu mijn vaders gangen nagaan. Kamel had niet eens de middelbare school afgemaakt, maar amo had hem desondanks benoemd tot hoofd van het wapenprogramma. Later verwierf Kamel zich een zekere faam omdat hij in 1996 naar Jordanië was gevlucht met kratten vol dossiers met gegevens over de biologische, nucleaire en chemische wapens waarvan hij de ontwikkeling had geleid. Ik wist toen niet meer over hem dan dat hij wreed was: hij liep op zijn werk altijd met een zweep rond zodat hij de ingenieurs en wetenschappers die voor hem werkten kon afranselen.

Toen baba nog maar pas als amo's piloot werkte, had amo hem een keer een rapport gegeven dat door Kamel was ondertekend en hem gevraagd of hij dat hardop wilde voorlezen. Ze waren op dat moment aan het vissen in de vijver bij het weekendhuis. In het rapport werd mijn vader omschreven als een 'bedreiging voor de nationale veiligheid'; niet alleen omdat hij tot de naaste vriendenkring van amo behoorde, maar ook omdat hij regelmatig naar het buitenland reisde.

'Ik weet dat ik aan uw genade ben overgeleverd,' had hij volgens mama tegen amo gezegd. 'Als u wilt, kunt u me laten executeren. Maar ik wil dat u weet dat ik nooit iets zal doen wat mijn land kan schaden.'

Amo had gelachen. 'Maak je geen zorgen,' had hij gezegd. 'Ik weet dat je niets verkeerd hebt gedaan.'

Amo deed lief, Kamel lelijk. Hun doel was iedereen angst aanjagen en bij de les houden. Kamel was niet alleen berucht omdat hij zo wreed was, maar ook omdat hij jaloers was op iedereen die een nauwe band met amo had. Nu amo had voorgesteld dat Kamel zou onderzoeken welke gevolgen een onbeduidend lek op het toilet kon hebben gehad, raakte ons hele huishouden doordrenkt van angst. Zelfs baba's vrienden keken doodsbenauwd wanneer ze op bezoek kwamen. Ten slotte ontbood amo mijn ouders op een feestje, en ik weet nog goed hoe zenuwachtig ze waren toen ze zich fluisterend omkleedden. Mama vertelde me later dat baba helemaal was dichtgeklapt toen amo hem had gevraagd wat er aan de hand was.

'Ik heb geen belangstelling voor politiek,' had hij volgens mama uiterst emotioneel tegen amo gezegd. 'Ik weet niet wat ik ermee aan moet. Ik heb niets verkeerd gedaan, maar toch keren ze me binnenstebuiten vanwege een technisch mankementje dat niets te maken heeft met politiek of nationale veiligheid. Ik weet hoe ik mijn werk goed moet doen. Ik ben alleen maar een piloot, meneer, en ik wil gewoon mijn werk kunnen doen.'

'Je hebt een keuze,' had amo gezegd. 'Je kunt voor mijn vriendschap kiezen of je kunt ervoor kiezen om alleen maar mijn piloot te zijn. Als je mijn piloot wilt blijven, zul je je aan Kamels onderzoek moeten onderwerpen.'

Ik stel me voor dat mijn vader, de trotse gezagvoerder van een 747, daar als verstijfd en bijna in tranen naast amo stond, geheel aan hem overgeleverd. Baba, die nooit iets anders heeft willen doen dan vliegen, koos voor vriendschap en heeft het overleefd. Hij kon weer gewoon gezagvoerder zijn en wist het uiteindelijk tot hoofd van de Iraakse burgerluchtvaart te schoppen. Hij had de juiste keuze gemaakt, maar het was kiezen uit twee kwaden. Als hij had gezegd dat hij alleen maar piloot wilde zijn, had amo Kamel door laten gaan met het onderzoek en zou baba zijn overgeleverd aan de grillen van een wraakzuchtige maniak wiens woord amo niet zomaar kon negeren. Maar toen hij voor vriendschap koos, had amo zich gemakkelijk tegen hem kunnen keren en kunnen zeggen: 'Maar Basil, waar ben je zo bang voor? Gebruik je mijn vriendschap om wangedrag te maskeren?' Er was geen juist antwoord; er waren alleen maar pijnlijke, ingrijpende beslissingen die het leven van een mens helemaal konden veranderen, maar waarvan niemand wist hoe ze zouden uitpakken omdat het er maar helemaal van afhing hoe amo zich op dat moment voelde.

Alle mannen hielden elkaar scherp in de gaten, en ze werden op hun beurt allemaal in de gaten gehouden door Kamel of een van de anderen in het kringetje rondom Saddam. Amo kon ook kwaad op hen worden, net zoals hij dat op mijn vader was geworden, en hen uit zijn kringetje verbannen. Dan vreesden ze een paar maanden lang voor hun leven, maar werden ten slotte weer opgenomen in de relatieve veiligheid van zijn genade, struikelend over hun woorden in hun haast om hem te bedanken, dankbaar dat ze nog leefden. De les luidde: niemand was veilig. Nooit. Uiteindelijk liet hij zelfs Hoessein Kamel, zijn adviseur, zijn neef, zijn schoonzoon en vader van zijn kleinkinderen, doden.

Terwijl baba het slachtoffer van een onderzoek van Hoessein Kamel dreigde te worden, bezocht ik de feestjes van Raghad, de dochter van amo die met Kamel was verloofd. Hoewel ze nog maar zestien of zeventien was, had amo besloten om haar om politieke redenen uit te huwelijken aan Kamel. Toen ze eenmaal waren getrouwd en zij haar eigen huis op het paleisterrein had, werd ik vaak voor feestjes en andere activiteiten bij haar thuis uitgenodigd, net zoals mijn moeder bij haar moeder, amo's vrouw Sajida, werd uitgenodigd. Sajida en amo waren min of meer onder één dak opgegroeid; tante Sajida was de nicht van amo, de dochter van de oom die de inspiratie voor zijn politieke carrière had gevormd en ervoor had gezorgd dat hij een opleiding had genoten. Ze was lerares, net als mijn moeder, en deze stevig gebouwde vrouw met sterke gelaatstrekken was tegen de tijd dat ik haar leerde kennen al behoorlijk van haar man vervreemd geraakt. Ik heb haar en amo nooit samen gezien; ze leidden simpelweg ieder hun eigen leven in verschillende delen van het paleis.

Amo had drie dochters, van wie Raghad de oudste was. Ze was een jaar ouder dan ik, een zelfbewuste, vastberaden jonge vrouw die de ideologie van de Baathpartij onderwees op de paleisschool. Rana, die twee jaar jonger was dan ik, was de beminnelijke middelste zus. Hala was een jaar of zeven of acht jonger, de verwende ukkepuk van wie iedereen wist dat ze amo's lieveling was. Ze zaten op een particuliere school op het paleisterrein, samen met hun vriendinnen Tamara, Sarah, Luma en de dochters van andere vooraanstaande gezinnen, die tot amo's stam uit Tikrit behoorden. De meisjes uit Tikrit werden niet geacht om te gaan met meisjes van buiten het paleis, en toen ze ouder werden, werd er zelfs een speciale afdeling van de universiteit voor hen opgericht. Ik weet nog dat Raghad door die grootse gangen liep en een uitgesproken mening gaf over dingen die ik vooral onbeduidend vond, zoals mode. De andere meisjes en ik liepen achter haar aan alsof ze amo zelf was en wij haar lijfwachten. Zelfs onze lichaamstaal was hetzelfde.

Afgezien van roddels was mode min of meer het enige gespreksonderwerp. Omdat amo's dochters het land nooit mochten verlaten, kregen ze nooit de kans om te gaan winkelen in de modezaken in Londen en Parijs of de winkelcentra in de Verenigde Staten. Maar ze hadden wel de beschikking over elke catalogus op aarde, om nog maar te zwijgen over het feit dat ze maar naar iemand hoefden te wijzen en te zeggen: 'O, dat vind ik leuk,' waarop van de draagster werd verwacht dat ze het kledingstuk prompt zou afstaan. Tamara merkte, net als veel andere jonge vrouwen in dit kringetje, dat er vaak een jurk van haar werd geleend die niet altijd werd teruggebracht. Een van de jurken die ze wel terugkreeg, kon ze niet langer dragen omdat de naaister hem helemaal had losgetornd om hem na te kunnen maken. Sajida vroeg vaak aan mijn moeder of aan een van de andere vrouwen die konden reizen of ze kleren voor haar wilden meenemen, al heb ik begrepen dat ze er niet altijd aan dacht om de kosten te vergoeden. Alles in amo's leven moest iets goedmaken wat hij in zijn jeugd had gemist – het goud, de kleren, de paleizen. Ik begreep dat wel een beetje, maar dat zijn dochters, die wel in luxe waren opgegroeid, hetzelfde gedrag vertoonden, was onverklaarbaar.

Elk bezoek aan het paleis voelde als een modeshow waarin we met elkaar moesten concurreren. Het was schandalig als je een kledingstuk vaker dan één keer droeg, en ik zei voor de grap tegen mijn moeder dat ik het gevoel had dat ik elke keer nieuw ondergoed moest kopen, gewoon voor het geval iemand me zou vragen welk merk ik droeg. Amo stond het mijn moeder op een van zijn genadige momenten toe om voor een medisch consult naar het buitenland te gaan, en tante Nada en tante Layla waren helemaal opgewonden omdat hij alle drie de vrouwen en hun kinderen toestemming had gegeven om mee te gaan. Hij gaf alle vrouwen tienduizend dollar per familielid en zei dat ze maar eens lekker moesten gaan winkelen. Ik keek ernaar uit om spijkerbroeken en T-shirts en andere typische tienerkleren te kopen, maar mijn moeder kocht stijve, tuttige kleren en avondjurken van Mondi en Escada en andere dure merken voor mij. Met de geruite jas van Christian Dior die ze toen voor me kocht, heb ik letterlijk jaren gedaan.

We genoten van heel veel voordeeltjes, maar daar hing een onzichtbaar prijskaartje aan. Elk jaar stuurde hij ons een nieuwe Toyota in luxe uitvoering; elk jaar ontvingen de twee andere families een nieuwe Mercedes. Toen hij een granaatappel van de boom van een vriend proefde en opmerkte dat die zo lekker was, stuurde de vriend twee dozen met granaatappels. Toen amo meldde dat dat aantal onvoldoende was, werden de bomen kaalgeplukt. Oom Adel kreeg te horen dat hij te weinig goud voor de oorlog had gedoneerd, zelfs toen hij al een paar keer steeds meer had gegeven: amo liet hem weten dat een rijk man nog meer kon doen. Ten slotte moest oom Adel onroerend goed verkopen om zijn 'donatie' te kunnen opbrengen. We gaven amo voortdurend kostbare cadeaus, maar we zagen hem daar, op een stel hengels na, nooit iets van gebruiken. Ondertussen liet hij om de paar maanden nieuwe paleizen bouwen. Het belangrijkste paleis in Bagdad was een complex dat bestond uit grote huizen die nog het meest aan hotels deden denken. Dit gebied, dat het toonbeeld van geld en praalzucht was, werd later door de Amerikanen omgedoopt tot de 'groene zone'. De huizen waren reusachtig, met enorme hallen en kroonluchters. Schilderijlijsten en meubels waren met bladgoud bedekt. In marmeren gangen lagen dure Perzische tapijten, en op salontafels stonden kristallen vazen. Alles had een groter formaat dan je redelijkerwijs zou verwachten.

Tante Sajida zwaaide de scepter alsof ze een soort keizerin was. Ze was een vrouw met gebleekt, blond haar en wenkbrauwen die als donkere, verbaasde strepen hoog op haar voorhoofd waren getekend. Gasten werden steevast minzaam toegeknikt, met de onverschilligheid van iemand die niet de moeite hoeft te nemen om terug te glimlachen. Vaak huurde ze zangers in – ik kan me de naam van een van hen, Soead Abedoellah, nog herinneren – die nationalistische liederen zongen terwijl de vrouwen van ministers met hun huwbare dochters om haar heen dansten, in de hoop dat een van haar zonen, Oedai of Koesai, die in de kringen rond het paleis als de begeerlijkste vrijgezellen van Bagdad werden gezien, belangstelling zou opvatten. Terwijl de volwassen vrouwen rond Sajida dansten,

dansten hun tienerdochters rond Raghad en Rana, en Hala's vriendinnetjes rond haar.

'Waarom moet ik mee?' vroeg ik aan mama tijdens ruzies die vaak in tranen eindigden. 'Ik vind het vreselijk! Ik vind hen niet aardig, en zij vinden mij niet aardig.'

'Kijk eens naar me, Zainab,' zei mama tegen me. 'Ik moet me netjes aankleden. Ik moet glimlachen. Ik moet wel gaan. Wat kan ik anders doen? Alle andere vrouwen brengen hun dochters mee en scheppen over hen op. Als jij niet meegaat, zou ik me erg opgelaten voelen omdat ik de enige moeder zonder dochter zou zijn. Dat roept vragen op. Wat is er mis met mijn dochter? Wat voor moeder ben ik als ik haar niet meebreng? Je moet mee, Zainab. Je moet je mooi aankleden en je opmaken. Je ziet vaak zo bleek.'

En dus ging ik, mijn moeders dochter, en kuste de andere dochters opgetogen op beide wangen, alsof we elkaar net bij toeval waren tegengekomen, en zei: 'O, Rana, hoe gáát het met je?' of 'Wat heb je toch een mooie jurk aan, Raghad!' Ondertussen ging ik op talloze subtiele manieren in verzet. Ik droeg simpele grijze of witte jurken in plaats van de typische jaren tachtig-kleren vol roesjes en strikjes die de andere meisjes droegen. Ik weigerde me op te maken en verspilde mijn tijd niet met het glad föhnen van mijn krullende haar. Het grootste deel van de tijd zat ik ergens in een hoekje urenlang om me heen te kijken, als het buitenbeentje dat zich afvroeg waarom ze eigenlijk was uitgenodigd en dat hoopte dat ze er niet zo ellendig uitzag als ze zich voelde. De vrouwen dansten met elkaar, net zoals ze vroeger op de tuinfeesten van mijn moeder hadden gedaan, en mijn moeder deed haar best om me erbij te betrekken, net als Sarah en Luma en Tamara. Op een keer kwam ze naar me toe toen er net een vaderlandslievend lied ten gehore werd gebracht en beval me dat ik moest lachen en klappen.

'Maar ik lach toch al, moeder,' zei ik, terwijl ik mijn breedste kunstmatige glimlach opzette.

'Je kijkt alsof je iets viezigs ruikt,' zei ze. 'Lach eens alsof je het meent, Zainab.'

'Ja, moeder,' zei ik. En ik stond op en danste en klapte in mijn handen.

In het weekendhuis en op het paleis voelde ik me net een model dat voor een chic tijdschrift de ene na de andere pose moest aannemen, helemaal opgetut, met voortdurend een glimlach op mijn gezicht, maar zonder iets te zeggen. In gedachten begon ik dit bestaan als 'het nepleven' aan te duiden.

Tante Sajida en haar dochters zijn één keer bij ons op bezoek gekomen. Dat was in het weekendhuis. Mijn moeder had de hele dag staan koken en had haar best gedaan om ons huis zo mooi en netjes mogelijk te maken. Wanneer ze de tijd nam, kon ze heel lekker koken, en die dag maakte ze *sabazi* naar een recept van Bibi, die daar befaamd om was. De basis van bijna elke Iraakse maaltijd wordt gevormd door rijst, doorgaans met een saus van groenten, vlees en kruiden, specerijen, gedroogde citroen of, zoals bij *sabazi*, spinazie. Toen we die avond aan tafel zaten en mama tante Sajida bediende, zoals een goede gastvrouw behoort te doen, keek Sajida mama aan met de onverbiddelijke blik van iemand die weet dat ze geen tegenspraak hoeft te dulden.

'O, Alia, je hebt *sabazi* op Iráánse wijze gemaakt,' merkte ze op.

Ik zag dat er zweetdruppeltjes op de bovenlip van mijn moeder verschenen. Dat was een teken dat ze nerveus was of zich schaamde.

'Nou, niet echt,' zei mama zenuwachtig, terwijl ze de borden met het nu verdachte gerecht voor Rana, Raghad en tante Nada en haar gezin neerzette. 'Ik heb er behalve de spinazie gewoon wat andere groenten aan toegevoegd.'

Ik zag tante Sajida bazig en misprijzend kijken. Ze wist dat ze iets had gezegd dat mijn moeder deed sidderen van angst. Het enige wat ze hoefde te doen, was mama eraan herinneren dat er een 'speciaal dossier' bestond. Ik had zo met mijn moeder te doen. Ze had zo haar best gedaan, maar nu werd de avond zomaar verpest. Ik wist dat we niet naar Perzische muziek mochten luisteren en ik mijn lievelingsnootjes geen 'Iraanse pistachenoten' mocht noemen, maar was nu zelfs mijn moeders overheerlijke *sabazi* verdacht?

'Nou, ik vind het zo juist lekker, tante Sajida,' beet ik haar in gedachten toe, zoals ik ook in gedachten tegen Mohammed tekeer was gegaan toen hij me had vernederd omdat ik sjiitisch was. 'Het smaakt heel wat beter dan die smakeloze troep die we op het paleis krijgen.'

Het was een vreselijke dag: Raghad, Rana en ik vonden elkaar niet aardig genoeg om samen tijd door te brengen en bleven dus bij onze moeders zitten. Tante Sajida vernederde mama. De kleinste kinderen zaten boven, en Hala had haar lijfwacht het bevel gegeven om mijn broertje als een bal in het rond te gooien, onder toeziend oog van de andere kinderen die niets durfden te zeggen omdat ze bang waren dat ze het dan alleen maar erger zouden maken. Na vertrek van Sajida en haar gevolg trof ik Hassan huilend op zijn kamer aan. Hij was toen nog maar vijf of zes, maar wist al heel goed dat hij niet zomaar de woonkamer binnen kon stormen wanneer er bezoek was, en daarom had hij zich maar op zijn kamer teruggetrokken en gehuild omdat het allemaal zo gemeen en oneerlijk was. Toen ik hoorde wat er was gebeurd, werd ik zo kwaad dat ik die verwende Hala een lesje wilde leren. Maar ik wist dat dat niet kon. Ze was de dochter van de president, en voor haar was iedereen net zo bang als voor haar broers, zussen en ouders.

Amo was heel erg voorzichtig wanneer het ging om eten dat door anderen was klaargemaakt, maar voor de gevulde lamsbout van mijn moeder maakte hij een uitzondering. Ze had tijdens de ramadan een keer op zijn verzoek een heel diner klaargemaakt, maar toen we in het weekendhuis allemaal op hem zaten te wachten, kwam het bericht dat hij het niet zou halen, maar dat hij wel graag zou zien dat mijn moeder hem haar gevulde lamsbout deed toekomen. Dat deed ze, en die avond verbraken wij de vasten met de bijgerechten. Hij had altijd enorm veel trek in vlees en liet elke dag een schaap slachten. Wanneer hij bij ons in het weekendhuis kwam eten, bracht hij zijn eigen koks, pannen, ingrediënten, bestek, voorproever Hanna en ander keukenpersoneel mee, van wie de meesten christelijk waren. Zoals zoveel leiders door de eeuwen heen had hij het liefst personeel dat afkomstig was uit minderheidsgroepen; de kans dat die met de meerderheid tegen hem zouden samenzweren, was bijzonder klein.

Toen amo op een avond bij ons in het weekendhuis had gegeten, fluisterde mijn moeder met een vrolijke glimlach: 'Kijk eens wat ik heb gevonden,' en liet me een vork van amo zien. Zijn bestek was altijd drie keer zo groot als gebruikelijk, en er stond een Iraakse adelaar met grote klauwen op het handvat afgebeeld. Deze vork was bijna net zo groot als de vork die je in een stuk gebraad zou steken om het aan te kunnen snijden. Ik heb hem nog steeds in mijn keukenla liggen, als een eenzaam, tastbaar aandenken aan de eindeloze weekends die ik daar heb doorgebracht.

Eten gaf vaak aanleiding tot onenigheid en was zelden een troost. Tijdens een van de familie-etentjes waarbij amo ook aanwezig was, werd tante Layla helemaal opgewonden toen er druiven op tafel kwamen. 'O, zulke druiven heb ik al heel lang niet meer gezien. Ze doen me denken aan mijn tijd in Engeland!'

Amo keek haar meedogenloos aan. 'Hoe bedoel je, ik heb al heel lang niet meer zulke druiven gezien?' vroeg hij, zich er blijkbaar niet van bewust dat de meeste Irakezen zich een dergelijke luxe niet konden permitteren. 'Ze komen van een Iraakse markt. Alle Irakezen kunnen zulke druiven kopen.'

Op haar mooie gezicht verscheen een uitdrukking van kwetsbaarheid. Tante Layla was bang – vanwege een druif.

Wie kan begrijpen hoe hij zijn 'dierbaren' tegen elkaar uitspeelde en opzette, kan ook begrijpen hoe hij erin was geslaagd om vijfendertig jaar lang aan de macht te blijven, ook al werd hij door miljoenen burgers oprecht gehaat en werden er voortdurend aanslagen op hem voorbereid, in zowel binnen- als buitenland. Onze 'familiebijeenkomsten' waren een kleinschalige uitvoering van de manier waarop amo angst zaaide en voedde – niet alleen binnen de Baathpartij en de Republikeinse Garde, maar ook in elk klaslokaal in het land. Hij vond het heerlijk om mensen tegen elkaar op te zetten: echtpaar tegen echtpaar, man tegen vrouw, kind tegen kind. Als je het spelletje mee wilde blijven spelen – en mijn ouders zagen geen andere mogelijkheid – dan moest je je best doen om bij hem in de gunst te blijven en geen achterstand op te lopen. Daarom bleven de vaders gehoorzaam 'Ja, meneer' zeggen, vertoonden de moeders koket gedrag en bleven de kinderen aanbiddelijk glimlachen. Iedereen hield elkaar constant in de gaten en roddelde over elkaar. Uiteindelijk begon ik de drie andere meisjes aardig te vinden, maar ik bleef eenzaam omdat het belangrijkste ingrediënt van een vriendschap, vertrouwen, bij ons ontbrak.

Zelfs kinderen werden aangespoord om over elkaar te klikken. Op een middag in het weekendhuis, toen Hassan nog maar vijf of zes was, zei hij opeens: 'Er is geen andere God dan Allah, en Mohammed is zijn Profeet, en Ali is zijn Vriend,' waarop Sarahs kleine zusje meteen naar haar moeder, tante Nada, rende. Tante Nada was soennitisch en had haar kinderen geleerd dat ze niet over Ali mochten praten.

'Mama, hij heeft de verkeerde sjahada gezegd,' zei het meisje tegen haar.

Hassan keek niet-begrijpend naar mijn moeder. 'Maar ik zei het toch goed, mama?' vroeg hij, met tranen in zijn ogen.

Maar mijn moeder kon hem niet geruststellen, en er hing een enorme spanning tussen haar en tante Nada. Ten slotte zeiden de moeders allebei tegen hun kinderen dat ze het later wel zouden uitleggen, en tante Nada verontschuldigde zich beleefd en nam haar kinderen mee naar huis. Ik rende naar Hassan toe om hem een knuffel te geven en hem te vertellen dat hij het wel goed had gezegd en dat sjiieten en soennieten uiteindelijk allemaal moslims waren en dat we het gewoon een beetje anders zeiden. Ik wilde hem zo graag beschermen. Ik wilde niet dat hij zou worden gekwetst zoals Mohammed mij had gekwetst.

Mama en tante Layla waren een tijdlang elkaars beste vriendinnen, en tante Layla vertelde dat een van mijn andere tantes, een vrouw voor wie mama grote bewondering had, iets negatiefs over mama tegen amo had gezegd. Mama kwam die dag huilend thuis, en na verloop van tijd werd ze minder spontaan en vertrouwde ze mensen niet zo snel meer. Ik vond het niet fijn om haar zo te zien, maar zoals met zoveel dingen begreep ik pas later hoe het echt in elkaar stak.

'Kun je geloven wat je vader vandaag heeft gedaan?' vroeg mama me op een middag toen ze in het weekendhuis van tante Nada op bezoek was geweest. 'We zaten gewoon bij elkaar toen amo de kring rondging en aan iedereen vroeg wie hun eerste liefde was geweest, en toen noemde je vader jouw naam! Dat is toch niet te geloven? Jij! Zijn dochter! Niet ik, en niet eens een of ander vriendinnetje!'

Wat moest ik doen? Met haar meeleven omdat mijn vader had gezegd dat hij van me hield? Ik had geen idee of dat een soort psychologisch spelletje van amo was geweest of gewoon een onschuldige vraag onder vrienden. Ik wist alleen maar dat hij iets deed wat ervoor zorgde dat het huwelijk van mijn ouders scheurtjes begon te vertonen die er eerder niet waren geweest. Omdat niemand kritiek op hem durfde te hebben, kon hij ook de goede jongen spelen: de geduldige bemiddelaar, de vredestichter. Mijn moeder zei later tegen me dat ze amo's strategie als een voorbeeld van 'verdeel en heers' zag. Maar als ze dat zo goed had ingezien, vroeg ik me later af, waarom was ze er dan toch ingetrapt?

Nadat baba voor amo's vriendschap had gekozen en dus niet langer als zijn persoonlijke piloot werkte, had hij minder tijd om te vliegen. Er werd nu van hem verwacht dat hij amo bij officiële gelegenheden vergezelde. Baba zorgde er wel voor dat hij buiten het bereik van de camera's bleef, terwijl andere mannen zich er juist voor verdrongen. Soms zat ik met een vriendin aan de telefoon wanneer opeens de stem van de telefoniste van het paleis klonk die zei dat ik mijn gesprek moest beëindigen omdat de president mijn vader wilde spreken. Of soms ging de telefoon tijdens het middageten en kreeg mijn vader instructies om zich op een uitstapje met het hele gezin voor te bereiden. 'Sta over een kwartier klaar, neem voor drie dagen spullen mee,' zei een stem dan, en dan hielden we op met waar we mee bezig waren en maakten ons klaar. Even later verscheen er dan een zwarte Mercedes met getinte ramen in ons straatje en stapten we allemaal in, om vervolgens in een stoet van andere zwarte Mercedessen met een snelheid van meer dan 180 kilometer per uur over de snelweg te zoeven. Zo hard had ik nog nooit gereden. Vanwege veiligheidsredenen kregen we nooit te horen waarheen de reis voerde. Vaak wist ik niet eens hoe de plaatsen heetten waar we eindigden. Het konden pas gebouwde en weelderig uitgevoerde paleizen zijn, maar ook gewone huizen, die amo dan wel in een van de uitbundige stijlen had ingericht waarmee hij zo graag pronkte.

Op een dag zag ik in een van de paleizen boven de deur ornamenten hangen die me deden denken aan een enorm monument dat in Bagdad staat. Dat stelt een mensenhand voor (geïnspireerd op de hand van amo zelf) vol met helmen van gedode Iraanse soldaten. Zulke helmen hingen hier ook in groepjes van drie boven de deuren, gouden helmen op ware grootte. Opeens besefte ik hoezeer hij ons voor de gek had gehouden: deze helmen waren gemaakt van het goud dat het volk had afgestaan. Daar twijfelde ik niet aan. Deze snuisterijen waren ten koste van het Iraakse volk gesmeed. Weet je niet dat er mensen sterven en lijden in deze oorlog, vroeg ik amo in gedachten. Als het niet zo tragisch zou zijn, was het lachwekkend geweest. Hoe heb je onze giften voor ordinaire versieringen kunnen gebruiken? Hoe kon je mijn moeder die Abbasidische munt afpakken die haar grootvader haar heeft gegeven en die zoveel sporen van de geschiedenis vertoont? Hoe kun je trouwringen omsmelten die vrouwen eigenhandig van hun vingers hebben getrokken, als een offer om onze soldaten te helpen?

Hij beroofde ons uiterst gewiekst van de dingen die ons zo dierbaar waren dat het pijn deed. Achteloos ontnam hij ons waar hij volgens eigen zeggen zoveel waarde aan hechtte: de lach van mijn moeder, de vleugels van mijn vader, en bijna dat wat hij volgens mama soms mijn 'pit' noemde. In ruil gaf hij ons geschenken die niets te betekenen hadden en alleen maar moesten laten zien dat hij steenrijk was en de schatkist onder zijn hoede had. Mijn vader had een kast vol geweren, die hij nooit van het slot haalde, behalve wanneer amo hem vroeg of hij mee ging jagen. Mijn moeder kreeg dozen vol sieraden die in Italië waren gemaakt – heel mooi, maar ik zou ze allemaal zonder aarzelen hebben omgeruild voor die Abbasidische munt die nu nooit meer haar hals zou sieren.

Hij stond aan het hoofd van een land, een oorlog, een leger, een politieke partij en een van de grootste door olie gevoede economieën ter wereld, maar hij vond de tijd om nauwgezet bij te houden hoeveel we emotioneel aan hem verschuldigd waren. Ik weet nog dat we een keer een uitstapje maakten naar de oude stad Mosoel, de poort tot Koerdistan. We reden over een slingerend bergweggetje naar een modern chalet met een prachtig uitzicht over de stad. Ik weet nog dat er op de tafel op de dure moderne veranda een fles Chivas Regal stond en dat de volwassenen het op de avond van onze aankomst flink op een drinken zetten. Als amo dronk, moesten zij wel meedrinken. Mama had een hekel aan buitensporig drankgebruik en zag eruit alsof ze elk moment kon gaan huilen, maar dat effect had alcohol nu eenmaal op haar. Mijn vader ging drank in de loop der jaren steeds meer beschouwen als een manier om te ontsnappen aan de werkelijkheid, en hij werd steeds gestrester en serieuzer. De andere volwassenen werden luidruchtig en spraken met dubbele tong, en de mannen aten pistachenoten met hun mond open, net als amo. Wij kinderen vonden dat walgelijk. De oudere kinderen, zoals ik, wisselden blikken uit en probeerden de kleintjes af te leiden zodat die hun ouders niet in deze toestand hoefden te zien.

Voor amo gold dat hij steeds vrolijker werd naarmate hij meer dronk. Ik heb hem echter nooit stomdronken gezien. Van drank leek hij juist op te klaren. Soms kreeg hij van drank een genadige bui en bestond er een heel kleine kans dat je eerlijk tegen hem kon zijn. Toen hij op een keer vertelde dat hij altijd zo genoot van 'de Dag van het Volk' – dagen waarop hij probeerde de problemen van gewone burgers op te lossen, zoals een moeizame scheiding waarin een vrouw was verwikkeld of een erfenis waarover werd getwist – deed tante Layla haar mond open en vroeg hem waarom hij niet gewoon de wetten veranderde, zodat de vrouwen beschermd zouden zijn. Hij leek echt naar haar te luisteren, en tot op de dag van vandaag mag zij zich op de borst kloppen omdat hij mede dankzij haar in de jaren tachtig het familierecht in het voordeel van vrouwen wijzigde. Daar staat wel tegenover dat hij in de jaren negentig eerwraak legaliseerde en dat mannen die vrouwelijke familieleden vermoordden omdat die de familie-eer zouden hebben geschonden dus vrijuit gingen.

Nadat de volwassenen voor mijn gevoel heel erg lang buiten hadden zitten drinken, stond amo op en gaf aan dat we naar binnen moesten gaan. Niemand vroeg waarom. 'Eerst uitvoeren en dan bespreken' was immers een motto van de Baathpartij. Toen we eenmaal in de half verzonken woonkamer zaten, meldde hij ons dat we op een pianoconcert zouden worden getrakteerd. Hij vroeg of ik wilde beginnen met spelen en leunde ontspannen achterover, klaar om door zijn dierbaren te worden vermaakt. Ik had *An der schönen blauen Donau* uit mijn hoofd geleerd en speelde dat die avond. Ik was zenuwachtig omdat ik door vijftien tot twintig leden van onze kunstmatige familie werd omringd, maar ik speelde foutloos. Toen ik klaar was, klapte amo niet zomaar – om de een of andere reden kan ik me dit heel goed herinneren – maar juist heel langzaam, met respectvolle pauzes tussen elke klap: klap... klap... klap. Wanneer je iets deed waarvoor hij bewondering had, keek hij je stralend aan. We kenden die stralende blik allemaal en deden ons best om die bij hem tevoorschijn te roepen. Het was een prijs, een appeltje voor de dorst dat je voor noodgevallen op de bank zette. Deze keer viel die blik mij ten deel, stralender dan ik hem ooit had gezien. Toen ik klaar was, liet hij Luma en Tamara spelen en gaf hun ook een compliment. Toen stond hij op en gebaarde dat hij aan tafel wilde gaan, en daarmee was het concert voorbij.

Sarah bleef op de bank zitten. Amo had haar net zo goed kunnen slaan. Waarom had hij haar opzettelijk genegeerd? Sarah was in zijn paleis opgegroeid, en hij was bijna als een echte oom voor haar. Ik had altijd gedacht dat ze echt van hem hield. Ze dong enthousiaster naar zijn gunsten dan de andere kinderen; ze was altijd even gehoorzaam en deed alles wat hij vroeg. Ik kon de keren dat ik de anderen had afgetroefd op één hand tellen. Mijn belangrijkste overwinning had ik op mijn zestiende geboekt, tijdens een avond waarop goud werd ingezameld. Sarah was de hele nacht opgebleven om een gedicht uit haar hoofd te leren dat haar vader had geschreven, en voor het oog van de camera's zei ze het perfect op. Ik haalde op mijn beurt mijn plastic glimlach tevoorschijn, sprak de naam 'Salbi' zo duidelijk mogelijk uit en voegde er spontaan iets welgemeends aan toe over ons land, onze soldaten aan het front en amo. Later zei amo tegen haar dat ze het 'goed' had gedaan, maar tegen mij zei hij, op dezelfde langzame toon, dat ik het 'erg... erg... goed' had gedaan.

Ik had haar slechts één keer een fout zien maken, en dat was een paar maanden eerder geweest. In de krant had iets kritisch over haar vader gestaan, en omdat Sarah heel goed begreep dat er niets in de krant kon verschijnen zonder dat amo zijn toestemming gaf, liet ze hem merken hoe ze erover dacht door hem in plaats van met de gebruikelijke zoen met een handdruk te begroeten. En nu drong het opeens tot me door dat hij dit hele avondje als wraak voor die misstap had bedoeld. Ik besefte dat zijn lof voor mijn wals niet eens voor mij was bestemd, maar was bedoeld om Sarah te vernederen. Hij was de president van een land met zestien miljoen inwoners, en zij was een meisje van vijftien! Wat wreed, dacht ik, wat erg dat zo'n despoot zo met een kind omgaat, en dan nog wel met een kind dat waarschijnlijk meer van hem hield dan alle andere.

Toen iedereen de woonkamer verliet om aan tafel te gaan, ging ik naar haar op zoek. Ik trof haar huilend buiten op de veranda aan. Iedereen had gezien dat ze in verlegenheid was gebracht, maar ze stond daar helemaal alleen. Waar was haar moeder? Maar ik wist dat volwassenen zonder amo's toestemming niet zomaar weg konden lopen, en Sarah en Luma streden onderling om zijn aandacht. Ik zag vlakbij een paar soldaten staan en was bang dat ze haar zo zouden zien en het aan amo zouden vertellen.

Ik wilde op dat moment zo graag dat ik een einde aan die pijnlijke schertsvertoning kon maken, dat er eindelijk iets echt zou zijn. Ik liep naar Sarah toe en sloeg mijn armen om haar heen en probeerde haar te troosten zoals tante Layla mijn moeder had getroost nadat amo tegen haar had staan schreeuwen. Ik hield Sarah een paar minuten vast, totdat haar gesnik minder hevig werd.

'Het is niet eerlijk,' zei ze, toen ze was opgehouden met huilen. Toen liet ze, omdat ze precies wist hoe ver ze mocht gaan, haar verdriet veranderen in een typische jeugdige klacht: 'Ik wou dat ik ouder was, dan mocht ik ook drinken.'

Ik weet niet meer of Sarah me tijdens dat weekend of tijdens een later bezoek aan dezelfde plek op luide toon een standje gaf omdat ik eerder dan amo van mijn thee had genipt. Amo had haar alleen maar glimlachend aangekeken en opgemerkt dat ik familie was, en was het niet geweldig dat ik me zo op mijn gemak voelde dat ik mijn thee dronk wanneer ik dat wilde? Als we allemaal paarden in zijn stal waren, wat volgens mij niet eens zo'n slechte vergelijking is, dan zou hij mij waarschijnlijk hebben omschreven als de merrie met een eigen willetje. Er werd min of meer van me verwacht dat ik af en toe zou steigeren. Helaas had Sarah zich de reputatie van betrouwbaar en gehoorzaam aangemeten. Als zij zou durven steigeren, zou hij haar slaan totdat ze het opgaf.

Dat weekend was een van de weinige momenten die ik in de nabijheid van zijn maîtresse, Samira, heb doorgebracht. Na het eten werden er stoelen voor ons in een wijde kring op het gazon neergezet en kwam er achter elke stoel een bediende in militair uniform te staan die elke mogelijke wens diende te vervullen. Amo verkeerde die avond in een joviale stemming. Samira zat naast hem te lachen en te vleien en wreef mijn ouders duidelijk onder de neus wat haar relatie tot amo was. Ik zag dat alle volwassenen hun best deden om beleefd te blijven, maar dat ze er allemaal van walgden. Terwijl wij toekeken, bleef Samira schaamteloos met hem flirten, ervan genietend dat zij bij hem in hoger aanzien stond dan dit vermeende elitaire groepje. Ze fluisterde hem van alles in het oor en streek met haar vinger over de binnenkant van zijn dij. Ik was gedwongen om dit overduidelijk seksuele gedrag te aanschouwen en vroeg me af hoe dit voor haar zonen moest zijn, die er ook naar moesten kijken. We konden geen van allen opstaan, we konden geen van allen iets zeggen, maar zaten ieder opgesloten in onze eigen cel vol stilte. Ik kon voelen dat er een schreeuw in me opwelde, ik wilde overeind springen en schreeuwen en wegrennen naar de bergen om ons heen, waar het naar wilde salie en de wind rook. Maar ik bleef stil zitten, met mijn handen samengebald in mijn schoot, en bad dat er een held op een wit paard aan zou komen galopperen die me hier weg zou halen.

Toch hadden de weekenduitjes die we met amo maakten ook een goede kant: ik bezocht een paar van de mooiste plekken die ik ooit heb gezien en leerde de overweldigende schoonheid van de Iraakse natuur kennen. Ik ben dol op de wind, en vooral in die tijd, toen ik af en toe het gevoel had dat ik stikte, vond ik het heerlijk om de wind op mijn gezicht te voelen. Dan was het net alsof er iets in me tot leven kwam. Mijn moeder draaide haar gezicht altijd naar de wind en deed haar ogen dicht terwijl haar lange haar om haar heen werd geblazen. Dan vond ik haar zo mooi. Op een avond, toen de hemel bezaaid was met sterren, drong het tot me door dat het zonder amo allemaal nog mooier had kunnen zijn.

Die avond gingen we ook vissen. Daar was amo dol op. In een land waar water kostbaarder is dan olie liet hij water uit de rivieren overpompen naar de woestijn, zodat er talloze meertjes voor zijn privégebruik ontstonden. Die zaten zo vol vis dat mama en ik wel eens voor de grap tegen elkaar zeiden dat hij vast duikers de opdracht had gegeven om de vissen onder water aan de haakjes te spiesen. Hij had aangekondigd dat we een 'viswedstrijd voor de familie' gingen houden en dat hij degene die de grootste vis zou vangen een prijs van duizend dinar zou geven, wat toen ongeveer het equivalent van drieduizend Amerikaanse dollar was. We gingen allemaal aan een van zijn meertjes naast elkaar op onze stoeltjes zitten, met onze hengels naast ons. Ik zat naast Luma en Sarah en weet nog dat Luma, die haar haren keurig in de krul had gezet, als een dametje de hengel tussen haar gemanicuurde handen hield. Sarah zat ontspannen naast haar en begreep heel goed dat het vooral haar taak was om van dit privilege te genieten. Het was een prachtige avond: het licht van de maan viel op het kabbelende water, en alles zag er heel rustig en vredig uit toen ik over het meer uitkeek. Maar wanneer ik me omdraaide, zag ik een geüniformeerde man met een grote zwarte snor staan die me in de gaten hield, en nog eentje die meteen zou komen aansnellen als ik aangaf dat ik iets nodig had. Achter hen stond een hele groep soldaten, bedienden en koks, die ons allemaal moesten bedienen of bewaken. Opeens zag ik mijn hengel bewegen, maar ik had niet de kracht om de lijn binnen te halen.

'Ik heb beet!' schreeuwde ik. 'Help! Hij is zwaar!'

Meteen stonden er drie mannen in militaire uniformen om me heen die de hengel van me overnamen en de vangst binnenhaalden. De vis was meer dan een meter lang en zo groot dat ik op en neer begon te springen en gilde: 'Ik heb een vis gevangen! Ik heb een vis gevangen!' Ik was zo opgetogen dat ik niet aan mijn manieren dacht en me ten overstaan van amo, de gezinnen, de lijfwachten, de bedienden en alle anderen een vrije geest voelde. Ik weet nog dat amo zich glimlachend over me heen boog. Zijn witte tanden glansden. Hij leek echt blij voor me te zijn. 'Zainab heeft gewonnen,' meldde hij later die avond.

Op een middag zaten Luma, Sarah en ik voor het weekendhuis van tante Nada toen amo kwam aanrijden in een rood sportautootje. Hij droeg een coureurshelm. Toen hij hoorde dat onze ouders een dutje deden, vroeg hij of we zin hadden om een ritje te maken. Ik was toen een jaar of zestien.

'Ja, amo, dat zouden we erg leuk vinden,' zeiden we alle drie.

'Kom dan maar mee, meisjes, dan geef ik jullie persoonlijk een rondleiding.'

We stapten in, en hij zette de radio heel hard, en we zoefden weg, over de vlakke weg door de woestijn, door de poort in de binnenste muur, naar een stralende wereld van weelderige groene gazons, glanzende auto's en besloten meertjes. Overal liepen bewakers rond, maar ze volgden ons niet; ik voelde me vrij. Hij leek erg ontspannen en genoot van de muziek en de zonnige middag. Het was leuk om door hem te worden rondgereden.

Onze eerste halte was een vishuisje, als dat de juiste benaming is, dat boven het water van een van de grotere meren was gebouwd. We stapten uit en liepen over een lange steiger naar het huisje toe. Binnen, in de enorme ronde kamer boven het meer, stonden comfortabele fauteuils voor de ramen die konden worden geopend zodat de gasten en amo vanuit het huisje hun hengel konden uitgooien en, door alle gemakken omringd, konden vissen. Naast elke fauteuil stond een klein tafeltje voor eten en drinken. 'Ik zit hier graag te werken,' zei hij, en ik werd met een schok teruggevoerd naar de werkelijkheid. Had hij mijn vader hier, in deze ontspannen omgeving, gevraagd of hij het rapport van Hoessein Kamel wilde voorlezen?

Amo was die dag beleefd en vriendelijk, de ideale gastheer die ons tieners zijn volle aandacht gaf en met ons praatte alsof we volwassen waren. Die dag was hij gewoon amo, iemand in wiens nabijheid je niet zenuwachtig hoefde te zijn, gewoon een normale man die toevallig heel erg rijk was en graag met zijn bezittingen pronkte. Hij vertelde ons dat hij had geholpen bij het ontwerpen van talloze gebouwen en hij leek daar heel trots op te zijn. Een van de gebouwen die hij ons liet zien, zag eruit als een gewoon huisje met eenvoudige meubels, maar toen hij ons meenam naar de kelder, kwamen we terecht in een enorme ondergrondse ruimte waar een woonkamer, slaapkamer en kleine keuken waren ingericht.

'Dit is een bunker, voor noodgevallen,' legde hij op bijna achteloze toon uit. 'Als het ooit nodig is, kan ik me hier verstoppen. Er ligt genoeg eten om het wekenlang te kunnen uithouden.'

Hij liep naar de keuken om ons het eten te laten zien. Hij trok de deurtjes van de kastjes open, zodat er stapels voedsel te zien waren, van pistachenoten tot zakken chips en flessen whisky. Toen deed hij de koelkast open, die was gevuld met frisdrank en vruchtensap, en hij bood ons iets te drinken en iets te knabbelen aan. Hij deed de blikjes frisdrank zelf voor ons open – er waren geen bedienden. Zijn rondleiding duurde een uur of twee. Zijn meren lagen vol bootjes, en hij nam ons mee aan boord van een van de grootste: een enorm jacht met benedendeks een bijzonder weelderig ingerichte en chique slaapkamer.

'Meisjes, denk eraan: als jullie ooit gaan trouwen, mogen jullie deze boot tijdens de huwelijksreis gebruiken,' zei hij, met zijn blik op ons gericht.

Voor geen goud, dacht ik. Ik twijfelde er niet aan dat er achter die keurig beklede wanden van de hut camera's verstopt waren. Maar toen we terugreden naar onze huizen, besefte ik dat ik van zijn gezelschap had genoten. Rond een uur of vijf waren we weer terug. Onze ouders stonden voor het huis van tante Nada met bezorgde gezichten te wachten. Hadden we iets verkeerds gedaan? Hadden we niet met amo mee mogen gaan? We bedankten hem en stapten uit. Toen renden we naar onze ouders om te vertellen dat we zo'n leuke middag hadden gehad.

Een van de uitstapjes begon met een vlucht in amo's eigen helikopter, een omgebouwde Sikorsky die zo groot was dat er aparte ruimten waren. Voor de kinderen was het iets bijzonders: er was een tv aan boord, een minibar, een toilet, en een stewardess. Na nog geen uur vliegen landden we op een open veld dat zo was ingericht dat het leek alsof er een safari plaats zou vinden. Er stonden zelfs tenten. Sarah was luchtziek geworden en moest na de landing meteen overgeven, maar ze wist weer overeind te komen, haar mond af te vegen en een grote glimlach tevoorschijn te toveren toen amo in safarikleding op ons af kwam om ons te begroeten. Hij liet de vrouwen en kinderen naar truffels zoeken en keek even naar het tafereel, en daarna liep hij met drie van zijn vrienden en mijn broer Haider naar een stel andere wachtende Sikorsky's. De rotors begonnen met een zwaar, dreunend geluid te draaien, en de vijf helikopters stegen op, met hun jagers aan boord. Ik prikte net braaf met een stok in een hoopje aarde, op zoek naar truffels ter grootte van een walnoot, toen ik boven het lawaai van de helikopters uit een vreselijk geluid hoorde. Ik keek op en zag dat de grote helikopters zich als een val rond een vlucht wilde eenden hadden gesloten. De dieren zaten klem tussen de toestellen en flapperden hulpeloos met hun vleugels. Ze konden geen kant op. Amo stond lachend in de open deur van een van de helikopters, richtte zijn geweer en begon te vuren. De andere mannen volgden zijn voorbeeld.

'Ze slachten die vogels af!' riep ik, met een kreet die vanuit mijn tenen leek te komen. Ik keek bevend op naar de hemel en voelde dat mijn ogen zich meteen met tranen vulden. 'Dit is niet grappig! Ze slachten ze af!'

De eenden huilden. Ik weet nog dat ik dacht dat ze inwendig huilden en dat amo ze uitlachte. Hij joeg niet alleen op ze, hij lachte ze ook nog uit! Zoiets wreeds had ik nog nooit gezien. Ik begon te snikken. Ik moet hebben geweten hoe stom en gevaarlijk dat was, maar ik kon er niets aan doen. Mijn moeder hoorde me en kwam naar me toe rennen. Ze dwong me mijn hoofd diep te buigen, zodat het geluid van mijn gehuil zou worden gesmoord en de lijfwachten het niet zouden horen.

'Stil maar, Zainab, stil maar,' zei mama. Ze hield mijn hoofd naar beneden terwijl ik huilde. 'Hou alsjeblieft op met huilen. Hou alsjeblieft op, lieverd, wees sterk, doe het voor mij. Alsjeblieft, doe het voor mij, Zanooba. Alsjeblieft, vergeet niet waar je bent.'

Om ons heen stortten bebloede eenden ter aarde. Maar net als Sarah slaagde ik erin mijn tranen te drogen en mijn gezicht af te vegen, en tegen de tijd dat amo genoeg had van het jagen, glimlachte ik weer.

Uit het notitieboekje van Alia

Hij vertelde ons vaak dat het geweer het dierbaarste bezit van de Arabische man is. Daarna komt zijn vrouw, en daarna zijn paard. Toen hij het land bewapende, kocht hij allerlei soorten geweren, pistolen, messen, en nog veel meer. Hij liet ons vaak zijn verzameling zien en vertelde trots dat hij daar zo dol op was. Hij zette zijn vrienden aan tot dezelfde hobby door hun verschillende wapens te sturen. Ik denk dat we thuis een stuk of tien verschillende geweren hadden, en ook nog allerlei soorten messen en handwapens. We hebben die nooit gebruikt en hadden er ook geen belangstelling voor. We bedankten hem omdat hij ons een geschenk had gestuurd en bewaarden het zorgvuldig. We wisten hoe belangrijk die verzamelingen voor hem waren.

Hij had heel veel hobby's. Een tijdlang was hij helemaal weg van koken. Hij nodigde ons uit om allerlei gerechten te komen proeven, vaak traditionele. Hij wilde heel veel complimenten krijgen voor alles wat hij maakte, van zijn gerechten tot zijn paleizen. Als een ander hem die niet vrijwillig gaf, vroeg hij ernaar, en we zorgden er allemaal voor dat we heel enthousiast waren over wat we te zien of te proeven kregen. Maar niets was te vergelijken met zijn voorliefde voor mode. Op een dag vroeg hij ons naar een van zijn paleizen in Mosoel te komen. We zagen dat er allerlei tassen achter hem aan werden gedragen, maar onderweg viel een van die tassen en scheurde open. Het was een winderige dag, en tot onze grote verbazing werden er tientallen hoeden in alle soorten en maten de straat over geblazen. We waren getuigen van verschillende fasen die hij doormaakte. Hij ging een tijdje helemaal op in architectuur en psychologie. Daarna was hij een militair strateeg en sprak uren over zijn strategie; hij merkte op dat hij generaals die met een ander voorstel kwamen, zou laten doden en dat zijn plannen tot het verlies van vele levens zouden kunnen leiden. Nadat hij weer een ander Arabisch land had bezocht, keerde hij terug met het voornemen een paleis te bouwen dat nog mooier was dan dat in het land waar hij net was geweest. Hij vond het heerlijk zijn slaapkamers allemaal in een andere stijl en andere kleuren in te richten. Hij gaf miljoenen uit aan Italiaanse meubels.

ZES

Dozen

Ik ben nooit getuige geweest van wat hij mensen heeft aangedaan. Ik heb nooit de delen van het lichaam van een familielid
als puzzelstukjes bijeen hoeven rapen nadat dat in stukken was
gehakt. Ik heb nooit jarenlang van de ene gevangenis naar de andere
hoeven lopen, in de hoop ergens een zoon levend aan te treffen die
tijdens het eten door de Moekhabarat van tafel was gesleurd. Ik was
een van hen die zich gelukkig mochten prijzen, een van zijn 'dierbaren'. Ik werd bewaakt door dezelfde geheime politie die amo
gebruikte om anderen doodsangsten aan te jagen. Soms kan ik niet
ophouden met huilen wanneer ik denk aan wat hij het Iraakse volk
heeft aangedaan. Maar toen kon ik niet huilen. Ik kon me niet eens
voorstellen dat ik zou laten merken dat ik iets onrechtvaardig vond.
Ik verwerkte dat soort gruwelverhalen gewoon als feiten. We hoorden aan één stuk door verhalen over mensen die in de gevangenis
belandden vanwege een grapje over een van amo's familieleden of
vanwege kritiek op iets wat hij had gedaan.

Elke samenleving die niet langer vraagtekens zet bij haar leiders
loopt het gevaar een dictatuur te worden, en amo gebruikte onze
eigen tradities tegen ons om steeds meer angst te zaaien. Aan traditionele concepten als *ayeb*, dat betrekking heeft op alles wat ingaat
tegen het fatsoen en de goede manieren, en haram, dat betrekking
heeft op alles wat volgens de religie verboden is, voegde hij een der-

133

de toe: *mamnu'a*, wat simpelweg verboden betekende. Verboden door de regering? Verboden door Saddam Hoessein? Bij wet verboden? Dat maakte niet uit. We konden toch niet zeggen wat het verschil was. We leefden in angst. Angst verspreidde zich door de samenleving zoals een druppel verf zich door het water verspreidt waarin je de eieren voor Noroez wilt kleuren, of – en dat is misschien een betere vergelijking – zoals een bloeddruppel van je vinger in het afwaswater loopt wanneer je je hebt gesneden.

Ik kan me nog een prachtige onbewolkte dag in de winter herinneren; ik zat samen met vier andere meisjes op school buiten in het zonnetje tegen een paal van het volleybalnet geleund. Een van ons begon met grote ogen een verhaal te vertellen dat haar en haar familie in groot gevaar had kunnen brengen als we het hadden durven doorvertellen. Ze zei dat de avond ervoor in een van de arme buurten een man was gedood. Een groepje gewapende mannen was in een halve cirkel om hem heen gaan staan, aangemoedigd door een andere man, en ze hadden allemaal tegelijk aan één stuk door op hem geschoten, totdat het bloed als een fontein uit zijn lichaam spoot. Ik wist dat ik geen medeleven mocht tonen voor de geëxecuteerde man omdat ik dan in verband kon worden gebracht met datgene waarvoor hij was omgebracht. Ik bleef daarom dus maar met een volkomen uitdrukkingsloos gezicht luisteren, schijnbaar onbewogen, terwijl ik het beeld van bloed dat aan alle kanten uit het lichaam van een levend mens spoot in me opnam. Toen ik ouder werd, hoorde ik steeds meer van dergelijke verhalen. Ik weet nog dat ik iemand hoorde vertellen dat een zakenman ter dood was gebracht omdat hij het had gewaagd zijn prijzen te verhogen en zo een wet had overtreden die niemand begreep. Het verbazingwekkende was niet dat ze hem doodden, maar dat de Moekhabarat zijn familie later haar verontschuldigingen aanbood; ze hadden een foutje gemaakt, hij had helemaal geen wet overtreden. Dat gaf de familie het recht om om hem te rouwen en hem een echte begrafenis in het openbaar te geven; de nabestaanden van geëxecuteerden mochten dat doorgaans niet doen.

Voor mij, en voor ons gezin, was vooral de grote hoeveelheid tijd die we in gezelschap van Saddam Hoessein moesten doorbrengen een echte hel. Amo mocht niet weten dat ik dat soort verhalen had gehoord, en hetzelfde gold voor zijn dochters en de meisjes van de weekendhuizen, die ik als mijn vriendinnen was gaan beschouwen. Het is me alleen nooit gelukt om zulke gedachten het ene oor in en het andere oor uit te laten gaan, zoals mijn moeder me ooit heeft geprobeerd te leren. Ik leerde wel om ze te verbergen. Elke keer wanneer ik een gruwelverhaal hoorde, deed ik dat bij wijze van spreken in een doos en stopte die doos ergens in mijn geheugen achter een figuurlijk slot en grendel – ik kon bijna het geluid horen waarmee de doos werd gesloten. De 'goede' dingen die amo deed, lagen ergens voor in mijn gedachten, daar moest ik gemakkelijk bij kunnen, maar de 'slechte' dingen die Saddam Hoessein deed, werden weggestopt in die dozen, ergens diep in mijn geheugen, achter een muur die zo dik was dat amo er niet doorheen kon kijken.

Mijn moeder wist te overleven door gewoon haar gedachten uit te schakelen, en ik nam haar voorbeeld over. Denken was gevaarlijk, en daarom leerde ik het af om een eigen mening te vormen. Ik leerde mezelf te verdoven met lezen en slapen en met mijn eigen gedachten. Mijn gevoelens sloeg ik op, als bagage die ik later weer terug zou kunnen vragen, zij het tegen betaling. Maar heel af en toe kwamen die dozen in mijn gedachten naar boven en sprongen ze open, en dan zag ik het bloed van een man tegen een muur spatten. Of dan zag ik het lichaam van de echtgenoot van een van mama's vriendinnen voor haar voordeur liggen, nadat amo haar had beloofd dat haar echtgenoot de volgende dag weer thuis zou zijn. Ik probeerde die gedachten diep in mijn geest weg te duwen, maar soms bleven ze maar terugkomen, totdat ik het ten slotte niet meer kon verdragen en ik die ruimte vol verblindend wit licht binnenstapte, dat zo fel was dat het leek alsof je met open ogen in zo'n tandartslamp keek. En na een tijdje was ik zo verblind dat ik helemaal niets meer zag.

Voor mama was het veel moeilijker om haar gevoelens te verbergen. Amo kende haar al heel lang, en vaak verraadden haar grote, emotionele ogen en haar volle mond haar. Toen tante Samer mama gruwelverhalen over amo bleef vertellen en maar klaagde dat de mensen uit Tikrit Bagdad overnamen, moest mama uiteindelijk aan

Bibi vragen om tussenbeide te komen. Ik weet nog dat ik bij Bibi binnenkwam en mama daar zag liggen, met haar hoofd op de schoot van haar moeder, de zogenaamd bevrijde dochter die troost zocht bij een oude vrouw die naar parfum van theerozen rook.

'Laat haar alsjeblieft ophouden, mama, anders zal ze de ondergang van ons allemaal worden,' zei mijn moeder smekend tegen de hare. 'Ze begrijpt niet dat amo de duivel is, in alle betekenissen van dat woord. Hij betovert mensen, hij verleidt hen, en dan doet hij ze kwaad.'

Bibi luisterde alleen maar. Ik ook.

'Samer snapt het niet,' zei mama. 'Amo weet hoe hij haar blik moet interpreteren.'

Amo kon je zo indringend aankijken, zelfs wanneer hij glimlachte, dat ik instinctief de gewoonte ontwikkelde om mijn ogen neer te slaan. Ik wist dat dat gebaar als passend voor een kuis meisje zou worden gezien. Nadat ik mama die dag zo bij Bibi had gezien, werd mijn drang om haar te beschermen nog heviger. Ik stelde haar nog steeds vragen naar aanleiding van familiebijeenkomsten. ('Mama, waarom heeft amo gaatjes in zijn oren?' 'Omdat bij zijn stam de zonen als het kostbaarste bezit worden beschouwd en jongens daarom soms in hun eerste jaren als meisjes worden vermomd, om ze tegen het boze oog te beschermen.') We waren elkaars beste vriendinnen, en soms hadden we alleen elkaar om mee te praten. Maar ik vertelde haar niets over de gruwelverhalen die ik af en toe op school hoorde, en ik wist dat ze ook mij niet al de hare vertelde.

Niet lang na die middag in 1986 overleed Bibi. Ik was nog geen zeventien. Haar drie dochters wasten haar lichaam, bijgestaan door vrouwen op de begraafplaats die zulke diensten verleenden, en wikkelden het in een witte lijkwade, zoals de islam voorschrijft. We begroeven haar in ons familiegraf op de enorme begraafplaats in Najaf. Ik weet nog dat er zoveel grafstenen waren, zoveel graven van jonge soldaten die in de oorlog waren omgekomen. Het terrein was volgestouwd met duizenden grafstenen, en het leek wel alsof we er kilometers lang tussendoor moesten lopen, door de verzengende woestijn, om bij het familiegraf te komen dat al jaren het onze was. Ten slotte sprenkelden we rozenwater over haar graf. We staken kaarsen aan en luisterden huilend naar de voorgedragen passages uit de Koran. Ik had Bibi altijd gezien als een boom die ons beschutting bood, maar nu was ze er niet meer.

Na Bibi's dood veranderde tante Samer. Ze klaagde niet langer over amo en begon te bidden.

Bagdad was altijd al een stad vol politieke intriges geweest, een kruispunt van handelswegen, betwist door vreemde volkeren die het land eeuwenlang hebben overheerst. Amo blies de oude vijandelijkheden nieuw leven in en verstoorde het delicate evenwicht tussen de naar autonomie strevende Koerden in het noorden met hun eigen taal en cultuur, de onverschrokken sjiieten in het zuiden, wier trouw altijd in twijfel werd getrokken, en de overwegend door stammen bevolkte streek van Bagdad die de Amerikanen later de 'soennitische driehoek' zouden noemen. Aan het einde van de jaren tachtig was de sfeer in Bagdad helemaal omgeslagen. Amo's paleizen dijden steeds verder uit over de oevers van de rivier, en hij verdeelde banen en hele buurten vol woningen rond zijn paleizen onder Irakezen die ook uit Tikrit kwamen, zodat er een soort beschermende slotgracht aan stamgenoten ontstond. In de jaren zeventig waren er in Bagdad talloze plekken langs de rivier geweest waar je lekker kon zitten, en ook wij wandelden altijd graag over de Corniche en aten *masqoof* die net uit de Tigris was opgevist, omringd door spelende kinderen en vrouwen in korte rokjes die probleemloos zij aan zij met vrouwen in abaja's zaten. Amo en zijn stamgenoten veranderden die terrasjes langs de waterkant in drankholen waar alleen mannen welkom waren. Varkenseiland was niet langer een rustig eilandje waar je met het hele gezin kon barbecuen; het werd een toeristisch vakantieoord, genaamd 'Bruideneiland', vol casino's en grote hotels voor pasgetrouwde stelletjes die niet naar het buitenland mochten reizen.

Ik weet nog dat ik daar als tiener een keertje op een fruitautomaat heb gespeeld. Uit naam van de modernisering werd drinken, gokken en roken alleen maar aangemoedigd. Later, toen ik naar Amerika ging, merkte ik dat amo daarmee in het Westen bonuspunten had verdiend. Amerikanen waren zo geobsedeerd door de manier waarop vrouwen zich kleedden dat ze er met open ogen in waren getuind: ze geloofden echt dat Iraakse vrouwen meer vrijheid hadden gekregen omdat ze zich westers mochten kleden. Maar achter die façade was hun vrijheid juist heel erg ingeperkt: ze mochten niet reizen of zich uitspreken of bidden, en ze mochten al helemaal geen blijk geven van een mening die niet overeenkwam met die van Saddam Hoessein. Overal wemelde het van de verklikkers. Er deden verhalen de ronde dat agenten van de Moekhabarat vrouwen verkrachtten en daar video-opnamen van maakten, zodat ze de vrouwen konden chanteren en hen zo konden dwingen hun eigen familieleden te verraden. Buren verklikten buren. Zelfs kinderen konden zonder het te beseffen hun ouders verraden wanneer ze in hun onschuld eerlijk antwoordden als de juf of meester vroeg wat hun baba over Saddam Hoessein zei.

De oorlog was voortdurend op de achtergrond aanwezig. Wanneer ik door de stad heen en weer reed, van paleis naar school, tussen gedachteloze rijkdom en de angst van de arbeidersklasse door, zag ik overal op straat tekens van het Iraakse militarisme. Overal liepen mannen in uniform. Leden van de Baathpartij, soldaten, jongemannen van de Burgerverdediging die in het 'verdedigen' waren getraind en kalasjnikovs uitdeelden. Op de Iraakse tv waren voortdurend beelden van dode Iraanse soldaten te zien, en de straten van Bagdad vulden zich met zwarte doeken wanneer de inwoners vaandels ophingen ter herinnering aan de omgekomen Iraakse soldaten, en vrouwen de zwarte rouwkleding aantrokken die na de dood van een familielid veertig dagen en soms wel een jaar wordt gedragen. Nabestaanden bonden doodskisten boven op hun auto's, en op een dag stonden we in de file achter een auto met een houten doodskist met een Iraakse vlag erop. Maar de kist was niet helemaal dicht, en ik uitte een kreet toen ik besefte dat het blauwe, stoffige ding dat uit die kist stak een voet was. 'Rustig maar, lieverd,' zei mama, hoewel ze er duidelijk net zo van was geschrokken als ik. Ze begon, zoals de gewoonte was wanneer je een dode zag, meteen gebeden uit de Koran op te zeggen waarin ze God vroeg zijn ziel genadig te zijn.

Voor mijn klasgenootjes kwam de oorlog erg dichtbij. Velen van hen hadden een vader of broer naar het front zien vertrekken, en ik weet nog goed dat een lang meisje dat altijd aardig voor me was geweest op een dag in het zwart op school verscheen en vertelde dat haar oudste broer aan het front was gedood en dat haar moeder maar bleef huilen. Ik wist dat ik bevoorrecht was omdat geen van mijn familieleden het leger in hoefde. Mijn oudere neven wisten, zoals zoveel leden van families die niet onbemiddeld waren, aan de dienstplicht te ontkomen, maar zelfs zij betaalden in zekere zin een prijs. Dawood, de oudste zoon van oom Adel, werd voor zijn studie naar Engeland gestuurd. Jarenlang had hij geen contact meer met zijn dierbaren omdat zijn familie niet naar het buitenland mocht reizen, maar hij kon ook niet naar huis komen, want dan zou hij in dienst moeten. Toen we een keer in het buitenland waren, wisten we hem op te zoeken, en ik had heel erg met hem te doen toen ik hoorde wat hij allemaal wilde weten. Het waren heel simpele dingen: hoe zijn zusje er nu uitzag, en of zijn broertje al een vriendinnetje had, en hoe het dagelijks leven eigenlijk was voor zijn familie.

De meeste Iraakse families hadden natuurlijk niets te kiezen. Ik zie nog de door de zon gebruinde vingers van Radya's moeder voor me die zich aan het open raampje van onze auto vastklampte toen we Radya op een dag voor haar werk kwamen halen; de vrouw smeekte mijn moeder snikkend of zij alsjeblieft iets voor haar zoon kon doen. Hun oudste zoon was opgeroepen, de zoon op wie ze allemaal hun hoop voor een betere toekomst voor het gezin hadden gevestigd. 'Het komt allemaal wel goed,' zei mijn moeder geruststellend. Toen we naar ons huis reden, zei ik op mijn beurt tegen de snikkende Radya: 'Je hoeft niet te huilen, het komt allemaal wel goed.' Maar eerlijk gezegd wist niemand of dat zo was. Hij ging naar het front. Honderdduizenden gezinnen zoals het hunne zouden hun zonen verliezen, maar ons gezin niet. Die ongelijkheid maakte het des te schrijnender. Ik zag de armen niet langer als mensen die minder geld hadden, maar vooral als mensen die minder mogelijkheden hadden; ze waren niet in staat de keuzes te maken waardoor ze het lot in eigen hand konden nemen. Wie sjiiet was, vroom en arbeider, bleef altijd een tikje verdacht. Om veiligheidsredenen mocht Radya nooit naar ons weekendhuis komen, zelfs niet om schoon te maken. Op weg naar het weekendhuis reden we door

Radya's buurt, maar ik zei nooit tegen de andere meisjes dat ik tijd doorbracht met de familie van een bediende.

Soms had ik het gevoel dat amo invloed had op de kleinste en onbeduidendste gebeurtenissen in mijn leven. Ik wilde niets liever dan een doodgewone tiener zijn die doodgewone dingen deed. Toen ik op de middelbare school zat, vroeg mijn neef Naim een keer of ik zin had om met hem en zijn vrienden naar een tienerdisco op de Jachtvereniging te gaan. De Jachtvereniging was een grote, besloten vereniging waar gezinnen uit de midden- en bovenklasse konden zwemmen, tennissen en dineren. Mijn neefjes, nichtjes en ik hadden daar min of meer onze hele jeugd doorgebracht. Daar had mijn vader me voor het eerst over een dansvloer laten zwieren, daar smokkelde mijn moeder in het donker extra porties hummus de filmzaal in, denkend dat toch niemand het zag. Daar, in het drukke zwembad van de Jachtvereniging, had tante Samer het gewaagd om kritiek op amo te hebben. Ik verheugde me heel erg op een avondje dansen met leeftijdgenoten en hulde me in een paarse jurk, deed enorme oorbellen in en liet mijn krullen los over mijn schouders hangen. Die avond maakte mama me voor de eerste keer in mijn leven op mijn verzoek op, zij het heel bescheiden. Ze was verbaasd dat ik dat wilde, maar dit was geen feestje op het paleis.

Toen Naim me kwam ophalen, waren mijn ouders trots omdat hun tienerdochter voor het eerst in haar eentje een avondje uitging. Voor mij voelde het vooral als een beloning na al die weekends in ons tweede huis. De Jachtvereniging puilde uit van jongens en meisjes van onze leeftijd, discolampen flitsten aan en uit, en iedereen stond te dansen. Halverwege de avond werd ik ten dans gevraagd door een vriend van mijn neef die ik wel leuk vond. Ik vond het heerlijk om gewoon te kunnen dansen, en we deden allebei ontzettend ons best om zo cool mogelijk over te komen, al waren we veel te verlegen om echt bij elkaar in de buurt te komen. Toen het liedje afgelopen was en ik weer naast mijn neef ging zitten, merkte ik dat er onrust in de zaal ontstond. De muziek bleef doordreunen, maar jongens en meisjes draaiden zich om op hun stoelen en keken naar het andere einde van de zaal om te zien wat er aan de hand was. We zaten helemaal aan de andere kant, maar uiteindelijk bereikte het nieuws ook ons. Er was iets mis.

'Oedai is net binnengekomen,' fluisterde iemand aan het tafeltje naast ons. 'Hij heeft bevolen dat niemand het feest mag verlaten.'

Oedai was een van de zonen van amo, die de roddelrubrieken in de krant vulde met zijn bespottelijke outfits, dure auto's en talloze vriendinnetjes. Naim en ik keken elkaar aan. Ik had mijn ouders beloofd dat ik om half twaalf weer thuis zou zijn, en hij ook, dus het was logisch dat we ons allebei bezorgd afvroegen of we na ons eerste avondje uit wel weer op tijd voor de deur zouden staan. Naim stond op om te kijken wat er aan de hand was en kwam een minuut later weer terug.

'Oedai heeft opdracht gegeven om alle deuren dicht te doen,' zei hij. 'Pak je tas en je jas, maar trek je jas nog niet aan. Leg hem gewoon over je arm, alsof je een beetje rondloopt. Ik geloof dat ik een uitweg heb gezien.'

Hij nam me mee naar een klein raampje vlak boven de vloer, en ik boog me voorover en perste me erdoorheen. Op dat moment wilde ik dat ik een broek had aangetrokken in plaats van mijn nieuwe paarse jurk. Het was maar goed dat we de weg kenden op de Jacht-vereniging, want Oedais mannen waren overal. We glipten door een achterdeur, staken het angstaanjagend grote terrein over en vonden ten slotte een opening in de buitenmuur waardoor we weer bij onze auto konden komen. Toen we bij mij thuis aankwamen, zag ik dat de auto van mijn vader niet in de garage stond. Ik vertelde mijn moeder hoe we hadden weten te ontkomen, maar ze bleef erg bezorgd kijken.

'Maar, mama, ik heb niets verkeerds gedaan! Ik ben op tijd thuis! Waarom ben je boos op me?'

Toen begon ze te huilen en te schreeuwen. 'Begrijp je het dan niet, Zainab? We maakten ons vreselijk veel zorgen over je. Baba raakte helemaal in paniek toen hij hoorde dat Oedai naar dat feest ging. Hij is naar de club gereden om je te zoeken. Hij is er nu nog steeds.'

Ik begreep niet waarom ze zo tegen me stond te schreeuwen. Ik had niets verkeerds gedaan. Ik wist alleen maar dat Oedai me mijn ene avond vol vrijheid had ontnomen. Het enige wat ik wilde, was een gewone tiener zijn, maar amo en zijn familie beheersten onze levens. Die avond huilde ik mezelf in slaap terwijl baba aan iedereen op de club vroeg of ze me hadden gezien. Mama vertelde later dat hij bevend van angst naar huis was gereden en meteen naar boven was gerend om te kijken of ik echt in mijn bed lag te slapen.

De volgende morgen ging de telefoon aan één stuk door. Mijn tantes en de vriendinnen van mijn moeder belden elkaar allemaal, doodsbang omdat de beruchte Oedai juist die ene plek was binnengedrongen die iedereen als 'veilig' had beschouwd.

De vrouwen van Bagdad wisten iets wat ik op mijn vijftiende, zestiende nog niet helemaal begreep: Oedai, de oudste van amo's beide zonen, zou later over de hele wereld berucht worden vanwege zijn 'verkrachtingspaleizen', waar hij vrouwen misbruikte en martelde. Hij gaf ondergeschikten de opdracht om nietsvermoedende jonge vrouwen naar zijn feestjes te lokken, waar ze soms werden bedwelmd en zich moesten uitkleden of naakt voor hem moesten dansen voordat ze ten slotte het slachtoffer van verkrachting werden. In Irak wordt een vrouw die geen maagd meer is, al is dat door verkrachting, niet langer als geschikte huwelijkskandidate gezien. Uit medelijden doet de familie vaak een poging om haar 'eer te redden' door haar uit te huwelijken aan de man die haar heeft verkracht, maar wanneer Oedai de verkrachter was, was een dergelijke regeling natuurlijk niet mogelijk. In dat geval was de vrouw geheel aan zijn genade overgeleverd en moest ze zich wel bij zijn 'harem' van slachtoffers voegen waarvan hij vrienden en lijfwachten gebruik liet maken. Ze moest altijd klaarstaan om zijn wensen en fantasieën te vervullen. Ongeveer een jaar na het incident op de Jachtvereniging nodigde Oedai de dochter van een vriendin van mijn moeder uit voor een afspraakje, en haar ouders schrokken zo verschrikkelijk dat ze halsoverkop een huwelijk met een neef in Doebai voor haar regelden. Ze verliet bijna onmiddellijk het land. Op haar verlovingsfeestje was haar man niet meer dan een foto op een stoel naast de hare.

Op een dag kreeg ik net tennisles op de Jachtvereniging toen Oedai naast de baan bleef staan en naar me keek. Mijn vader kon heel goed tennissen en had me al eerder lesgegeven, zodat we tegen elkaar

142

konden spelen. Ik weet nog dat ik me door Oedais aanwezigheid plotseling heel erg bewust was van mijn korte tennisrokje, terwijl mijn tennisleraar probeerde te bedenken wat nu eigenlijk wel en niet gepast was. Als we ophielden met spelen, kon ons worden verweten dat we bang voor Oedai waren. Als we doorgingen en geen aandacht aan hem schonken, kon dat als onbeleefd worden gezien. Uiteindelijk wisselden we nog een paar slagen uit en riep mijn leraar me naar het net, onder het voorwendsel dat hij me een aanwijzing wilde geven, en zei zachtjes dat ik naar binnen moest gaan. Daarna liep hij naar Oedai toe om een praatje met hem te maken. Ik wendde mijn blik af en liep naar de andere kant van de baan, waar het veilig was.

Tot die dag had ik het gevoel gehad dat me niets kon gebeuren. Ik was een 'vriendin' van Oedais zus. Mijn moeder was een 'vriendin' van zijn moeder. Ik verkeerde in het gezelschap van meisjes die ervan droomden om met hem te trouwen. Ik wist dat Luma dacht dat een huwelijk met de zoon van de president garant zou staan voor macht, rijkdom en een permanent verblijf op het paleis. Ik weet niet hoe vaak ik jonge vrouwen voor het paleis heb zien staan die blozend over Oedai roddelden. Hadden ze dan niets over zijn wreedheden gehoord? Vonden ze het idee om in het paleis te worden opgesloten soms aantrekkelijk? Gaven ze zoveel om macht dat ze bereid waren hun vrijheid ervoor op te offeren? Ik wist het niet, en ik vroeg er niet naar. Ik kon alleen maar proberen om niet al te ontzet te kijken wanneer de andere meisjes over hem praatten.

Op een donderdagavond zouden we met het hele gezin naar een feestje van een ander gezin gaan. Ze hadden een Iraakse en westerse band ingehuurd. Ik kleedde me om en liep naar beneden om tegen mijn ouders te zeggen dat ik klaar was om te vertrekken. 'Dat is te bloot, je moet iets anders aantrekken,' zei baba toen hij zag wat ik droeg.

Ik had een heel fatsoenlijke jurk met korte mouwtjes aan, maar omdat ik gewend was te doen wat mijn ouders zeiden, liep ik naar boven om iets aan te trekken wat nog gekleder was. Toen ik weer beneden kwam, zei hij wederom dat ik iets anders aan moest doen. Er knapte iets in me.

'Wat is er toch aan de hand?' wilde ik weten. 'U hebt deze kleren zelf voor me gekocht. U bent de vrijzinnige vader die me zo heeft opgevoed. U bent degene die me heeft geleerd hoe ik met mes en vork moet eten, en met mijn mond dicht, en nu eet en drinkt u zelfs net zoals zij. Wat is er met u gebeurd, baba? U bent zo schijnheilig. U begint heel erg te veranderen.'

Mijn uitspraken waren heel erg *ayeb*, zo niet haram: volgens de Koran mag je je ouders niet tegenspreken. Ik rende meteen naar boven, zodat hij niet eens de kans kreeg om te vragen hoe ik zo'n grote mond durfde te hebben. Ik had nog nooit een grote mond tegen hem gehad. Ik weet nog dat mama me uitlegde dat hij me alleen maar probeerde te beschermen tegen amo's politieagenten uit Tikrit die de Jachtvereniging binnendrongen, het personeel en de vaste klanten onder schot hielden en bevelen gaven. Toen we de keer daarop naar het buitenland gingen, viel het me op dat het hem helemaal niet interesseerde wat ik droeg.

Ik herkende die man nog amper als mijn vader. Het was alsof hij steeds dieper een woestijn in was gelopen, totdat het zand hem ten slotte had bedolven. Baba had er vroeger altijd op gestaan dat we netjes aten. Hij was degene die me had geleerd hoe ik de tafel moest dekken. Maar nu de stammen uit Tikrit in Bagdad gaandeweg de touwtjes in handen kregen, zat hij steeds vaker met zijn handen te eten. Wat was er gebeurd met baba die met me danste op rock-'n-roll? Die met me had gezwommen, me had gekieteld, en me had beloofd dat hij me zou leren vliegen? Ik wist niet waar die man was gebleven. Baba was veranderd in iemand met ouderwetse opvattingen die niet langer grapjes maakte of grappige liedjes zong, maar altijd streng en bang was. Mama's uitleg luidde dat amo de spot had gedreven met mijn vader, die als verwend stadsjochie was opgegroeid, de beste scholen had bezocht en vloeiend Engels sprak, en dat mijn vader nu alleen maar zijn best deed om erbij te horen. Dat was veiliger. Ik twijfelde er niet aan dat ze gelijk had. Ik kon hem bijna zien worstelen met het nieuwe imago dat hij zichzelf probeerde aan te meten. Maar ik zag ook iets anders, namelijk dat hij zich na jaren van verzet eindelijk overgaf.

Ik denk dat ik nog weet wanneer het precies gebeurde. We zaten in het weekendhuis. Baba kuste amo ter bergroeting niet op beide wangen, zoals in het Midden-Oosten de gewoonte is, maar op beide schouders. Het was me al opgevallen dat ambtenaren hem in het openbaar ook zo begroetten, maar het was heel vernederend om te zien dat ook vrienden van vroeger het nu zo deden. Als iemand op dat moment mijn gezicht had kunnen zien, was meteen duidelijk geworden dat ik heel erg van streek was. Was dit soms een nieuw bevel van amo? Of had baba vrijwillig voorgesteld om amo op deze manier te kussen?

'Waarom kuste baba amo op zijn schouders in plaats van op zijn wangen?' vroeg ik later aan mijn moeder.

'Amo is bang voor bacteriën en heeft daarom bevolen dat iedereen hem op de schouders kust,' zei ze, maar dat was een zwak antwoord.

Ik wist dat amo altijd zijn handen waste en soms ook mensen die hij niet kende de opdracht gaf om hun handen met desinfecterende zeep te wassen voordat ze aan hem werden voorgesteld. Hij was fanatiek wanneer het om hygiëne ging. Maar dat verklaarde niet waarom hij zich door vrouwen en kinderen wel op de wang liet kussen. Amo schreeuwde tegen vrouwen, maar het was voor hem een noodzaak om mannen te vernederen en hun hun plaats te wijzen, ook als er verder niemand bij was. Het leek wel alsof hij dacht dat hij een soort god was die boven alles en iedereen stond.

Op een avond tijdens de ramadan ving ik tijdens een bezoekje aan tante Nada's weekendhuis een glimp van zijn eigenwaan op. Het was mooi weer, en de bewakers en koks waren in de tuin bezig de tafel te dekken voor de iftar, de maaltijd die na zonsondergang wordt genuttigd. Iedereen rond de tafel sprak het openingsgebed uit: 'God, ik heb voor U gevast, ik heb op U vertrouwd, en ik heb het voornemen om morgen weer te vasten. God, schenk alstublieft vergiffenis aan de gelovige mannen en vrouwen en de moslimmannen en -vrouwen en vergeef me mijn zonden, God.'

Voordat we de vasten mochten verbreken met linzensoep en dadels die in yoghurt waren gedoopt, moesten we wachten totdat amo klaar was met zijn gebed. In mijn ogen waren gebeden bedoeld om ons aan onze eigen nederigheid te herinneren. We moesten onze schoenen uittrekken, ons wassen en schone kleren aantrekken voordat we konden bidden. Elke keer wanneer ik neerknielde om te bidden en mijn voorhoofd tegen de grond drukte, probeerde ik niet alleen God te bedanken, maar mezelf er ook aan te herinneren hoe onbeduidend ik was, als een mier in het aanzien van God. Bibi had me geleerd dat iedereen voor God gelijk is. Maar wanneer amo wilde bidden, stond hij op, in zijn militaire uniform, en tilde zijn voet op, zodat Hanna eerst zijn ene en vervolgens zijn andere schoen voor hem kon uittrekken. Ik zag geen moment een blijk van nederigheid. Was een bediende die je schoenen voor je uittrok niet in strijd met de essentie van het gebed? Hij deed me denken aan de manier waarop ik vroeger had gebeden, terwijl de tv aanstond, omringd door lachende moeders en spelende kinderen; ik wilde toen vooral laten merken dat ik wist hoe het moest en probeerde me helemaal niet aan God te wijden. Deed amo dat soms ook? Sloofde hij zich gewoon uit? Wat voor soort man was hij, vroeg ik me af, als hij het niet eens kon opbrengen om zich ten opzichte van God bescheiden op te stellen?

Toen we de vasten hadden verbroken, begon amo zoals gewoonlijk aan de Chivas Regal. Dat vond ik nog schokkender. Zelfs niet al te gelovige mensen die gewoonlijk wel dronken, zoals mijn vader, raakten tijdens de ramadan geen druppel drank aan, uit eerbied voor de heilige maand. De ramadan wordt gezien als een periode van bezinning, waarin je een stapje terug doet, over het leven nadenkt en je richt op de banden met je familie en de rest van de gemeenschap.

Toen mijn moeder en ik de volgende morgen een wandelingetje maakten, vroeg ik haar waarom amo niet zelf zijn schoenen uittrok voordat hij begon met bidden.

'Amo heeft last van zijn rug,' zei ze. 'Hij kan niet bukken.'

Maar hij bukte zich wel om te bidden, dacht ik. Was dat een ander soort pijn dan de pijn die hij voelde wanneer hij zijn schoenen uittrok?

'Waarom drinkt amo whisky tijdens de ramadan?' vroeg ik.

'Dat weet ik niet, Zanooba, dat weet ik gewoon niet,' zei ze op vermoeide toon.

Veel mensen vergeleken hem vanwege zijn grootheidswaan en schrikbewind met Hitler en Stalin, en ik denk dat hij dat helemaal niet erg vond; ik weet dat hij soms na het eten een bediende een serveerwagentje met hun boeken naar binnen liet rijden. Soms liet hij hun namen in een gesprek vallen, net als die van historische Arabische figuren als Saladin, die tijdens de kruistochten tegen de christenen vocht, en Hammoerabi, de Mesopotamische koning uit de oudheid die beroemd is geworden door zijn wetboeken. Hij was zichzelf als hun gelijke gaan zien. Sterker nog, hij probeerde hen te overtreffen. Drie jaar lang was hij bezig geweest de Hangende Tuinen van Babylon van koning Neboekadnessar, een van de zeven wereldwonderen, te restaureren, en toen het project eindelijk klaar was, stond hij te popelen om het aan iedereen te laten zien.

We werden uitgenodigd voor de officiële opening, een groot evenement dat nog het meeste aan een filmpremière deed denken. Er waren artiesten en muziekgroepen van over de hele wereld uitgenodigd, van Bulgaarse dansers tot Russische ballerina's, om de avond op te luisteren. Omdat baba verhinderd was, gingen we samen met oom Kais en zijn gezin. Op het Babylon Festival werden er meteen camera's op ons gericht toen we naar onze plaatsen op de eerste rij liepen. Oom Kais was een soort beroemdheid, en zijn dochters liepen met opgeheven hoofden, alsof ze waren gewend aan de rode loper en genoten van alle aandacht. Ik liep achter hen aan en kon me alleen maar verbazen over het feit dat we als vips werden gezien. Mijn ouders hadden het er bij ons ingehamerd dat we niemand iets mochten vertellen over onze relatie met amo en dat we ons niet 'verwaand' mochten gedragen, en daarom was ik des te verbaasder dat mensen ons aanstaarden. Dat wilde ik helemaal niet. Ik was liever onzichtbaar geweest.

Het verbazingwekkendste van die avond was nog wel Babylon zelf. Ik had al veel historische steden gezien, van Athene tot Rio, en ik wist hoe belangrijk het was om oude overblijfselen te bewaren. Ik wist dat de schoonheid van een vindplaats vooral samenhangt met de ouderdom, dat de elegantie zich bijna toevallig openbaart in de stenen van een uiteenvallende ruïne, in de structuur en zelfs de geur van die eeuwenoude bouwelementen. Maar deze stad was gloednieuw. In zijn geestdrift om Neboekadnessar voorbij te streven had amo de oude ruïnes laten slopen. Toen mama en ik daar rondliepen en beseften wat hij had gedaan, wisten we niet of we nu moesten lachen of huilen. Boven op de eeuwenoude bakstenen met de inscriptie GEBOUWD IN DE TIJD VAN NEBOEKADNESSAR had hij duizenden knalgele, gloednieuwe bakstenen laten metselen, die elk van het opschrift GEBOUWD IN DE TIJD VAN SADDAM HOES-SEIN waren voorzien.

Toen we daar die avond vertrokken, begreep ik iets beter in welke positie mijn ouders verkeerden. Tante Nada en oom Kais staken hun vriendschap met amo niet onder stoelen of banken; ze waren in zaken gegaan en mede dankzij hun connectie met hem steenrijk geworden. Ze konden zich uitspattingen veroorloven die ons gezin niet van het salaris van een piloot kon betalen. Wij hadden de erfe-nis van mijn moeder hard nodig omdat het steeds maar duurder werd om de schijn op te houden. We waren een werkend gezin uit de middenklasse dat tussen twee werelden gevangenzat. De mensen die ons die avond zagen lopen, dachten misschien dat we deel uit-maakten van de kliek op het paleis, maar diezelfde kliek zag ons juist als deel van het gewone volk. We behoorden tot amo's vrienden-kring, maar ook tot de sjiitische gemeenschap die hij vervolgde. We behoorden niet tot de wereld der machtigen, maar ook niet tot die der machtelozen. Ik reisde tussen beide werelden heen en weer, maar kon in geen van beide praten over wat ik in de andere had gezien.

De financiële druk om mee te blijven doen, was enorm, en op een avond maakten mijn ouders een fikse ruzie over de vraag hoe ze dat vol konden houden. Het eindigde ermee dat mijn moeder mijn broertje Hassan en mij meenam naar het weekendhuis. Haider bleef thuis bij baba. Ik was bijna achttien en zat plotseling weer in dat huis, hartje zomer, midden in de bloedhete woestijn. Toen we na een maand weer naar huis reden om meer kleren te halen, hadden mama en baba elkaar al die tijd niet meer gesproken, maar ze begonnen bijna meteen weer met ruziën. Als op bevel – hadden de muren echt oren? – ging de telefoon. Het was iemand uit het paleis die meldde dat amo hen onmiddellijk in het weekendhuis wilde spreken. Ik had nog niet eens de tijd gehad om alles in te pakken en moest er niet aan denken om nu meteen weer terug te rijden. Mijn ouders vertrokken meteen, ieder in hun eigen auto, en mijn moeder beloofde dat ze een auto zou sturen om mij op te halen. Nu ik alleen in dat huis zat waar ik zo gelukkig was geweest, keek ik naar de vertrouwde spulletjes om me heen, die ik al een maand niet meer had gezien, en merkte dat niets hetzelfde leek. We hadden nagenoeg geen vrienden meer. Ik zag mijn neven en nichten bijna nooit meer – we werden bijna altijd in dat weekendhuis ontboden, en ik begon het gevoel te krijgen dat sommige familieleden ons echt als 'vrienden van Saddam' zagen. Ik wilde gewoon ontsnappen. Ik miste Bibi en haalde haar abaja uit de kast, trok hem aan en liep naar een kruispunt in de buurt van ons huis. Ik hield een taxi aan en stapte in. Toen we wegreden, had ik heel even het gevoel dat ik aan een avontuur begon, en dat was best eng. Ik overtrad de regels. Ik gehoorzaamde mijn ouders niet. Ik was een jonge vrouw die zich moederziel alleen in het openbaar waagde; mijn vriendinnen op het paleis, en zelfs mama, zouden hierdoor in opspraak kunnen komen. Ik zei tegen de chauffeur dat hij naar de Kadhimiyamoskee moest rijden, een van de bezienswaardigheden van Bagdad, het heiligdom waar we langs waren gereden toen ik mijn moeder voor het eerst de naam van amo had horen noemen.

Daar aangekomen liep ik de binnenplaats op en bleef daar twee uur lang zitten, omringd door de troostende anonimiteit van honderden andere vrouwen die net zo gekleed waren als ik.

'Alstublieft, God, doe iets, red alstublieft ons gezin, doe iets, alstublieft,' bad ik. 'Laat me uit deze gevangenis ontsnappen, God.'

Terwijl ik in de moskee zat, probeerde amo ons gezin te redden. Het bleek dat hij mijn ouders had laten komen om ze met elkaar te verzoenen. Hij zat in die tijd in zijn psychologiefase en speelde graag voor relatietherapeut. Toen de auto bij ons huis aankwam en de chauffeur mijn ouders opbelde om te zeggen dat ik niet thuis was, zei amo meteen tegen hen: 'Zainab probeert jullie iets duidelijk te maken. Ze is weggelopen om jullie aandacht te trekken. Ze wil dat jullie weer bij elkaar komen. Doe het voor haar, al is dat de enige reden.'

Het enige wat ik die dag wilde, was samen zijn met anderen, zonder amo, zonder lijfwachten, zonder oplettende blikken. Maar later hoorde ik dat amo naar me had laten zoeken. Blijkbaar was de politie ook in de moskee geweest, maar hadden ze me niet zien zitten. Ik wist dat soldaten van amo in die moskee vaak arme sjiitische mannen hadden opgepakt, hen naar Iran hadden gedeporteerd, naar het front hadden gestuurd, of hen in de gevangenis hadden gegooid en gemarteld omdat ze hadden zitten bidden. Had de zoektocht naar mij leed voor een ander betekend? Had ik iemand anders in gevaar gebracht, net zoals mijn vader die jongen bij ons in de buurt in gevaar had gebracht op de avond dat amo bij ons op bezoek kwam? Was mijn bevoorrechte positie een zegen omdat die me behoedde voor het verlies van mijn dierbaren, een lot dat mijn klasgenootjes wel had getroffen? Of was het een vloek, die het voor mij onmogelijk maakte om geruisloos te verdwijnen?

Toen ik eindelijk in mijn eentje naar huis terugkeerde, zaten mijn ouders daar allebei op me te wachten. Ze sloegen hun armen om me heen en boden hun verontschuldigingen aan omdat ze zo vaak ruzie hadden gemaakt en ze zeiden dat we allemaal weer thuis gingen wonen. Had ik me als een verwend kind gedragen? Ik wist niet zeker wie hen weer bij elkaar had gebracht, ik of amo, maar ze hebben me nooit een standje gegeven omdat ik die middag de benen had genomen.

Amo heeft er tegen mij nooit iets over gezegd, maar uiteindelijk begreep ik dat ik bij amo een wit voetje had gehaald omdat ik het had aangedurfd om mezelf kwetsbaar op te stellen in een poging het huwelijk van mijn ouders te redden. Mama zei tegen me dat hij mijn 'pit' wel kon waarderen.

Uit het notitieboekje van Alia

Saddam begon in Bagdad bergen aan te leggen. Hij liet een stuk of
drie bergen aanleggen, die hij vergeleek met de bergen van
Neboekadnessar in Babylon. Om de drie tot vier maanden liet hij een
nieuw paleis bouwen, en telkens wanneer er eentje klaar was, werden
we uitgenodigd voor de opening en pronkte hij met zijn nieuwste
bouwsel. Op een bepaald moment beweerde hij dat hij 150 paleizen
had ontworpen. Rond al zijn paleizen liet hij meren uitgraven die hij
met vis liet vullen, zodat hij altijd zijn hobby, vissen, kon beoefenen.
Als hij er niet in slaagde iets te vangen, liet hij een handgranaat in
het meer gooien, zodat hij in één keer zoveel mogelijk vissen wist te
doden.
In die tijd praatte hij graag over God en het heelal. Hij beweerde
vaak dat God niet helemaal tevreden was met de bergen, bomen en
zelfs niet de dieren die Hij had geschapen. Daarom had God de mens
geschapen en die de opdracht gegeven Hem dag en nacht te
aanbidden. God werd nog blijer nadat Hij de mens had bevolen Zijn
naam te eren en dag en nacht tot Hem te bidden. Saddam vergeleek
de gevoelens van God met die van een menselijk leider. Een leider die
geen volk heeft dat hem volgt en aanbidt, was volgens hem geen
meester. Een leider heeft een volk nodig dat hem aanbidt, zodat hij
zijn macht kan uitoefenen en zijn kracht kan aanwenden en de
schepping kan voltooien.

ZEVEN

Een wit paard

Ik wist al heel vroeg hoe belangrijk een goede opleiding was: mijn vader had de gewoonte om sinaasappels voor me te persen en het glas met sap op mijn bureau te zetten, zodat ik geen excuus zou hebben om het maken van mijn huiswerk te onderbreken. Tegen de tijd dat ik eindexamen deed, zag ik de universiteit niet alleen maar als een vervolgopleiding, maar ook als een manier om te ontsnappen aan het leven dat ik leidde. De jonge vrouwen met wie ik de weekends doorbracht, gingen allemaal studeren – dat stond vast – maar ze leken het als een soort persoonlijk eindpunt te zien. Onze moeders hadden allemaal gestudeerd en aan hun carrières gewerkt. Velen van hen hadden hun hele leven al gewerkt; zelfs de vrouw van Saddam bleef werken nadat haar man president was geworden. Toch leken de meeste jonge vrouwen die ik kende de universiteit vooral te beschouwen als de plek waar ze hun echtgenoot konden leren kennen. Daarna zouden ze een leven gaan leiden waarin alles draaide om kinderen en sociale verplichtingen.

Dat wilde ik niet. Tegen de tijd dat ik in de bovenbouw zat, droomde ik van een carrière in een vak waarin ik goed was, een beroep waarop ik me met hart en ziel zou kunnen richten. Ik wilde een baan waarvoor ik zou moeten reizen en mensen van over de hele wereld kon leren kennen, en die me zou laten kennismaken met de literatuur, kunst en culturen van andere landen. Dankzij vakan-

ties in het buitenland en jarenlang intensief oefenen sprak ik vloeiend Engels en een klein beetje Frans, en daarom wilde ik een ver-
taalopleiding gaan volgen. Mijn vader had me ooit lang geleden
beloofd dat ik mijn universitaire titel in het buitenland mocht halen
en daarna misschien voor het Iraakse ministerie van Buitenlandse
Zaken of voor een organisatie van de vn kon gaan werken. Een
graad in buitenlandse talen zou mijn paspoort naar de vrijheid zijn,
en ik beloofde mezelf plechtig dat ik dat op mijn zesentwintigste
zou hebben bereikt.

Leerlingen op de middelbare school konden zich niet zomaar
voor om het even welke universiteit aanmelden en mochten niet zelf
hun hoofdvak kiezen. We konden een voorkeur aangeven, maar ons
lot werd bepaald door een strenge verdeelsleutel waarin bonuspunten werden toegekend voor het lidmaatschap van de Baathpartij en
het aantal familieleden dat tijdens de oorlog was omgekomen of
invalide was geraakt. Ik had helemaal geen recht op bonuspunten en
was dan ook opgelucht toen na een test bleek dat ik goed genoeg was
voor mijn eerste keuze: de faculteit der letteren van de Mustansiriya
Universiteit, de op een na grootste universiteit van Irak. Ik wilde me
specialiseren in Arabisch, Engels en Frans.

De eerste dagen op de universiteit voelden als een nieuw begin. Ik
kreeg een nieuw uniform en mijn moeder gaf me haar oude auto,
zodat ik er zelf heen kon rijden. Ik voelde me opeens heel erg onafhankelijk toen ik die grote, moderne campus opreed waar duizenden eerstejaars rondliepen die ik nog nooit had gezien. Nieuwe studenten kregen een ouderejaars toegewezen die hen wegwijs moest
maken, en mijn gids – die de Baathtitel *rafeeq* droeg, wat 'vriend' of
'kameraad' betekent – was een knappe jongeman die ook de leider
van de studentenafdeling van de Baathpartij bleek te zijn. Op de
campus was de partij nogal actief, en toen ik een uitnodiging kreeg
om een vergadering 'bij te wonen' wist ik dat ik niet kon weigeren.
Toen de docent begon te vertellen over de leus van de Baathpartij,
'Eerst uitvoeren en dan bespreken', stak ik mijn vinger op, glimlachte en stelde een vraag.

'Hoezo?' vroeg ik uiterst vriendelijk. 'Ik moet toch eerst weten
wat ik uitvoer voordat ik het kan uitvoeren, of niet?'

Iedereen in de zaal viel stil. De docent verstijfde en lachte kramp-achtig. Ik kon zien dat hij zijn geduld probeerde te bewaren. Ik was nieuw.

'Als iedereen eerst uitgebreid over elke opdracht wil gaan praten, krijgen we nooit iets gedaan,' zei hij. 'We dienen erop te vertrouwen dat onze leiders de juiste beslissingen nemen, en daarom voeren we hun beslissingen snel uit en zorgen we ervoor dat belangrijke zaken geen vertraging oplopen.'

Ik had gedacht dat er aan de universiteit enige gelegenheid voor discussie zou zijn, maar ik had het mis. Al snel ontdekte ik dat er tij-dens elk college minstens twee Baathspionnen aanwezig waren, en heel veel docenten, ook degene die me die dag op mijn vingers had getikt, ontvluchtten uiteindelijk het land. Toch had ik voor het eerst sinds jaren het idee dat er een wereld voor me openging. Hier had ik nieuwe kansen, en nu we allemaal weer thuis woonden, was er ook een nieuw soort rust over het huis in de Luchtvaartbuurt neerge-daald. Mama kon zich weer ontspannen. Baba was niet meer zo vaak weg, en toen we een kok in dienst namen, kwam er ook een einde aan een oud twistpunt tussen mijn ouders: wanneer baba niet in het buitenland zat, wilde mama het liefste elke dag uit eten, ter-wijl hij er de voorkeur aan gaf om thuis te blijven en zelf iets lekkers te koken. Wanneer ik thuiskwam van college, werd ik altijd begroet door de geuren van heerlijke gerechten en een tafel die voor de lunch was gedekt met linnen.

Toen we op een dag tussen de middag aan de *timen bah gillah* zaten en ik druk zat te vertellen over al mijn nieuwe colleges en de vriendschappen die ik sloot, begon baba me op korzelige toon allerlei vragen te stellen. Waar woonden al die nieuwe vriendinnen? Hoe heetten hun ouders? Had ik iemand mijn telefoonnummer gegeven? Een paar gelukzalige weken lang had ik het mezelf toege-staan om even niet aan de regels te denken. Ik had beter moeten weten.

'Vergeet niet dat je vriendinnen vriendinnen met je willen zijn vanwege je vader,' zei hij.

We waren bijna klaar met eten, en hij zei dat over zijn schouder toen hij al van tafel opstond, alsof het hem op het laatste moment te binnen schoot. Ik legde mijn vork neer en kon merken dat mama haar blik afwendde. Ze wist meteen hoe ik me voelde, maar wilde me niet aankijken. Ik zal nooit vergeten dat hij dat toen heeft gezegd. Hij kwetste met echt met die opmerking, mede doordat hij het zo achteloos had gezegd. Net toen ik het idee begon te krijgen dat ik mijn eigen leven zou kunnen leiden, legde hij me weer beperkingen op. Op de universiteit waren genoeg mensen die me aardig vonden, en ik dacht dat dat kwam omdat ik leuk was, goed kon leren, of misschien wel gewoon omdat ik was wie ik was. Maar hij wist die domme veronderstellingen in één keer van tafel te vegen. Was het naïef om te denken dat mensen me aardig vonden om wie ik was? Hoe kon ik het verschil zien? En toen ik erover nadacht, besefte ik dat het geen toeval was dat juist een leider van de studentenafdeling van de Baathpartij mij wegwijs moest maken. Hij wist wie mijn vader was. Dat wisten ze van iedereen.

Het maakte niet uit dat mijn vader niet langer de piloot van Saddam Hoessein was, of dat hij maar een paar jaar lang als zijn piloot had gewerkt. Het etiket had ik nu eenmaal. Mensen noemden hem nog steeds 'Saddams piloot'. Ze noemden mama 'de vrouw van de piloot', en mij 'de dochter van de piloot'. Ik werd getroffen door de vreselijke gedachte dat het allemaal geen zin had. Het maakte niet uit hoe ik mijn best deed, het maakte niet uit wat ik ging doen, ik zou altijd in verband worden gebracht met de voormalige passagier van mijn vader, met de man die door miljoenen werd gevreesd.

Tijdens mijn eerste jaar aan de universiteit werd een plechtigheid gehouden waarbij jonge vrouwen die goud hadden afgestaan door amo werden onderscheiden, en op een foto van die ceremonie ben ik ook te zien, in mijn studentenuniform. Amo kijkt me met een warme glimlach aan en heeft beide handen op mijn schouders gelegd. Ik glimlach ook, maar mijn armen hangen langs mijn lichaam naar beneden en mijn handen zijn tot vuisten gebald. Ik wist de hele plechtigheid lang wat voor schijnvertoning het was: de speld die hij die dag op mijn revers speldde als bedankje voor mijn gulheid was gemaakt van goud. Toen ik de volgende dag op college verscheen, zat iedereen naar me te wijzen en volgden alle ogen me toen ik over de campus liep. Ze hadden gezien op welke manier hij me had begroet en dat ik op mijn beurt ook had geglimlacht. 'Daar gaat ze,' werd er gefluisterd, 'de dochter van de piloot.'

Ik had mijn ouders zien veranderen; ze waren steeds meer gaan lijken op de mensen met wie we de weekends doorbrachten. Zou ik ook zo worden? Zou ik uiteindelijk mijn gevecht staken en me aanpassen? Ik wist dat ze nooit ware gelovigen zouden worden, niet op de manier zoals oom Kais en tante Nada dat waren. Maar naarmate ze zich steeds meer bij hun lot neer leken te leggen, werd ik steeds vastberadener om terug te vechten. Studeren leek de enige uitweg. Frans was de nieuwste taal die ik leerde, en omdat ik er nog niet zo goed in was, gaf ik me naast mijn volle programma aan de universiteit ook op voor de stoomcursus die drie avonden per week aan het Franse Instituut werd gegeven. Tijdens de eerste avond was ik net bezig me op het verhaal van de leraar te concentreren toen er een jonge man aan de tafel naast me kwam zitten die zo zenuwachtig was dat hij maar met zijn been op en neer bleef wippen. Omdat onze tafeltjes elkaar raakten, kostte het me moeite mijn aandacht bij de les te houden. Ik gaf hem voorzichtig een por met mijn pen en zei glimlachend: 'Houd daar eens mee op.' Dat deed hij. Tijdens de pauze raakten we met de twee andere leerlingen, een oudere man en een vrouw, in gesprek op de kleine binnenplaats waar een stalletje stond van een Egyptenaar die drankjes en versnaperingen verkocht.

De jongeman heette Ehab. Aan het einde van het eerste semester zochten de oudere man en vrouw, die duidelijk belangstelling voor elkaar hadden, steeds vaker een rustig hoekje op, zodat Ehab en ik met zijn tweetjes stonden te kletsen. Hij was lang en slank, met kastanjebruin haar. Hij was een paar jaar ouder dan ik en kwam heel erg zelfverzekerd over. Hij was knap en kleedde zich goed – niet omdat hij het geld had voor dure merkkleding, maar omdat hij instinctief wist wat hem wel en niet goed stond. In de pauze gingen we op de witte plastic stoeltjes op de binnenplaats zitten en praatten over literatuur en poëzie. Hij had altijd een dichtbundel bij zich, en al snel lazen we hardop gedichten aan elkaar voor. Ik kon er niets aan doen, maar ik moest dan altijd naar zijn lippen kijken, die enigszins pruilend waren en van nature dieprood. Er ging ontzettend veel kracht van hem uit. Hij leefde in een wereld van boeken, en dat had ik ook gedaan. Nu konden we die kostbare wereld met elkaar delen. Hij was helemaal in de ban van Britse dichters uit de romantiek, zoals Byron en Shelley, van romanschrijvers als Gabriel García Márquez en van Arabische auteurs als Mahmoud Darweesh en Najeeb Mahfouz. Hij leende me zijn boeken, die ik in de weekends verslond, en we hadden regelmatig discussies die als manna voor mijn eenzame geest waren. Luma en Sarah en Tamara hadden het over Luma's vooruitzichten op een goed huwelijk, maar ik las *Liefde in tijden van cholera*.

Ik ben nooit een flirt geweest. Ik ben altijd te veel bezig met wat ik wil bereiken. Maar voordat ik *Liefde in tijden van cholera* teruggaf, nam ik het mee naar mijn kamer en spoot parfum tussen de bladzijden. Toen hij me daarna weer een boek uitleende, had hij er een velletje met een gedicht ingestopt. Van het een kwam het ander, en al snel deden we niet langer mee aan dat laatste uur les na de pauze, maar bleven we over literatuur praten. Op een avond las hij me een gedicht voor waarin de eigenschappen van een vrouw werden beschreven: haar prachtige ogen, haar mond, haar geur. Zoiets romantisch had ik nog nooit gehoord.

'Dat heb ik geschreven,' bekende hij verlegen.

Hij zei niet dat hij het voor mij had geschreven, maar ik wist dat dat zo was.

'O, dank je wel, Ehab,' zei ik, en dat meende ik. Ik stak mijn hand uit, legde die op de zijne en voelde de warmte van zijn huid tegen de mijne. Het was erg gewaagd, maar ik haalde mijn hand niet weg en raakte hem voor de eerste keer aan en voelde mijn hart dansen. We keken elkaar heel lang in de ogen. We wisten allebei dat we verliefd waren.

In theorie hoorde een keurig opgevoed islamitisch meisje niet eens met een man alleen te zijn. In de Iraakse cultuur, en in de rest van de Arabische wereld, mochten – en mogen – een jongen en een meisje pas met elkaar uit wanneer ze aan elkaar beloofd waren, maar de meesten van mijn vriendinnen deden het toch wel – 'ondergrondse verkering', zoals ik het soms noemde. Jongens en meisjes vonden altijd wel een plekje waar ze elkaar konden ontmoeten, in het openbaar of als deel van een groter groepje, zodat ze elkaar langzaam wat beter konden leren kennen. Tot een seksuele relatie kon het echter nooit komen omdat er van meisjes werd verwacht dat ze als maagd het huwelijk in zouden gaan. Ik kende niemand die haar ouders over zulke afspraakjes vertelde, maar zodra ik die avond thuiskwam, rende ik opgetogen naar de kamer van mijn moeder. Ze was nog steeds mijn beste vriendin, en ik wist dat ze in de liefde geloofde, en in het af en toe overtreden van de regels. Toen ik nog op de middelbare school zat, had ze regelmatig gevraagd of ik misschien gek op een jongen was, en ze leek altijd teleurgesteld wanneer ik nee had geantwoord.

'Mama, volgens mij ben ik verliefd,' zei ik tegen haar.

'O, wat heerlijk, *habibiti*,' zei ze. 'Vertel eens! Ik wil alles weten!'

'Hij heeft een gedicht voor me geschreven, en dat was zo romantisch!' zei ik. 'Hij ziet er zo goed uit, mama, en hij is heel slim... en ik heb zijn hand vastgehouden.'

Ze was blij voor me. Later die week zette ze me bij het instituut af toen de cursisten net naar binnen gingen en vroeg me gretig of ik hem wilde aanwijzen. 'Wie is het, Zainab? Vertel het eens,' zei ze, giechelend alsof ze mijn vriendin was in plaats van mijn moeder. Toen ik naar de lange jongeman wees die net de trap opliep, zei ze: 'O, hij is leuk!'

Maar ik weet zeker dat ze dacht dat het een tijdelijke bevlieging was.

Iedereen had altijd aangenomen dat ik zou trouwen met een rijke, onkerkelijke man die een universitaire opleiding had genoten en iets van de wereld had gezien. Ehab was dat allemaal niet. Zijn vader was winkelier, en hij kwam uit een groot gezin met negen kinderen. Zijn ouders hadden niet gestudeerd, en hoewel hij vastbesloten was een titel te halen, had hij zijn eerste jaar nog steeds niet afgesloten. Hij was een praktiserende soenniet uit Samarra, een stad in de streek ten noordwesten van Bagdad die later door de Amerikanen de 'soennitische driehoek' werd gedoopt, en via hem maakte ik voor het eerst kennis met de stammencultuur waardoor het leven op het Iraakse platteland nog steeds wordt beheerst. Zijn stam was een van de machtigste in die streek, en hij was opgevoed met het idee dat hij altijd trouw moest zijn aan de sjeik en aan de stamoudsten die conflicten oplosten, het beleid uitstippelden, jongens en meisjes aan elkaar uithuwelijkten, hun eigen mensen tegen buitenstaanders beschermden en verbonden sloten (en in vroeger tijden oorlogen uitvochten) met andere stammen of regeringen. De voornaamste rivaliserende stam kwam uit het nabijgelegen Tikrit, en deze rivaliteit, die al generaties lang duurde, was nieuw leven ingeblazen door de belangrijkste vertegenwoordiger van die stam: Saddam Hoessein. Hij pompte overheidsgeld in de infrastructuur van Tikrit, maar liet Samarra, dat veel groter was en op een internationaal befaamde historische vindplaats kon bogen, links liggen. Voor het eerst had ik iemand leren kennen wiens mening over amo nog uitgesprokener was dan de mijne.

'Ze zijn allemaal gestoord, het zijn allemaal dieven!' zei hij over Saddam en zijn stamgenoten. 'Ordinair, dom, stuk voor stuk! Ze hebben seks met hun eigen vee!'

Ik had nog nooit iemand dat soort dingen horen zeggen en ontdekte al snel dat Ehab me voldoende vertrouwde om dingen te durven zeggen die hem het leven konden kosten. Een vriend van hem, die net als tante Samer als een ontgoochelde Baathist kon worden beschouwd, had acht jaar in de gevangenis gezeten vanwege een politiek meningsverschil met amo, en een andere kennis van hem was achter de tralies geëindigd omdat hij had geprotesteerd toen agenten van de Moekhabarat hun oog op zijn vrouw hadden laten vallen. Ik luisterde aandachtig naar alles wat hij te zeggen had, maar durfde zelf geen kritiek op amo te uiten. Wat amo betreft vertrouwde ik niemand, zelfs Ehab niet. Ik vertelde niets over onze betrekkingen met amo, maar soms werden onze telefoongesprekken door de telefoniste van het paleis onderbroken, en na een tijdje telde hij een en een bij elkaar op.

'Jullie zijn bevriend met amo, hè?' zei hij. 'Jouw vader was zijn piloot.'

Ik was bang voor wat hij zou gaan zeggen, maar ten slotte knikte ik toch. Ik wilde weten of hij desondanks nog steeds van me hield.

'Wees alsjeblieft voorzichtig wanneer je bij hen in de buurt bent, *habibiti*,' zei hij, terwijl hij mijn hand pakte. 'Die lui uit Tikrit kennen geen grenzen. Het zijn verkrachters. Ze zijn berucht vanwege hun verkrachtingen, *ightisab*. Als ze vlees zien, zijn het net honden! Ze zijn niet gewend aan vrouwen met korte rokken en korte mouwen. Ze willen iedere vrouw bespringen! Hun eigen zus, hun eigen vrouw. Ze hebben het idee dat ze iedere vrouw kunnen nemen, alleen omdat ze de macht hebben. Saddam is zo machtig dat hij denkt dat hij een farao is!'

Ik wist dat geen enkele man uit Tikrit het zou wagen om een bekende van Saddam te verkrachten – althans niet zonder zijn toestemming. Maar uit respect voor Ehab en de belangstelling voor de islam die hij in me wist op te wekken, ging ik me kuiser kleden, in overeenstemming met het islamitische beginsel dat zowel mannen als vrouwen onopvallende kleren moeten dragen die niet te veel laten zien. In die tijd begonnen steeds meer jonge mensen steeds geloviger te worden, al wist ik niet of dat een reactie op hun onkerkelijke ouders was of dat het een soort zwakke vorm van rebellie tegen het corrupte en losbandige regime was. Een vriendin van mij besloot een hijaab, een hoofddoek, te gaan dragen, wat voor haar hele familie een beproeving was omdat ze bang waren dat die simpele beslissing haar als 'te religieus' zou kenmerken en dat dat er weer toe zou kunnen leiden dat de familie werd verdacht van sympathiseren met een religieuze partij. Voor de regering kon dat reden tot vervolging zijn. Ik heb me er vaak over verbaasd dat westerse vrouwen medelijden hebben met islamitische vrouwen die een hijaab dragen. Ze kunnen zich blijkbaar niet voorstellen dat hoogopgeleide vrouwen soms zelf de keuze maken om hun haar te bedekken en zien al helemaal niet in dat ook hun eigen maatschappij hen tot op zekere hoogte dwingt om zich op een bepaalde manier te kleden.

Ik koos niet voor een hoofddoek, maar wel voor lange mouwen en rokken die tot halverwege mijn kuiten vielen. Mijn vader was bang dat ik te ver naar de andere kant doorsloeg. Het probleem was dat het regime onze vrijheden zo beperkte dat het dragen van een hoofddoek of een lange rok, het opzeggen van een gebed of het gebruik van een enkel woord Farsi in een Arabisch gesprek al konden worden beschouwd als tekenen van ontrouw jegens de staat. De Moekhabarat bleef bij tijd en wijle onverwachts moskeeën binnenvallen en arresteerde jongemannen op verdenking van lidmaatschap van de Dawa, een verboden religieuze partij. Een oudere neef van mij werd om die reden samen met zijn vrienden opgepakt en gemarteld voordat zijn familie door middel van onderhandelingen voor elkaar wist te krijgen dat hij het land mocht verlaten. Later hoorden we dat enkele van zijn vrienden ter dood waren gebracht. Toen mijn neef Naim op een avond naar de moskee ging om te bidden, rende zijn vader, baba's broer, hem in paniek achterna. Naim vertelde mij en baba later dat mijn oom hem meteen had meegenomen naar een kroeg, een biertje voor hem had gekocht en hem er uiteindelijk van had weten te overtuigen dat het te gevaarlijk was om terug naar de moskee te gaan.

Terwijl ik een geheime liefde voor Ehab begon op te vatten, waren de ouders van Luma bezig een geschikte man voor haar te vinden, en ik wist dat ze zonder enige twijfel ja zou zeggen tegen degene die ze voor haar uitkozen. Haar zusje Sarah was een heel ander verhaal. Ze wilde rennen en dansen en niet doen zoals het hoorde.

'Ik wil uit liefde trouwen,' zei ik op een dag toen we bij tante Nada rond de keukentafel zaten.

'Zainab, de liefde komt pas als je getrouwd bent, dat weet je toch wel?' zei Luma, die niets liever deed dan me dat onder de neus wrijven, alsof mijn vrijzinnige moeder had verzuimd mij van de mantra te doordringen die Iraakse vrouwen al eeuwenlang op hun dochters overbrachten.

'Het kan me niet schelen of hij arm is,' vervolgde ik, nog steeds sprekend over mijn mogelijke toekomstige man. 'We gaan samen een leven opbouwen, vanuit het niets, van de grond af, steen voor steen.'

'Als je met iemand trouwt die geld heeft, kun je je die moeite besparen,' antwoordde Luma.

'Nou, ik wil ook wel uit liefde trouwen,' zei Sarah. 'Maar ik wil niet met een arme man trouwen. Een beetje lekker kunnen leven vind ik erg belangrijk. Het zou dom zijn om met een arme man te trouwen, Zainab. Waar moet je dan je eten van betalen? Zorg ervoor dat je van een rijke man gaat houden. Dan heb je alles.'

Ik kon haar hersens bijna zien werken, even scherp en berekenend als die van een advocaat. Het leek haar heel logisch dat je best een rijke man kon vinden op wie je verliefd kon worden.

In die tijd zag ik rijkdom bijna als een soort valstrik. Voor mijn colleges Engelse literatuur moest ik *Wuthering Heights* lezen, en ik wist aan het weekendhuis te ontsnappen dankzij de woeste landschappen in Emily Brontës negentiende-eeuwse Engeland, waar de verdoemde geliefden – de sombere, donkere Heathcliff en de blonde, impulsieve Catherine Earnshaw – allebei worstelden met hun afkomst. De jonge Cathy kwam uit een goed nest en was naar school gegaan. Heathcliff was arm en zwaarmoedig; hij was tijdens zijn jeugd mishandeld en had geen opleiding genoten. Maar in plaats van de stem van haar hart te volgen en met Heathcliff te trouwen, deed Cathy wat er van haar werd verwacht: ze trouwde met een duffe jongeman van stand die goed in de slappe was zat. Heathcliff bleef achter met een gebroken hart, ziek van jaloezie, en nam wraak op iedereen om zich heen. Ze was niet uit liefde, maar vanwege het geld getrouwd, en iedereen in de roman leefde een ellendig leven – of stierf een ellendige dood.

De verschillen tussen Ehab en mij maakten hem in mijn ogen alleen maar begeerlijker. Ware liefde betekende voor mij dat je alle obstakels kon overwinnen, vooral de hindernissen die door religie of afkomst werden opgeworpen. In het Irak van mijn jeugd werden huwelijken tussen mensen met een verschillende religieuze of sociale achtergrond getolereerd, en ondanks de anti-sjiitische gevoelens die door de oorlog met Iran werden aangewakkerd, bleven mannen en vrouwen verliefd op elkaar worden. De mensen die ik kende, vroegen net zomin als mensen in Europa of Amerika bij een eerste kennismaking wat iemands religie of godsdienstige achtergrond was, hoewel dat soms overduidelijk was. In mijn familie bevonden zich verschillende stellen van wie de een sjiitisch en de ander soennitisch was. De man en vrouw die ik op het Franse Instituut had leren kennen en die uiteindelijk verliefd op elkaar werden en met elkaar trouwden, waren respectievelijk moslim en christen. Naim werd stapelverliefd op een Koerdische, en omdat haar ouders niets van een huwelijk met een niet-Koerd wilden weten, speelde ik voor hen de rol van postillon d'amour. Ik belde op en vroeg of ze aan de telefoon kon komen, en als ze dat deed, gaf ik snel de hoorn aan mijn neef. Ook diende ik als dekmantel voor stiekeme afspraakjes van het stel.

De leukste nieuwe vriendin die ik op de universiteit had leren kennen, was Lana, een Koerdisch meisje van wie de ouders hardwerkende mensen waren. Toen een andere studente op een dag een dom grapje over vice-president Ezzet Al-Douree maakte, stootte een ander haar snel aan, wees naar mijn oorbel alsof die een afluisterapparaatje herbergde en begon op luide toon een van de patriottische liederen te zingen die we op school hadden geleerd: 'Moge God onze president beschermen!' Ze deed alsof het lied een middel was dat het kwaad kon afweren. 'Moge God hem een lang leven schenken!' De anderen moesten lachen om het grapje, maar ik niet. Ik was banger voor hen dan zij voor mij waren. Ik wilde hen zo graag vertellen hoe ik me echt voelde, maar dat kon niet, en ik wist dat dat nooit zou kunnen. Dat was de manier waarop verklikkers te werk gingen. Ze speelden advocaat van de duivel en lieten je iets zeggen wat je niet wilde zeggen. Ik wist dat ik geen verklikker was, maar toen ik die dag om me heen keek, besefte ik dat een van mijn nieuwe vriendinnen er best eentje zou kunnen zijn. En dus hield ik mijn gevoelens voor mezelf en bleef zwijgen. Ik liet hen denken wat ze wilden denken.

Een van de dingen die ik zo leuk vond aan Lana was dat ze het moeilijk vond om haar gevoelens te beteugelen. Ze was een van de drie, vier studentes bij wie ik thuis mocht komen, en toen we op een dag bij haar thuis op haar bed voor een examen zaten te leren, boog ze zich opeens voorover en fluisterde op indringende toon in mijn oor: 'Zainab, ik heb zoiets vreselijks gehoord. Het is zo erg! De regering heeft chemische wapens tegen de Koerden in het noorden ingezet, en nu zijn er duizenden mensen omgekomen. Ze vielen gewoon meteen dood neer. Binnen een paar minuten was een hele stad uitgemoord.'

Toen ze me vertelde wat ze allemaal had gehoord, zag ik het in gedachten voor me: Koerdische gezinnen die in de smalle straatjes neervielen, de kinderen boven op elkaar; baby's die geen lucht meer kregen in de armen van hun dode moeders; een heel dorp vol mensen die niets anders konden doen dan gassen inademen die zo giftig waren dat ze ter plekke dood neervielen. Een vader was dood aan de keukentafel aangetroffen, samen met zijn kinderen. Ze waren allemaal omgekomen terwijl ze zaten te eten. Ik hoorde haar al die gruwelen omschrijven, maar ik kon geen woord uitbrengen. Helemaal niets. Ik verstijfde alleen maar, en ik weet nog dat ze bijna terugdeinsde toen ze merkte dat ik zo stil bleef. Ik denk dat ze zo reageerde omdat het opeens tot haar doordrong dat ze het tegen de dochter van een 'vriend' van Saddam had.

We keken allebei weer naar onze boeken en deden net alsof we verder gingen met het bestuderen van onze Engelse oefeningen. Maar later, toen ik weer alleen was, werd ik door die beelden achtervolgd, als een regen van pijlen die over de muur reikte die ik rond mijn gedachten had opgetrokken om te voorkomen dat ik zou hoeven nadenken over de gruwelen waaraan amo zijn volk blootstelde. Duizenden doden? Duizenden? Lana had familie in die streek, ze moest het van hen hebben gehoord. Ik vroeg me af of mijn vader dit wel wist; hij werkte in de burgerluchtvaart, niet in het leger. Dit was het gevaarlijkste wat ik ooit had gehoord. Ik wist dat ik het tegen niemand kon zeggen, zelfs niet tegen mijn moeder. Ik had gezien hoe wanhopig mama tegen Bibi had gesproken, doodsbang dat ze niet langer in staat zou zijn om voor zich te houden wat ze allemaal wist. Maar elke keer wanneer ik mijn ogen sloot, zag ik die vader en zijn kinderen voor me. Ik mocht niet om hen huilen. Ik mocht niet kwaad voor hen zijn. Ik mocht niet aan hen blijven denken. Ik moest mijn hersens als het ware ontsmetten om hen weg te krijgen. Ten slotte moest ik die pijnlijk felverlichte witte ruimte in mijn hoofd binnenstappen, die de kracht had om hen weg te branden als beelden op een overbelicht stuk film.

Terwijl amo zich steeds meer als een tiran ging gedragen – waarover we in Irak niets hoorden omdat er geen onafhankelijke media bestonden – leidde ik een vrij gewoon leven. Ik volgde lessen pottenbakken, ik leerde tennissen en schilderen, en ik zat op pianoles bij een Franse non die Massier Camel heette. 'Sabal al-kher!' riep mijn moeder vrolijk om zeven uur 's morgens. 'Goedemorgen!' 's Morgens was ze bijna altijd opgewekt, omdat er dan nog niets was gebeurd wat haar eraan herinnerde dat ze in een kooi leefde. Ze liep met ferme passen mijn kamer in, schoof de gordijnen open, streek lichtjes met de rug van haar hand over mijn wang en kuste me wakker. Soms liep ze te zingen, en als ik mijn beklag deed over een weekend weg of een feestje op het paleis, herinnerde ze me eraan dat ik dankbaar moest zijn voor wat ik had en beter mijn best moest doen om de schoonheid te zien waardoor we werden omringd. Ik zat al sinds mijn twaalfde bij Massier Camel op les, en thuis zat ik vaak urenlang te oefenen. Tik, tik, tik, tik; het ritme van de metronoom had iets verdovends. Door middel van de muziek wist ik te ontsnappen, net zoals baba in zijn cockpit wist te ontsnappen, net zoals Haider zijn toevlucht zocht in computerspelletjes en huishoudelijke apparaten die hij geduldig uit elkaar haalde en weer in elkaar zette. Mijn moeder had er altijd van gedroomd dat ik piano leerde spelen, iets wat ze zelf nooit had geleerd, en ze nam altijd stapels bladmuziek voor me mee, vooral romantische liedjes. Haar lievelingslied was *Love Story*, en ze vroeg telkens weer of ik dat voor haar wilde spelen.

Tijdens mijn tweede jaar op de universiteit zei mijn vader op een dag dat we onze spullen moesten pakken en voor twee dagen kleren moesten meenemen: tennisschoenen, badkleding en huiswerk, als we dat hadden. De chauffeur was zoals gewoonlijk al onderweg, en mijn broers en ik renden naar boven om onze koffers te pakken. Ik deed de bovenste la open en keek naar mijn drie badpakken. Ik pakte het rode en zei toen tegen mezelf dat ik toch niet zou gaan zwemmen. Dat was niet gepast. Ik legde het badpak terug, pakte de rest van mijn kleren in en rende naar beneden.

Ik weet niet meer waar we dat weekend hebben doorgebracht; ik weet alleen nog dat het een gigantisch groot huis was en dat elk gezin een eigen vleugel had. We hadden net gegeten aan het meer – bij nagenoeg al zijn paleizen was een meer – toen amo zei dat we allemaal onze zwembroeken en badpakken moesten gaan halen omdat we gingen zwemmen. Het was een prachtige avond, en het water van het meer was als een donkerblauwe, gladde spiegel, totdat iedereen er een paar minuten later insprong. Amo kwam tevoorschijn in zijn zwembroek, en ik zag dat hij even aan de rand van het water bleef staan wachten totdat een bediende zijn badjas had uitgetrokken. De volwassenen en kinderen die al in het water lagen, zwommen naar de kant en vormden een halve cirkel waar hij in kon duiken. Hij bleef nog even staan, en ik weet nog dat het me opviel dat hij zwaarder was dan mijn vader, die nog steeds slank en atletisch was. Toen dook hij sierlijk het water in. Hij kon goed zwemmen. Iedereen spetterde in het water, maar hij draaide zich om en keek naar me. Ik stond nog steeds aan de waterkant, in mijn lange rok.

'Zainab, waarom doe je niet met ons mee?' zei hij.

'Ik ben mijn badpak vergeten!' riep ik terug. Het was het excuus dat ik al vooraf had bedacht.

'Hoe kun je zoiets nu vergeten, Zainab?' zei Sarah. 'Wat dom van je. Er is toch gezegd dat we dat mee moesten nemen?'

'Het is niet erg, Zanooba, ga maar even naar mijn kamer en pak maar een zwembroek van mij. Met een T-shirt erover kan dat best,' zei amo.

Dat hield me tegen. De gedachte dat ik zijn kamer in moest gaan en een van zijn zwembroeken moest aantrekken, was gewoon te eng. Ik kon me niet voorstellen dat ik zijn kleding over mijn blote huid zou trekken en dan weer naar buiten zou lopen, waar iedereen me kon zien.

'Nee, dank u, amo,' zei ik beleefd, me aan mijn voornemen houdend, 'ik kijk vanavond wel gewoon toe.'

'Nou, als je mijn zwembroek niet durft aan te trekken, moet je maar mijn *dishdasha* aantrekken. Het is hier toch prachtig, vinden jullie niet? *Jalla!*'

'*Jalla, jalla!*' viel iedereen hem bij. Kom op! Kom op!

Ik zag de bezorgde gezichten van mijn ouders, die achter amo in het water lagen. Ze waren de enigen die niet naar me riepen, en dat vond ik prettig. Ik trap hier niet in, dacht ik. Ik trek zijn kleren niet aan, zelfs geen *dishdasha* die tot op de grond valt. Een badpak was gepast voor in het water, maar een t-shirt of een *dishdasha* zou aan mijn lijf kleven. Ik was nu een jonge vrouw, en ik wist wat dat betekende. Ik zou amo's kleren niet aantrekken.

'Amo, ik kan vandaag niet zwemmen,' riep ik ten slotte. Het was het enige wat ik kon bedenken, maar ik wist dat hij niets zou kunnen inbrengen tegen het excuus van een vrouw.

Maar toen ze genoeg hadden van het zwemmen en hij zich af stond te drogen, merkte hij op: 'Je hebt vanavond iets heel moois gemist, Zainab. Het water was heerlijk.'

In augustus 1988 riep amo de overwinning op de Perzische vijand uit en kwam er een einde aan acht jaar oorlog met Iran.

'Dus we hebben ons gebied van Iran teruggekregen?' vroeg ik aan mijn moeder.

'Nee, niet echt,' zei ze.

'Dus er is niets veranderd? Waarom hebben al die mensen dan hun levens gegeven?'

Bij wijze van antwoord trok ze een wenkbrauw op.

Toch was het de mooiste dag die ik ooit in Bagdad heb meegemaakt. De stad vergat bang te zijn. Mensen stroomden hun huizen uit, de straat op. Overal klonk muziek. Er werd gedanst. De herrie was door de hele stad te horen. We stapten in de auto en reden naar het centrum, waar vrouwen water op de grond sprenkelden in een smeekbede om vrede en *baraka*. Een onbekende goot water over onze voorruit en zei: 'Als het moet, ga ik de rest van mijn leven auto's wassen, als ik maar niet terug naar het front hoef! Dank U, God, dank U dat het eindelijk voorbij is.'

Op het paleis vond de officiële viering van de zege plaats. In de tuin vierden mannen en vrouwen gescheiden van elkaar feest; amo ontving de mannen, tante Sajida gaf een feestje voor de vrouwen. De lange tafels stonden vol eten; gevulde bouten, Iraakse gerechten en exotisch fruit zoals kiwi's, mango's en ananassen, dat ik al jaren niet meer in Bagdad had gezien. Ik stond toevallig naast amo's dochter Raghad bij de tafel, keek naar de artiesten en smikkelde van mijn *bourak*, het beroemde Iraakse gerecht van gevuld bladerdeeg dat zijn wortels in de Perzische, Turkse en Arabische keuken heeft. Op het podium dansten en zongen zigeunervrouwen in kleurige jurken in glanzend groen en rood en geel en paars. Hun steile zwarte haar viel tot op hun dijen terwijl ze dansten op de muziek van trommels en tamboerijnen en snaarinstrumenten waarvan ik de naam niet kende. Ze waren mollig, met ronde buiken, en ik had nog nooit vrouwen gezien die zo zwaar waren opgemaakt. Hun wangen waren vuurrood, hun lippenstift dik en donker, hun ogen zwart omrand met mascara en oogschaduw. In hun oren bungelden dikke gouden ringen, en rond hun armen en halzen hingen armbanden en andere sieraden die rinkelden wanneer ze zich bewogen.

Toen ze klaar waren en hun instrumenten hadden ingepakt, liepen ze naar het gedeelte van de mannen, waar ze hun volgende optreden zouden geven.

'God mag weten wat ze nu gaan doen,' merkte Raghad op toen ze de vrouwen weg zag lopen.

'Zingen en dansen?' vroeg ik.

Raghad wierp me een blik toe die me het gevoel gaf dat ik nog naïever was dan ik altijd had gedacht.

'Mannen vinden zigeunervrouwen leuk, en mijn man is daar ook,' zei ze. Het was het enige vertrouwelijke dat ze ooit met me heeft gedeeld, al hadden we elkaar al zo vaak gezien en zaten we op dezelfde universiteit.

Amo had haar al op haar zestiende of zeventiende uitgehuwelijkt aan Hoessein Kamel, de man uit Tikrit die mijn vader zo had gekweld en die een groot deel van de Irakezen in angst liet leven. Iedereen wist dat ze met het huwelijk had ingestemd op voorwaarde dat ze haar opleiding mocht voltooien. Kamel, die zelf niet had gestudeerd, had dat goedgevonden, maar had er zelf een voorwaarde tegenover gesteld: een kind voor elk jaar dat ze op school doorbracht. Ze was slechts twee jaar ouder dan ik, maar had nu al drie kinderen. Die dag had ik met haar te doen. Ik vroeg mijn moeder later naar die zigeunervrouwen, en ze legde me uit dat zigeuners een nomadisch volk waren en dat amo hun het Iraakse burgerschap had aangeboden. Ook zij hadden 'speciale dossiers', besefte ik, die hen gevoelig maakten voor bepaalde vormen van intimidatie. Hij stuurde de mannen naar het front en hield de vrouwen in Bagdad, waar ze voor hem moesten zingen en dansen.

Toen Ehab en ik op een avond op het balkon aan de achterkant van het Franse Instituut met elkaar zaten te praten, zoals we zo vaak deden, pakte hij opeens mijn hand, trok me langzaam naar zich toe en omhelsde me. Ik keek naar hem op, en toen kuste hij me. Het was mijn eerste kus, en ik had nog nooit zoiets gevoeld. Zijn lippen waren ongelooflijk zacht. Ik voelde me bijna bezwijken toen ik besefte waartoe hartstocht kon leiden. Op dat moment kenden we elkaar anderhalf jaar. Na die avond begonnen we voor het eerst over trouwen te praten, over de kinderen die we zouden krijgen en het leven dat we samen zouden opbouwen. We maakten plannen: zodra ik mijn opleiding had voltooid, wilde ik een vertaalbureau beginnen, en hij zou het voorbeeld van zijn vader volgen en naast mijn kantoor een stoffenzaak openen.

Baba wist nog helemaal niets over mijn relatie, maar zodra hij erover hoorde, keerde hij zich meteen fel tegen mijn plannen. Ik was te jong, het verschil in achtergrond en afkomst was te groot, Ehab kon me niet het soort leven bieden waaraan ik gewend was. Hij had niet eens het eerste jaar van zijn studie afgemaakt, al was hij ouder dan ik en zat ik nu al in mijn tweede jaar. Tot mijn grote verbazing koos mama niet mijn kant. Ik huilde dagenlang. Ik wilde niets eten. Ik zei tegen mama en baba dat ze me nooit meer zouden zien lachen omdat ik zonder Ehab nooit meer gelukkig zou zijn.

'U hebt altijd tegen me gezegd dat ik uit liefde moest trouwen, mama!' zei ik boos tegen haar nadat ik me een maand lang ellendig had gevoeld. 'Maar nu heb ik de man van mijn dromen gevonden en verandert u opeens van gedachten. Vertel eens, mama, gelooft u nu in de liefde of niet? Wilt u nog steeds dat ik uit liefde trouw, of bent u net zo geworden als tante Nada en wilt u dat ik met een rijke man trouw, net zoals Luma?'

Met die opmerking moet ik haar vreselijk hebben gekwetst. Ik had gezien hoeveel moeite ze had moeten doen om iets van de oude Alia te behouden, en bij die oude Alia hoorde het geloof in de liefde.

Ten slotte veranderde ze van gedachten, maar het kostte haar nog twee maanden om baba ervan te overtuigen dat hij Ehab op de thee moest uitnodigen. Nadat baba en Ehab samen in de tuin thee hadden gedronken, wachtte ik zenuwachtig op het oordeel dat mijn vader zou vellen.

'Hij had te veel aftershave op,' oordeelde baba. 'Ik mag hem niet. Ik denk dat hij niet de juiste man voor je is, maar als je jezelf dreigt om te brengen als ik geen ja zeg, laat je me geen keuze.'

Dat was niet bepaald hoopgevend, maar ik had in elk geval zijn toestemming. Maar toen zei hij dat hij amo om goedkeuring moest vragen, en Ehab en ik moesten nog eens zes lange zenuwslopende weken wachten totdat de uitkomst van het veiligheidsonderzoek bekend was.

In Irak begint de verlovingsperiode wanneer de vrouwen van de familie van de bruidegom een officieel bezoek aan het huis van de bruid brengen om haar vrouwelijke familieleden naar haar hand te vragen. De aanstaande bruid serveert tijdens dit bezoek *klache*, een soort gebak van dadels en kardemom, en dient zich uiterst zedig en beleefd te gedragen, zodat haar familie zich niet voor haar hoeft te schamen. Mama bestelde de *klache* en bossen bloemen en perste speciaal voor de gelegenheid verse granaatappelsap.

Op de dag van het bezoek verschenen mijn tantes in hun nieuwste kleren, heerlijk geparfumeerd en perfect gekapt en opgemaakt. Ehabs moeder, zijn drie zussen en een stel tantes stroomden ons huis binnen in ouderwetse, zwarte, wijde kleren en complete abaja's. Ze waren niet opgemaakt. Ehabs moeder, een mollige, vrij kleine vrouw met een uitdrukkingsloos gezicht, schoot naar voren en nam me in haar armen. Ik probeerde haar beleefd op beide wangen te kussen, maar zij bedekte mijn gezicht met onbeheerste zoenen. Ze was veel uitbundiger dan mijn moeder en tantes, die de toekomstige schoonfamilie beleefd, maar een tikje afstandelijk begroetten. Een groter verschil tussen twee groepen vrouwen die dezelfde taal spraken, was bijna ondenkbaar, besefte ik toen ik de blikken van beide kanten door de kamer heen en weer zag schieten.

Ik ging tussen hen in zitten en serveerde Turkse koffie terwijl Ehabs moeder op de voorgeschreven manier om mijn hand vroeg. Ik had die woorden al vaker gehoord. Er waren vaker vreemden bij ons thuis geweest die om mijn hand hadden gevraagd, en dan hadden mama en ik hen beleefd ontvangen omdat dat nu eenmaal van ons werd verwacht, maar later hadden we altijd smakelijk moeten lachen om het idee dat ik met een man zou trouwen die ik niet eens kende. Nu Ehabs moeder beloofde in te staan voor mijn geluk, me te verwennen alsof ik haar eigen dochter was, me alles te geven wat ik me maar kon wensen of nodig had en me het soort leven te zullen bieden waaraan ik gewend was, viel het me op dat Ehabs oudste zus naar de meubels en de familiefoto's aan de muur zat te kijken. Ze was nog nooit in een huis als het onze geweest, en het was iedereen duidelijk dat mijn ouders zouden moeten bijspringen als Ehab en ik zouden willen leven op de manier die ik gewend was. Tante Samer keek me vragend aan, en we wisselden heimelijke blikken uit. Ziet u wel, vertelde ik haar met mijn ogen, ik heb wel begrepen wat u me in het zwembad van de Jachtvereniging probeerde te vertellen. Amo heeft mijn normen en waarden helemaal niet bezoedeld.

Na het bezoek kwam tanta Najwa op me af en stelde me één onbeschaamde vraag: 'Zainab, waar begin je in 's hemelsnaam aan?'

Een paar weken later reed er een stoet auto's onze doodlopende straat in waaruit een stuk of tien mannen stapten, onder wie een stel stamhoofden. Ze beenden ons huis in alsof dat van hen was, gekleed in traditionele *dishdasha's*, schouder-abaja's van mooie, met de hand gesponnen wol dat met gouddraad was doorweven, en witte hoofddoeken die met zwarte banden op hun plaats werden gehouden. Ze schudden de mannen in mijn familie, die allemaal een pak droegen, de hand en gingen in een kring in de tuin zitten. Ik stond samen met de andere vrouwen zenuwachtig vanachter het raam in de woonkamer naar hen te kijken toen Ehabs vader en de stamoudste met de hoogste rang de ceremonie voltooiden die onze verloving bezegelde. De mannen droegen allemaal uit het hoofd gedichten en soera's over het huwelijk voor: 'En tot Zijn tekenen behoort dat Hij voor u uit uw midden echtgenotes heeft geschapen opdat gij bij haar rust zoudt vinden en dat Hij tussen u genegenheid en barmhartigheid heeft gemaakt.' Baba deed zo beleefd mogelijk, maar voelde zich duidelijk niet op zijn gemak omdat hij geen soera's uit zijn hoofd kende. Hij zei in plaats daarvan dat ik hem erg dierbaar was en dat hij alleen maar wilde dat ik gelukkig zou worden en dat God mijn verbintenis met Ehab zou zegenen. Toen de mannen klaar waren, haalden ze hun handen over hun gezicht, lazen Al-Faatiha, de eerste soera uit de Koran, en schudden elkaar de hand. Dat was voor mij het teken om met een groot dienblad naar hen toe te lopen en hun een glas met een speciaal sapje aan te bieden. Toen ik baba zijn glas aanbood, zag ik aan zijn gezicht hoeveel moeite hij met dit alles had. Ik glimlachte geruststellend en gaf hem een zoen, maar hij wendde zijn blik af.

Tijdens ons verlovingsfeestje vulde onze tuin zich met de geur van de gerechten die we hadden bereid en met die van bloemen die ik me uit mijn kindertijd herinnerde. Radya was gekomen om te helpen. In de loop der jaren waren we goede vriendinnen geworden, en ik was heel blij voor haar geweest toen ze me had verteld dat ze verliefd was geworden op een van de buren. Ze had haar school afgemaakt, was getrouwd en had mijn vader gevraagd of hij haar man kon helpen aan een baan op het vliegveld. Mijn moeder was zo blij geweest dat ze Radya haar eigen trouwjurk had geleend. Maar toen ik haar op de dag van mijn verloving zag, was ze in verwachting van haar eerste kind en moest ze haar best doen om de vrede te bewaren in het piepkleine huisje waar ze met haar man, haar schoonouders en de broers en zussen van haar man woonde. 'Liefde is heel mooi, maar het valt niet mee als jij en je man geen geld hebben,' zei ze tegen me.

Het verlovingsfeest is van oudsher het feest van de vrouw, en toen mijn feestje begon, ging ik bij mijn tantes en vriendinnen in de tuin staan. Kinderen kwamen aanlopen met een Koran, mijn verlovingsring, een halssnoer, oorbellen, een armband en een ring die Ehab als verlovingscadeau had uitgekozen. Toen kwam Ehab zelf aanlopen, knap en elegant, gevolgd door zeven vrouwen uit zijn familie die ieder een mand met traditionele, symbolische geschenken droegen, zoals stoffen, parfums, bloemen en zoete lekkernijen. Ehab en ik dansten die avond voor het eerst in het openbaar met elkaar, en toen pakte hij de microfoon en droeg een liefdesgedicht voor dat hij speciaal voor mij had geschreven. Hij keek me ondertussen de hele tijd aan, en ik werd overweldigd door liefde en emoties. Al mijn vriendinnen waren in tranen omdat hij zo knap en romantisch was.

'Zainab, het is je gelukt,' zei Sarah, die me met een stevige omhelzing feliciteerde. 'Je trouwt uit liefde!'

Aan de andere kant van de tuin, achter de vrouwen in hun zwarte abaja's, zag ik de afkeurende gezichten van mijn moeder en haar vriendinnen. Het gedicht van Ehab had schande over hen gebracht omdat het min of meer een openlijke bekentenis was dat we elkaar in het geheim hadden leren kennen. Hij voldeed in geen enkel opzicht aan hun verwachtingen: zijn familie was heel anders, zijn financiële vooruitzichten waren slecht, hij had zijn universitaire opleiding niet voltooid en was volgens ogenschijnlijk achterlijke stammengebruiken opgevoed. Het kon me allemaal niet schelen. Ik ga niet zo worden als jullie, zei ik met mijn blik tegen hen. Ik zal een ander leven gaan leiden dan jullie.

Die avond was ik gelukkig, maar mama voelde zich ellendig.

'Zainab, weet je wat tante Nada tegen me zei?' vroeg ze de volgende dag. 'Ze zei: "Alia, hoe kun je er zelfs maar over denken om je dochter met zo'n man te laten trouwen? Waar ben je mee bezig? Je gaat te ver met je vrijzinnige opvattingen. We hebben het hier wel over het leven van je dochter."' Ze glimlachte naar me en vroeg toen nogmaals: 'Zainab, weet je het zeker?'

Ik zag het wederom als een teken dat ze zich schikte naar de gewoonten van het groepje van de weekendhuizen.

Een week na het verlovingsfeest kwam een paleiswacht een nieuwe lichtgroene Mitsubishi brengen. Baba nam de sleutels en het kentekenbewijs mee naar binnen en gaf die aan mij.

'Een verlovingscadeau van amo,' zei hij. 'De enige pistachekleurige auto in heel Irak.'

In Irak werden auto's door de regering ingevoerd, en op de zwarte Mercedessen na was bijna elke auto wit. Mijn familie en Ehab waren de enigen die wisten wie me die auto had gegeven, maar ik vond het heerlijk om ermee door Bagdad te rijden; het autootje werd al snel mijn handelsmerk. Toen ik echter op een dag Ehab meenam voor een ritje zei hij tegen me dat we de auto moesten verkopen en het geld in zijn stoffenwinkel moesten steken.

'Maar ik wil hem niet verkopen, Ehab,' zei ik. 'Het was een cadeau.'

'Ik koop wel een kleinere, oudere auto voor je, dan kunnen we het geld in onze toekomst steken,' zei hij.

'Maar ik heb hem pas. Het zou onbeleefd zijn om hem nu al te verkopen,' zei ik. Hij was het met me eens en liet het onderwerp rusten, maar ik was een beetje kwaad op hem.

Nu onze verloving officieel was, werden we geacht als een paar te verschijnen, en hij ging als toekomstige echtgenoot steeds meer op zijn strepen staan. Toen we voor het eerst samen naar een feestje gingen, waar ook een Cubaanse arts aanwezig was die door amo was uitgenodigd, gedroeg Ehab zich opeens erg jaloers en wilde hij per se naast me zitten. Hij was er niet aan gewend om me met een andere vrijgezelle man te zien lachen. Hij was niet gewend aan de tafelschikking bij formele gelegenheden.

Hij was gewoon anders opgevoed dan ik. Op een avond raakten we verwikkeld in een diepgaande discussie over de geschiedenis van de soennieten en de sjiieten, en over de vraag wie de moslims na de dood van de profeet Mohammed had moeten regeren. Ik zei dat ik niet goed begreep waarom iets wat dertienhonderd jaar geleden was gebeurd nog steeds zo'n haat tussen verschillende groepen moslims kon zaaien. Mijn moeder had mij geleerd – en dat geloven de sjiieten – dat Ali, een neef van Mohammed en zijn geliefdste schoonzoon, de moslims na de dood van Mohammed als kalief had moeten leiden, maar dat hij bedrogen was en dat de bedrieger zijn plaats had ingenomen.

'Het was Ali's eigen schuld,' vond Ehab. 'In de politiek speelt iedereen zulke spelletjes, en het maakt niet uit hoe je wint, als je maar wint. Het feit dat hij heeft verloren, bewijst al dat hij geen goed leider zou zijn geweest. Wist je trouwens dat heel veel mensen denken dat sjiieten staarten hebben?'

Staarten? Niet weer dat verhaal, dat was niet te geloven. Net zoals sommige christenen in het westen vroeger dachten dat joden hoorntjes hadden, dachten sommige soennieten blijkbaar dat sjiieten staarten hadden. Tante Samer had me kort tevoren nog verteld dat ze met een paar vriendinnen in de sauna van de Jachtvereniging had gezeten en dat een van de vrouwen daar, die geen idee had dat tante Samer sjiiet was, achteloos had opgemerkt dat sjiieten allemaal staarten hadden. Tante Samer was opgestaan, had haar handdoek laten zakken en was voorovergebogen.

'Kijk eens naar mijn kont,' zei ze. 'Kijk eens goed. Ik ben sjiiet. Kijk dan! Heb ik een staart?'

Ik snapte niet waar zulke haat en zoveel domheid vandaan kwamen. De sjiieten waren degenen die onderdrukt en vervolgd waren, maar ze haatten de soennieten lang niet zo hevig als die hen haatten. Ehab hechtte duidelijk niet veel waarde aan al die verhalen, maar hij had weinig respect voor sjiieten. Samarra was een soennitisch bastion dat gek genoeg befaamd was om een eeuwenoude sjiitische moskee. De moskee is gewijd aan Al Mahdi, de enige van de twaalf afstammelingen van Ali en Fatima die volgens de verhalen niet door geweld om het leven is gekomen. Voor vrome sjiieten is hij een soort messias, en tot ongenoegen van sommige soennieten in Samarra maken veel sjiieten een pelgrimstocht naar de moskee, waar ze bidden om zijn terugkeer. Ehab was daar ook niet blij mee.

'Ik heb zo de pest aan de sjiieten!' barstte hij op een middag uit. 'Ze zouden ze allemaal moeten ombrengen! Ik heb zin om op een dag naar Najaf te gaan en ze allemaal te vermoorden.'

Zijn plotselinge haat was schokkend. Ik kende heel veel soennieten, maar zoiets had ik nog nooit gehoord. Ik wist dat amo een hekel aan sjiieten had, maar zelfs hij zei nooit dit soort dingen, althans niet waar ik bij was.

'Ik ben sjiitisch, Ehab,' zei ik kwaad. 'Vind je dat ze mij ook moeten ombrengen?'

Hij pakte meteen mijn hand vast en zei: 'O nee, liefste, jou niet. Jij bent anders. Jij bent bijzonder.'

Tot op de dag van vandaag neem ik het mezelf kwalijk dat ik op dat moment niet tegen zijn onverdraagzaamheid ben ingegaan, maar ik was zo verliefd dat ik niet wilde zien dat de man met ik verloofd was niet dezelfde was als de student-dichter op wie ik verliefd was geworden. Tijdens onze romantische onderonsjes op het Franse Instituut had hij amo en de kliek van het paleis aan wie ik zo graag wilde ontsnappen altijd scherp veroordeeld, maar nu wilde hij niets liever dan iedereen leren kennen. Ik was bereid geweest het verschil in achtergrond te negeren, maar voor hem lag het duidelijk anders. Toen ik met mijn moeder naar Amerika ging om daar een trouwjurk uit te zoeken, gaf hij me een lange lijst met cadeautjes die ik voor al zijn familieleden, buren, vrienden en collega's diende mee te brengen. Toen we in Chicago zaten, belde hij me aan één stuk door en vroeg me of ik binnen wilde blijven in plaats van met mijn familie op stap te gaan. Hij bleef maar van alles toevoegen aan de lijst met cadeaus die ik moest kopen, waaronder zelfs cadeautjes voor de echtgenotes van vrienden van hem. Hij leek te denken dat hij, als toekomstige echtgenoot, het recht had om me te vertellen wat ik wel en niet mocht doen, ook al zat ik duizenden kilometers verderop, en ik begon er genoeg van te krijgen. Toen hij belde en ik er toevallig niet was, liet hij boodschappen achter op het antwoordapparaat die zelfs ik als intimiderend beschouwde.

Op een dag waren we in een bruidswinkel bezig jurken te passen. Toen ik een stap naar voren deed om in de spiegel te kunnen kijken, begon mama weer over hem: 'Het is zo zonde dat al deze schoonheid naar een man gaat die het niet kan waarderen,' zei ze.

'Alsjeblieft, mama, zeg er maar niets over,' zei ik smekend. Maar diep vanbinnen begon ik bang te worden. Dacht hij echt dat hij mijn gangen kon bepalen? En mijn gedachten? Wat had het voor zin om te trouwen als ik de vrijheid waarnaar ik zo verlangde uit liefde zou moeten opgeven?

'Hij is gestoord, Zainab,' zei ze. 'Hij is ziekelijk jaloers. Je moet de verloving verbreken. Laat nooit iemand de baas over je spelen, laat je nooit misbruiken!'

Ik had zulke uitspraken al sinds mijn vroegste jeugd, toen de dochter van de kok ons had bekend dat haar stiefvader haar mishandelde, moeten aanhoren, maar naarmate ik ouder werd en amo steeds meer macht over onze levens kreeg, had mijn moeder steeds vastberadener geklonken. Dat was ze nu ook. Toen we op een middag terugkwamen van het winkelen en ik het antwoordapparaat afluisterde, drong eindelijk tot me door hoe erg Ehab was. Hij had zeven berichten ingesproken en beval me in het laatste berichtje terstond naar huis te komen. De toon van zijn stem maakte me bang. Ik probeerde me voor te stellen hoe het zou zijn om een echtgenoot te hebben die de rest van mijn leven zo tegen me zou praten. Hij was uiteindelijk toch net zoals Heathcliff: obsessief en overheersend en jaloers.

Ik zei tegen mama dat ik mijn verloving wilde verbreken en barstte toen in tranen uit. Had ik zo graag aan amo willen ontsnappen dat ik van de ene tiran in de armen van een andere was gevlucht? Hoe kon ik van een man houden die mij weliswaar niet haatte, maar mensen als ik, mensen als mijn grootmoeder, wel? Ik kon gewoon niet geloven dat ik zo blind was geweest. Toen ik Ehab vanuit Chicago belde en hem vertelde wat ik had besloten, werd hij woedend en weigerde mijn besluit te aanvaarden. Ik stemde ermee in om hem persoonlijk zijn verlovingscadeaus terug te geven, maar toen ik hem in Bagdad trof, dreigde hij me mee te nemen naar een geestelijke in de buurt van Samarra die ons tegen mijn zin in de echt zou verbinden. Daarna begon hij me overal te achtervolgen. Hij liep me voortdurend achterna, waar ik ook heen ging, en mijn familie begon te vrezen voor mijn veiligheid. Na een tijdje besloot baba om hulp te vragen. Ehab staakte zijn pogingen pas nadat baba in het gezelschap van een van amo's lijfwachten met hem was gaan praten.

Na het verbreken van mijn verloving was ik dankbaarder dan ooit dat ik zulke lieve ouders had die me door dik en dun steunden. Ik was helemaal van streek en wilde niet eens het huis verlaten, zo terneergeslagen was ik. Ik had mezelf in het openbaar vernederd, en mijn vader en moeder ook. Niemand zei 'Ik zei het toch' tegen me, maar ik wist dat iedereen die ik kende dat wel dacht. Ze deden allemaal beleefd tegen me, maar keken me aan alsof ze wilden zeggen: goed, je hebt nu een beetje kunnen experimenteren, maar het is dus niets geworden. Dat zagen we al aankomen, maar jij was eigenwijs en moest ook nog je familie te schande maken. Nu ben je weer bij zinnen gekomen en besef je dat je net zo bent als wij.

Daardoor voelde ik me eenzamer dan ooit. De enige ontsnappingsroute die ik had kunnen bedenken, was een mislukking gebleken, en ik durfde niet langer op mijn eigen instincten te vertrouwen. Ik was moe van het ruziemaken, ik had er genoeg van dat ik degene was die er niet helemaal bijhoorde.

'Mama, wil je me helpen met aankleden voor Oedais verlovings-feest?' vroeg ik haar. Ik had van tevoren bepaald wat ik zou kunnen zeggen om haar tevreden te stellen, en het werkte. Baba had uit Thailand een rol gele zijde voor me meegebracht, waarmee we naar een kleermaker waren gegaan. Aan het einde van de jaren tachtig was uitbundigheid in de mode, en mijn nieuwe gele jurk had dan ook grote pofmouwen en een enkellange wijde rok. Ik ging voor de kaptafel van mijn moeder zitten, zodat ze me kon opmaken, en weet nog dat ik in de spiegel naar haar keek zoals ik naar een andere vrouw zou kijken, vol waardering voor haar keurig opgebrachte foundation en donkere oogschaduw, voor haar glanzende jurk en haar pas gekapte haar. Waarom droeg ze haar lange haar niet meer los? Ik miste dat lange haar dat altijd om haar heen had gezwierd. Ik voelde dat ze haar hand om mijn kin sloot en mijn hoofd stilhield terwijl ze mascara op mijn wimpers deed, rouge op mijn wangen en een beetje lippenstift op mijn mond. Ik keek naar mezelf in de spie-gel, maar de glimlach die ik zag, was die van haar, niet die van mij. Ik had het gevoel dat ik de eerste stap in de richting van mijn eigen overgave zette.

Toen we die avond de zaal binnenliepen, voelde ik me net een stamboekpaard dat ze aan de hele wereld wilde laten zien: 'Dit is mijn dochter. Kijk toch eens. Ze is beeldschoon. Ze past bij ons. Ze is uiteindelijk helemaal niet zo anders dan wij.' Overal om me heen stonden vrouwen te klappen op de maat van de muziek, een en al glimlachende gestifte lippen en haar dat glansde van de lak en stra-lende gezichten en glimmende jurken. Ik zag er net zo uit als zij, maar ik voelde me net een ingepakt cadeautje, compleet met strik, dat op een verkeerd adres was afgeleverd. Ik voelde de make-up als een gewicht op mijn huid, als een masker dat de echte ik, die nog steeds in me zat, aan het zicht onttrok. Ik zag mama lachen en dan-sen en vroeg me af of ze zich echt vermaakte of deed alsof. Toen Oedai binnenkwam, in een witte smoking, dromden vrouwen om hem heen alsof hij een popster was. Zijn aanstaande bruid danste om hem heen, mooi en onschuldig. Ik kende haar. Ik vond haar aar-dig. Ze was fatsoenlijk. Maar ze was ook de dochter van de vice-president, en haar vader had haar om politieke redenen aan Oedai uitgehuwelijkt. Hoeveel mannen zouden dat hun eigen dochter aandoen? vroeg ik me af, wetend dat mijn vader nooit zoiets zou doen. Hoe konden deze mensen vieren dat ze was verloofd met de verkrachter van Bagdad? Ik wist dat de meeste aanwezigen familie waren, tantes en zussen, maar voelden ze zich niet verantwoordelijk omdat ze zo iemand hadden opgevoed? Hoe konden ze hun ogen sluiten voor het feit dat hij een monster was?

Enige tijd later verbrak Oedai de verloving. Omwille van haar was ik daar in stilte blij om. Maar het zorgde ervoor dat de mensen maar over één ding roddelden: ze moest iets verkeerd hebben gedaan, anders had zo'n goede partij haar nooit laten lopen, maar wat was het?

Op een dag, toen ik nog steeds bezig was over Ehab heen te komen, vertelde mijn moeder me uiterst opgetogen dat ze was gebeld door de moeder van Fakhri, die in Amerika woonde: haar zoon wilde met me trouwen. Ze was zo blij. Haar ogen straalden. Ik had haar al heel lang niet meer zo gelukkig gezien.

'Fakhri? Wie is Fakhri?' vroeg ik. Ik had geen idee over wie ze het had.

'O, dat weet je toch nog wel? Je hebt hem in Chicago leren kennen.'

Ze vertelde me over een oudere man die ik me amper kon herinneren. Toen we in Amerika waren om een trouwjurk voor mij uit te zoeken, hadden we hem blijkbaar een keer tijdens een drukke bijeenkomst gezien.

'O nee, mama,' zei ik, aanvankelijk nog op luchtige toon. 'Nee, nee, nee, mama.'

Tot dan toe had ze altijd gelachen om aanzoeken van vreemden. Dit kon ze niet menen. Maar ze meende het wel.

'Mama, dat wil ik niet nog een keer meemaken,' zei ik. 'Ik wil me gewoon op mijn studie concentreren, meer niet. Even geen mannen.'

'O, *habibiti*, je moet je niet door één slechte ervaring laten ontmoedigen. Er zijn ook goede huwelijksaanzoeken, en dit is er eentje van,' zei ze.

'Waar hebt u het over, mama? Ik kan me niet zomaar weer gaan verloven. Ik heb even tijd nodig, mama. Ik ben twee jaar met Ehab geweest. Ik moet wat tijd voor mezelf hebben voordat ik weer aan een huwelijk wil denken.'

'Hij woont in Amerika, Zainab,' bracht ze me in herinnering.

'Maar mama, ik ken hem niet eens!'

En toen begon het tot me door te dringen hoe serieus ze was. Ze keek me indringend en heel verdrietig aan. Alsof ze al haar energie had gestoken in dit aanzoek, dat me moest behoeden voor het soort leven dat zij nu leidde.

'Kijk eens om je heen, Zainab,' zei ze langzaam. 'Zie je de tralies niet?'

Ik volgde haar blik toen ze naar de muren en de meubels en de glazen tuindeuren keek.

'Ze zijn onzichtbaar, maar ze zijn overal. Dit is een groot land, maar in de afgelopen tien jaar heb ik elke dag de tralies van deze gevangenis om me heen gevoeld. Dit is je kans, lieverd. Grijp hem. Blijf niet hier, want dan word je net zoals ik. Ontsnap. Dit is je kans om vrij te zijn.'

Het was zo'n pijnlijk en verwarrend moment. Ze moedigde me aan om alles te vergeten wat ze me had geleerd over liefde en trouwen, maar liet me tegelijkertijd zien dat ze haar ware ik niet helemaal had opgegeven. Ze smeekte baba allang niet meer of we konden vertrekken, maar ze was zich nog steeds bewust van de hel waarin we leefden. Ze had haar hoop op vrijheid opgegeven, maar ze was altijd blijven hopen dat ze mij zou kunnen helpen om mijn vrijheid te vinden.

'Wie is hij eigenlijk?' vroeg ik.

En ze begon te vertellen dat hij zo'n succesvolle zakenman was, dat hij een universitaire titel had en in Chicago woonde, dat hij uit een goede sjiitische familie kwam die aan het begin van de jaren tachtig, toen ik net naar de middelbare school ging, uit Irak was gevlucht.

'Hoe oud is hij?'

'Nou, een tikje ouder,' gaf ze toe. 'Drieëndertig.'

'Mama, bent u gek geworden? Dan is hij dertien jaar ouder dan ik!'

'Zainab, je hebt al eerder gekozen voor de liefde, maar dat werkte niet,' zei ze. 'Heb je er nooit aan gedacht dat het misschien het beste was zoals het is gelopen? Je verdient meer dan de toekomst die je hier zult hebben. Je wilt werken, je wilt iets van de wereld zien, je wilt de vrijheid hebben om te doen wat je wilt en te zeggen wat je te zeggen hebt. Hoe denk je dat hier te vinden? Geloof me, *habibiti*, grijp je kans. Zainab, leid het leven dat ik niet kan leiden.'

Ik voelde dat de tranen in mijn ogen prikten, zo verward was ik.

'Beloof me gewoon dat je er serieus over zult nadenken, goed?'

Omdat ze mama was, zei ik dat ik dat zou doen.

Luma was toen al getrouwd, en zij had haar verloofde voor de bruiloft slechts één keer gezien, bij hen in de woonkamer. Nu sprak ze alleen nog maar over het inrichten van haar nieuwe huis. Zou dat ook mijn lot zijn als ik hier zou blijven? Een rijke man en een groot huis dat ik zou moeten inrichten? Ze leek zo gelukkig getrouwd te zijn dat ik me afvroeg of de oude gewoonten misschien toch de beste waren. Misschien hadden dochters een goede reden om op het oordeel van hun ouders te vertrouwen wanneer het om zoiets belangrijks als een huwelijk ging. Moest ik naar mama luisteren en doen wat ze van me vroeg? Haar droom in vervulling laten gaan? Waar moest ik de grens trekken tussen een brave dochter zijn en voor mezelf kiezen? Ik wist het niet. Ik was zo ontzettend de mist ingegaan met de liefde dat ik niet langer op mijn eigen oordeel durfde te vertrouwen. Ik kon me niet voorstellen dat ik nog een keer verliefd zou worden. Mama had gelijk. Ik had voor de liefde gekozen, maar dat had niet gewerkt.

Het enige goede aan het hele fiasco met Ehab was dat het baba en mij dichter bij elkaar bracht dan we in jaren waren geweest. Baba was lief en aardig voor me geweest. Hij had me altijd door middel van cadeautjes laten merken hoeveel hij van me hield; op een avond kwam hij thuis met een nieuw tennisracket en de belofte van lessen, in de hoop dat hij me het huis uit kon lokken en een einde kon maken aan mijn sombere buien. Al vanaf het allereerste begin had hij gelijk gehad. Ik was er niet aan gewend om met baba over persoonlijke dingen te praten, maar ik wilde graag weten hoe hij erover dacht.

'Ik wil u graag om advies vragen, baba,' zei ik tegen hem. 'Wat vindt u van dat aanzoek? Moet ik ja zeggen?'

'Dat moet je zelf beslissen, Zainab,' zei hij. 'Niet ik, en niet je moeder, maar jij moet kiezen.'

'Nee, baba, dat heb ik al eens geprobeerd,' zei ik. 'Dat liep niet goed af, en daardoor heb ik u en mama in verlegenheid gebracht. Dat wil ik niet nog een keer meemaken, en daarom moeten mama en u voor me beslissen. Ik vertrouw erop dat u weet wat het beste voor me is, en ik zal me erbij neerleggen. Ik wil een goede dochter zijn voor u en mama. Ik heb me zo vergist. Dat wil ik niet nog eens doen, ik wil niet dezelfde fout maken. Alstublieft, baba. Ik heb uw advies nodig, echt. Vertel me wat ik moet doen.'

'Dat zou ik nooit doen, Zainab,' zei hij, al was het duidelijk dat hij niet wilde dat ik Irak zou verlaten. 'Ik kan alleen maar zeggen dat je je niet door je moeder onder druk moet laten zetten om ja te zeggen. Als je ja zegt, doe dat dan omdat je het zelf wilt. Je moet je eigen dromen waarmaken, niet die van je moeder.'

Ik bleef de hele nacht op, voortdurend de argumenten van mijn ouders tegen elkaar afwegend. Baba had gelijk. Ik moest niet proberen de dromen van mijn moeder waar te maken, maar mama had ook gelijk. Ik wilde niet hier blijven en in een gevangenis wonen. Ik was getuige geweest van haar zelfmoordpogingen, haar tranen en de keren dat ze naar haar moeder in Karbala was gevlucht. Ik was getuige geweest van haar pijn. Was dat wat de toekomst ook voor mij in petto had?

Door het aanzoek van destijds zijn me zoveel goede en slechte dingen overkomen dat ik nu niet langer in staat ben om er met een heldere blik op terug te kijken en uit te leggen waarom ik tot het besluit ben gekomen dat ik uiteindelijk heb genomen. Ik vond het heerlijk om naar de Verenigde Staten te gaan, maar dat land was niet mijn thuis. Ik hield van Irak en kon me niet voorstellen dat ik mijn familie en mijn hele leven achter me zou laten. Maar door de jaren heen had het weekendhuis me claustrofobisch gemaakt. Ik was doodsbang dat ik me, net als mijn moeder, fysiek en emotioneel opgesloten zou voelen. Uiteindelijk zei ik geen ja tegen Fakhri, maar zei ik ja tegen mama. Ze had gelijk gehad over Ehab, en ik had ongelijk gehad, en ik had veel meer vertrouwen in haar oordeel dan in dat van mezelf.

'*Hamdoelilah*,' zei mama toen ik haar over mijn beslissing vertelde. 'Godzijdank.'

Deze keer ging het allemaal heel snel. Amo gaf naar verluidt met tegenzin zijn goedkeuring, en Fakhri's moeder kwam vanuit de Verenigde Staten over om officieel om mijn hand te vragen. Ik serveerde Turkse koffie en *klache*. Ze was klein, met een dunne neus, en sprak vol lof over haar zoon, van wie ze me een foto liet zien. Ik keek onderzoekend naar zijn gezicht. Hij zag er erg mager uit, met ingevallen wangen, dunne lippen en net zo'n neus als zijn moeder. Hij had iets kils, vond ik, maar foto's waren vaak misleidend. Op een dag ging de telefoon en kreeg het gezicht van de foto een stem: beleefd maar vriendelijk. Er werd een klein verlovingsfeestje bij ons thuis gehouden, waarop een paar van mijn tantes en nichtjes kwamen. Die dag voelde ik me verslagen – ik, die zo fel voor de liefde had gepleit, zat op mijn eigen verlovingsfeestje naast de lege stoel waarop mijn verloofde had moeten zitten.

Mama was dagen bezig met het ontwerpen van mijn trouwjurk, het kopen van cadeautjes voor de gasten en het samenstellen van mijn uitzet. Mama en mijn broertjes zouden met me meevliegen en een paar weken blijven, en baba zou komen zodra zijn werk dat toestond. Ik verbaasde mijn docenten toen ik vertelde dat ik met mijn studie ging stoppen; ik was een van de besten van mijn jaar. Ik vertelde dat ik al boeken had gekocht voor volgend jaar en dat ik terug zou komen voor mijn afsluitende tentamens. Een retourticket had ik al, en ik was van plan om op tijd af te studeren.

'Je komt niet terug, dat weet ik gewoon. Je komt niet terug,' zei Lana huilend tegen me.

'Ik moet mijn vierde jaar afmaken,' zei ik, terwijl ik haar omhelsde. 'Natuurlijk kom ik terug. Ik neem niet eens mijn fotoalbums en dagboeken mee. Wanneer ik terug ben, blijf ik meteen een paar maanden en zullen we elkaar heel vaak zien.'

Er volgde geen groots afscheid op het vliegveld. Wat ik me nog het beste kan herinneren, is dat ik zwijgend met mijn familie en onze chauffeur in de vipruimte van Saddam Hoessein International

Airport zat te wachten. Mijn vader had tranen in zijn ogen. Mijn broertjes zagen er somber en gespannen uit, en zelfs onze chauffeur moest zijn best doen om niet te gaan huilen. Iedereen zag er verdrietig uit, behalve mama. Ze keek vastberaden, alsof ze een missie had.

Baba was gezagvoerder tijdens het eerste deel van de vlucht die me uit zijn leven zou wegvoeren, en terwijl hij het vliegtuig naar de hemel stuurde, klonk er door de intercom een lied van de Libanese zangeres Fairuz dat een ode aan Bagdads schoonheid en rivieren en poëzie was. Door het raampje staarde ik naar de stad onder me. Tijdens de oorlog, die acht jaar had geduurd, was de stad verduisterd geweest, maar net nu ik vertrok, brandde weer overal licht. Het was net een prachtig tapijt vol glanzende lampjes die elk een eigen verhaal vertelden. Ergens daar beneden waren mijn neven en nichten, mijn school, mijn huis, en vriendinnen wier afscheidszoenen mijn hart hadden doen smelten. Ik drukte mijn gezicht tegen de ruit en vocht tegen mijn tranen toen de lichtjes tot speldenprikken ineenkrompen en ten slotte niet meer te zien waren.

Maar nu had amo in elk geval niets meer over mijn leven te zeggen. Sinds het uit was met Ehab had ik hem slechts één keer gezien, en toen had hij zijn grote hand op mijn schouder gelegd en me voor mijn gevoel heel erg lang aangekeken. Het was een van die keren waarop ik het gevoel had dat hij mijn gedachten kon lezen, maar hij vond blijkbaar dat ik door de verbroken verloving genoeg was gestraft en zei er niets over. Sinds ik opnieuw verloofd was, heerste er stilte. Geen verlovingscadeau, geen felicitaties. Gelukkig word ik gestraft omdat ik wegga, dacht ik. Maar ik voelde me ontzettend verdrietig. Huilde ik om wat ik had achtergelaten, of om wat me te wachten stond? Ik wist het niet. Ik had het gevoel dat ik een zwart gat invloog, en ik dwong mezelf te gaan slapen.

Toen ik in Amerika van boord ging, was het licht. Op het vliegveld was het druk. De familie en vrienden van Fakhri stonden bij de gate op ons te wachten. Ik keek snel om me heen om te zien of hij er ook was en zag hem vanuit mijn ooghoeken staan. Ik herkende hem van de foto's. Eerst begroette ik alle anderen, te beginnen met een zoen voor zijn moeder, de vrouw met de dunne neus en het magere gezicht, en voor zijn vader, een aardig uitziende man die me hartelijk begroette. Zijn zus bekeek me op dezelfde manier als Raghad en Rana deden wanneer ik op hun feestjes verscheen. Ik begroette andere familieleden en vrienden, en ten slotte was alleen hij nog over.

'Hoe lang had je willen vermijden om mij te begroeten?' vroeg hij.

Ik glimlachte beleefd en schudde hem de hand, maar ik gaf geen antwoord op zijn vraag. Ik wilde hem geen zoen op zijn wang geven en deed net alsof ik verlegen was. Toen ik hem eindelijk recht aankeek, besefte ik dat ik me niet tot hem aangetrokken voelde. Ik voelde mijn hart niet sneller kloppen, ik voelde helemaal niets. Er was niets zachts in zijn ogen te zien, geen uitnodiging om lief te hebben. Voor me stond een lange man die veel ouder was dan ik en die op zijn moeder leek.

Toen hij mijn twee koffers van de bagageband tilde, had ik het gevoel dat hij letterlijk mijn hele leven in zijn handen hield. Ik voelde dat hij me in zijn macht had, en ik voelde me kwetsbaar toen ik achter hem aan de aankomsthal uitliep naar de parkeerplaats, waar hij de kofferbak van een grote luxe zwarte Amerikaanse auto opende.

'Ik heb deze auto ter ere van jou gekocht,' zei hij. 'Wat vind je ervan?'

'Erg mooi,' zei ik glimlachend. Probeerde hij indruk op me te maken met geld en een tweedehands auto? Een van de zijspiegels was kapot. 'Wat aardig van je om die ter ere van mij te kopen.'

'Ik heb hem op een veiling gekocht,' zei hij, en toen voegde hij eraan toe: 'Die spiegel kan ik wel laten maken.'

Uit het notitieboekje van Alia

Samira was de enige die hem bij zijn voornaam noemde. Ik moet niet vergeten te vermelden dat Samira een vijfendertigjarige blondine met blauwe ogen was.

Zijn relatie met Samira begon in de zomer van 1981. Ze was lerares op basisschool Al Makasseb. Hij kwam daar vaak omdat hij een zwembad in de buurt van de school had waar hij regelmatig met vrienden ging zwemmen. Samira deed haar uiterste best om hem beter te leren kennen. Ze beweerde dat ze zijn hulp nodig had bij de echtscheiding waarin ze was verwikkeld. Hij hielp haar bij haar scheiding, en zij werd zijn maîtresse en vergezelde hem naar alle feestjes, zelfs wanneer die alleen voor mannen bedoeld waren. Samira week nooit van zijn zijde. Hij zei vaak dat hij het leuk vond dat ze zich soms als een tiener en soms als een volwassen vrouw gedroeg. Hij vertelde dat hij zich bij haar op zijn gemak voelde omdat ze alles deed wat hij van haar vroeg. Hij stuurde haar af en toe voor controle naar een arts om er zeker van te zijn dat ze geen ziekte onder de leden had. Ze was de enige vrouw die samen met hem en zijn vrienden dronk, en soms verdween ze tijdens een feestje even met hem, om na korte tijd weer terug te komen, omgeven door de geur van seks en lust.

Samira kwam net als Saddam uit een arm gezin. Maar in tegenstelling tot hem was zij wel opgegroeid in Bagdad en kwam ze uit een familie die veel groter was en een goede naam had. Ze was net als hij jaloers op hen die een goed leven hadden. Wanneer ze in het gezelschap van goede vrienden waren, scholden ze elkaar vaak uit. In die tijd is hij heel erg veranderd. Voordat hij Samira kende, deed hij zijn best om op de elite te lijken en hun gedrag en manier van leven over te nemen. Hij vroeg ons of we hem konden leren met mes en vork te eten. Hij vloekte nooit en probeerde zich een stads accent aan te meten. Maar tijdens zijn relatie met Samira deed hij niet langer zijn best om zich beschaafd te gedragen en begon hij plat te praten tegen haar en tegen wie er verder maar in de buurt was.

Op een dag gaf ze hem plagend een tik. Daardoor viel zijn hoofddeksel (hij droeg die dag een traditioneel Arabisch gewaad) op de grond, en voor een Arabier is dat een belediging. Hij begon haar onmiddellijk met alle kracht die hij had te slaan met het hoofddeksel, dat even hard kan zijn als een leren riem. Terwijl hij dat deed, begon ze zijn handen en voeten te kussen, en dat vond hij erg prettig. Dus hij bleef haar slaan en zij bleef hem kussen, en we moesten daar allemaal getuige van zijn, totdat ze naar het bestelbusje liepen om het goed te maken.

ACHT

Nevenschade

Ik zou in juni in Amerika trouwen, maar omdat de bruiloft volgens de Iraakse tradities werd gevierd, vond de plechtigheid in twee gedeelten plaats. Het eerste deel van een dergelijke bruiloft bestaat uit een islamitische religieuze ceremonie, waarna het paar de tijd krijgt om elkaar beter te leren kennen dan ze tijdens hun verloving kunnen doen. Het is een soort droogzwemmen, en als het niet gaat, wordt het huwelijk ongeldig verklaard. Als het wel een succes is, volgt er een grote openbare bijeenkomst – de echte bruiloft – waarop het stel ten overstaan van familie en bekenden tot man en vrouw wordt verklaard. Vaak liggen er maanden tussen de eerste ceremonie en de bruiloft, maar in ons geval zouden beide vlak na elkaar plaatsvinden.

Op de ochtend van de islamitische ceremonie liet ik me door mijn moeder kleden in een gewaad van wit en goud dat ze in Bagdad voor me had gemaakt. Het was een oogverblindende traditionele Iraakse *sayya*, een enkellange jurk met een lang jasje waarop ze met gouddraad bloemen en dichtregels had geborduurd. Ik kan me niet herinneren dat ik erg veel emotie voelde toen we met ons gezelschap de snelweg naar Fakhri's huis namen. Ik maakte de reis van mijn Iraakse verleden naar mijn Amerikaanse toekomst op de achterbank. Na ongeveer een half uur ging de auto voor ons op de snelweg aan de kant, en onze auto volgde het voorbeeld. Mijn vader stapte uit de eerste auto en liep naar ons toe, terwijl auto's en vrachtwagens links van ons angstaanjagend snel voorbij zoefden. Mijn moeder slaakte een diepe, geërgerde zucht en draaide haar raampje naar beneden.

'Dit is niet juist, Alia!' zei mijn vader. Hij moest schreeuwen om boven het geraas van het verkeer uit te komen. 'We mogen hier niet mee doorgaan. Dat kunnen we haar niet aandoen!'

'Ik neem haar niet mee terug naar Irak!' zei mijn moeder. Ze barstte in tranen uit. 'Dit is haar kans op een goede toekomst. De bruiloft moet doorgaan. Ik zal niet toestaan dat ze mee teruggaat naar Irak! Ik neem haar niet mee terug!'

Het was een voortzetting van de ruzie die de avond ervoor was begonnen. Er was blijkbaar onenigheid over de bruidsschat ontstaan, en baba had het gevoel dat Fakhri hem te weinig respect had betoond. Baba zei dat hij Fakhri niet vertrouwde omdat die zomaar op zijn woord terugkwam. Mama's argumenten hadden weinig met de bruidegom te maken en alles met haar voornemen om ervoor te zorgen dat de bruid in Amerika kon blijven. Mijn moeder die vocht om Irak te kunnen verlaten, mijn vader die er alles aan deed om te kunnen blijven; het was hetzelfde oude riedeltje dat ik al sinds mijn twaalfde had moeten aanhoren. Het enige verschil was dat ze nu over mijn leven in plaats van het hunne aan het ruziën waren. Ik vond dat zo hartverscheurend, dat de twee mensen van wie ik het meeste hield elkaar op de dag van mijn huwelijk verweten dat de ander mijn leven aan het verwoesten was. Ik was de enige die niet huilde. Ik weet nog dat ik gewoon naar de middenberm zat te staren, die niet meer was dan een modderige strook die was bezaaid met droog onkruid, en dolgraag wilde dat ze zouden ophouden.

'Zainab, ik smeek je om dit niet te doen,' zei baba, die zich eindelijk tot mij richtte, met tranen in zijn ogen. 'Je hoeft dit niet te doen. Laat je moeder je niet vertellen wat je moet doen. Het is jouw leven, lieverd, niet dat van je moeder.'

Op dat moment hield ik verschrikkelijk veel van hem. Ondanks onze meningsverschillen had ik er nooit aan getwijfeld dat hij van me hield. In zekere zin wist ik dat hij gelijk had. Hoe kon ik trouwen met een vreemde tot wie ik me niet aangetrokken voelde? Maar ik

begreep ook wat mama bedoelde en vond het fijn dat ik voor de verandering eens een brave, gehoorzame dochter voor haar kon zijn. Ik
vond het vreselijk om haar te zien huilen. En trouwens, wat was het
alternatief als ik mee terug zou gaan? Daar wilde niemand iets over
zeggen, maar het was wel een probleem. Wachtte daar iets beters
op me? Als ik nu mee terug zou gaan naar Bagdad, zou ik mijn
hele familie in verlegenheid brengen. Mensen zouden gaan denken
dat er iets mis met me was: twee keer verloofd, twee keer niets
geworden.

'Ik neem de volledige verantwoordelijkheid voor mijn eigen
huwelijk,' zei ik ten slotte. Het was het enige antwoord dat ik kon
verzinnen waardoor ik geen kant zou kiezen. 'Ik zal wel met hem
gaan praten, en dan neem ik mijn besluit.'

Toen we bij het huis van Fakhri's familie aankwamen, waar de
religieuze ceremonie zou worden gehouden, bleken de gasten zich al
beneden te hebben verzameld. Fakhri en ik gingen naar boven, waar
we elkaar onder vier ogen konden spreken, en we spraken voor de
allereerste keer heel serieus over de verwachtingen die ik van het
huwelijk had. Ik zei tegen hem dat ik rekende op respect van zijn
kant, dat ik een universitaire opleiding wilde volgen en een carrière
wilde opbouwen die me bevrediging en financiële onafhankelijkheid zou geven. Ik zei tegen hem dat hij niet hoefde te verwachten
dat ik zou gaan schoonmaken en koken – of sowieso bepaalde
dingen zou doen omdat ik toevallig een vrouw was. Ik wilde er,
gezien mijn ervaringen met Ehab, zeker van zijn dat er geen misverstanden waren. Ik was bijna verbaasd toen ik merkte dat hij naar me
luisterde.

'Ik beloof je dat ik van je zal houden en voor je zal zorgen,
Zainab,' zei hij. 'Ik heb respect voor wat je van me vraagt, en ik kan je
ervan verzekeren dat ik er alles aan zal doen om je gelukkig te
maken.'

Hij was nog steeds niet knap, met zijn kleine oogjes en zijn lange,
dunne neus, maar voor de eerste keer geloofde ik dat ik van hem
kon gaan houden als we eenmaal getrouwd waren. In die kamer was
hij vriendelijk en respectvol. Hij zei dat hij begreep wat ik bedoelde
en dat hij me zou steunen in alles wat ik in het leven wilde bereiken,

en ik vroeg me af of we misschien gewoon te weinig tijd hadden gehad om elkaar echt te leren kennen. Toen we samen naar beneden liepen, was ik zenuwachtig, maar opgelucht.

Ik kon mijn vader en moeder onder ogen komen en in alle eerlijkheid tegen hen zeggen dat ik bereid was hiermee door te gaan.

Toen ik in mijn *sayya* beneden kwam, zag ik mijn broertjes staan. Haider leek uit de toon te vallen, en Hassan, die bijna tien was, stond heel dicht naast mijn vader, die zijn best deed om geen afkeurend gezicht te trekken. Afgezien van mijn familieleden kende ik maar een paar van de ongeveer twintig mensen die hier aanwezig waren. Ik ging naast Fakhri op de bank zitten, zoals afgesproken, en de imam kwam tegenover ons zitten. Ik bereidde me voor op de eerste traditionele Iraakse huwelijksvoltrekking die ik ooit had meegemaakt: die van mezelf. Het was een schitterende ceremonie, rijk aan symbolen uit al die culturen die de islam mede hadden gevormd: uit Irak, Iran, Turkije en andere streken in het Midden-Oosten. Twee gelukkig getrouwde vrouwen – een van hen was mijn eigen moeder – hielden een lap stof boven onze hoofden, terwijl twee anderen stukken suikerriet tegen elkaar wreven, dat zoetheid aan ons huwelijk moest geven. Mijn voeten werden ondergedompeld in een zilveren emmer vol munt en rozenblaadjes, er werd een Koran op mijn schoot gelegd, en kardemomzaadjes werden tussen mijn vingers gestoken. Ik had het gevoel dat ik naar een toneelstuk zat te kijken.

'Zainab, neem je deze man als je echtgenoot en huw je hem ten overstaan van God en Zijn profeet?' vroeg de imam.

Ik gaf geen antwoord. Mama had tegen me gezegd dat hij me twaalf keer dezelfde vraag zou stellen – twaalf keer voor alle afstammelingen van de profeet die volgens de sjiieten de rechtmatige erfgenamen van de islam waren – en dat ik daarna pas mocht antwoorden. Fakhri had al ja geantwoord op de vragen die aan hem waren gesteld, en nu leek het elke keer een eeuwigheid te duren voordat de imam zijn vragen aan mij had gesteld. Het was een eeuwigheid waarin ik kon nadenken en van gedachten kon veranderen. Terwijl iedereen me zwijgend aan zat te staren, schoten er allerlei vragen door mijn hoofd. Wat zou er gebeuren als ik gewoon nee zou zeggen? Was het te laat? Ik keek naar mijn vader, die met een ellendig gezicht tegenover me zat, en naar mijn moeder, die naast me stond en me een gelukkig huwelijk wenste terwijl ze dat zelf niet langer had. Ik wilde 'Nee!' schreeuwen. Hoe kon ik iets doen wat zo *ayeb* was? Had ik niet net nog een heel redelijk gesprek met hem gevoerd? Telkens stelde de imam me dezelfde vragen, en hoewel het tegen al mijn instincten inging, hoorde ik mezelf 'Ja' zeggen.

Fakhri keek me opgelucht aan en kuste me op mijn voorhoofd. Ik kon hem niet aankijken.

Hassan rende schreeuwend de kamer uit, en mijn vader rende hem achterna.

'Zeg, het is geen begrafenis,' zei Fakhri's moeder. 'Dit hoort een vrolijke gebeurtenis te zijn!'

We ondertekenden het standaardhuwelijkscontract, een formulier waarin plekken leeg waren gelaten voor de bruidsschat en de handtekeningen, en tien dagen later liep ik aan de arm van mijn man de zaal binnen waar onze receptie werd gehouden. Tweehonderd mensen vierden feest in een gehuurde zaal. Ik kende bijna niemand. Ik zette mijn plastic glimlach op, begroette iedereen en danste met mijn man. Hij trok een zegevierend gezicht, alsof hij een grote vis had gevangen.

Die avond overnachtten we in een hotel. We waren van plan om de volgende ochtend met onze ouders te gaan ontbijten en daarna voor de huwelijksreis naar Hawaï te vliegen. Ik was zenuwachtig vanwege de huwelijksnacht. Uiterst verlegen liep ik in mijn nachtjapon naar hem toe. Ik was nog nooit met een man naar bed geweest, maar ik wist ook dat een kus het hart kon doen smelten. Hij vroeg me op het bed te gaan liggen en mijn benen te spreiden. Dat deed ik. Toen lag hij plotseling boven op me, een vreemde die me onhandig neerduwde. Hij zei helemaal niets. Hij kuste me niet, hij streelde me niet, hij was niet teder en deed geen enkele poging om me op mijn gemak te stellen. Er werd alleen wat vernederend heen en weer geschoven, en toen hield hij op. Ik voelde me gekwetst en overvallen, maar er was geen bloed op de lakens te zien; we keken allebei of dat zo was. Ik wist dat de mannen in bepaalde streken op het Iraakse platteland nog steeds werden geacht om na de huwelijksnacht de lakens met het bloed van hun maagdelijke bruid te laten zien; kon hij dat niet, dan was dat een schande voor haar hele familie. Ons gezin was veel moderner, en mijn moeder had me verteld dat niet iedere vrouw bloedde.

'Wat is er mis met je?' vroeg hij. 'Kom op, voor de draad ermee. Ik weet zeker dat je het wel weet.'

'Wat? Waar heb je het over?' zei ik. 'Hoe kun je zoiets tegen me zeggen, Fakhri?'

'Nou, je was geen maagd meer,' zei hij. 'Je hebt niet gebloed.'

'Dat ben ik wel, Fakhri,' zei ik. 'Maar niet iedere maagd bloedt. Dat hangt van de vrouw in kwestie af.'

'Nou, ik weet niet wat je bent, maar je bent geen maagd,' zei hij, en hij draaide zich om. 'Ik ga nu slapen.'

Ik kon gewoon niet beschrijven welke gevoelens er die nacht allemaal door me heen gingen. Ik lag daar in mijn eentje in het donker, klaarwakker, en probeerde te bedenken wat ik verkeerd had gedaan. De anatomische tekeningen van mijn moeder hadden me hier niet op voorbereid. Ik was een maagd. Meer dan zoenen met Ehab had ik nog nooit gedaan. Ik kon me herinneren dat ik verhalen had gehoord over meisjes die hun maagdelijkheid door ongelukjes bij het sporten hadden verloren, en ik groef diep in mijn herinnering om te zien of ik ooit, zonder het te beseffen, gewond was geraakt. Had ik soms nog iets anders moeten doen? Ik ging zo ver mogelijk uit de buurt van die man naast me liggen en rolde me als een klein kind op aan de rand van het bed, zonder iets van mijn verwarring of angst te laten blijken. Ik besefte dat er na deze nacht nog duizenden als deze zouden volgen.

De volgende morgen, toen mijn ouders met ons kwamen ontbijten en ons naar het vliegveld brachten, wist ik mama even apart te nemen.

'Weet u zeker dat wat u me over het bloed hebt verteld juist is, mama?'

'Ja, lieverd, maar als ik jouw verhaal zo hoor, hebben jullie niet eens echt gevreeën.'

Alleen een maagd zou nooit doorhebben dat hij zijn eigen onvermogen had gemaskeerd door haar onschuld in twijfel te trekken.

We vlogen voor onze huwelijksreis naar Hawaï, maar het enige mooie wat ik daar zag, was een diepblauwe horizon die me deed wensen dat ik heel ver weg was. Andere pasgetrouwde stelletjes, die heel klef en verliefd waren, vierden hun geluk met tropische cocktails en onderonsjes in het bubbelbad. Door hun vrolijkheid voelde ik me alleen maar eenzamer en verdrietiger. Fakhri deed eigenlijk alleen aardig tegen me wanneer er anderen bij waren, die foto's van ons namen en bewonderende kreetjes slaakten wanneer hij vertelde dat we op huwelijksreis waren. Wanneer we met zijn tweetjes waren, had ik het gevoel dat ik met een heel andere man was getrouwd dan met degene die voor de plechtigheid zo aandachtig had geluisterd. In een van de hotels hadden ze een buffet, en hij loog dat we de kaartjes waren kwijtgeraakt die bij een of andere voorstelling hoorden, waarop we toch naar binnen mochten en gratis konden eten. Toen zei hij dat ik me helemaal vol moest proppen, zodat we de rest van de dag niet meer aan eten zouden hoeven denken. Ik schrok en schaamde me kapot. Dit was een heel andere wereld dan de wereld die ik kende. Ik was opgevoed met het idee dat je altijd eerlijk diende te zijn en dat je nooit mocht liegen of stelen, maar nu was ik getrouwd met een man die allebei deed en ook nog eens onbeleefd en zuinig was. 's Avonds zei hij dat ik 'niet vrouwelijk' was en niet wist hoe ik een man moest behagen.

Tijdens de derde of vierde nacht van mijn huwelijksreis wilde ik niet eens meer met hem in hetzelfde bed slapen. Ik liep naar de bank en begon te huilen. Pas als je getrouwd bent, ga je van elkaar houden, zei ik tegen mezelf. Als Luma en de anderen erin slaagden om een gelukkig huwelijk te hebben, dacht ik, waarom kon ik dat dan niet? Elkaar leren kennen, dat was gewoon moeilijk. Ik deed mijn uiterste best om te bedenken hoe ik deze ellendige situatie kon verbeteren. Ik kon me blijkbaar niet vrouwelijk gedragen, maar wat deed ik verkeerd? Ik voelde niets van het genot waarover mijn moeder me had verteld, en ik glimlachte zeker niet op de manier waarop ik haar had zien glimlachen wanneer ik wist dat ze net met mijn vader had gevreeën. Als ik kon bewijzen dat ik wel maagd was geweest, zou hij me vast beter behandelen. Ik probeerde me voor te stellen dat deze pijnlijke periode waarin we elkaar moesten leren kennen voorbij zou zijn en dat ik op de een of andere manier zou hebben geleerd om van hem te houden. Wat zou ik doen als het zover was? Hoe zou ik me dan gedragen? Er kwam een simpel, logisch antwoord bij me op: dan zou ik hem kussen. Toen ik de avond erop naar bed ging, kuste ik hem en probeerde me zo goed mogelijk voor te stellen dat ik van hem hield. Aan het einde van de avond had ik het bewijs waarnaar ik zo had verlangd: er zat bloed op de lakens.

Hij was blij toen hij dat zag. 'Dus je was toch maagd,' zei hij lachend.

Ik voelde me opgelucht, maar ook in de war. Ik keek naar de vlekken op het laken en vroeg me even af of ik het mee moest nemen als bewijs. Maar dan zou ik hetzelfde doen als de dorpse families van amo altijd hadden gedaan, en om die reden hadden mijn moeder en ik hen altijd uitgelachen. Ik kon mezelf niet tot dat niveau verlagen. Hij heeft nooit meer over mijn maagdelijkheid gesproken en was vanaf dat moment iets aardiger tegen me.

De vraag was hoe we ons huwelijk konden laten slagen. Ik maakte me zorgen over de invloed die zijn ouders, en dan met name zijn moeder, op onze relatie zouden kunnen hebben. Ik had vaak verhalen gehoord over schoonouders die zich overal mee bemoeiden, en ik wilde er zeker van zijn dat dat ons niet zou gebeuren. Fakhri was het met me eens, en we beloofden elkaar dat we zelf zouden proberen om eventuele problemen in ons huwelijk op te lossen en onze ouders er niet bij zouden betrekken. Tot mijn verbazing ontdekte ik, eenmaal terug in Chicago, dat hij er heel andere ideeën op na hield. Toen Fakhri zich op de eerste ochtend daar aankleedde om naar zijn werk te gaan, meldde hij dat ik geacht werd om tegelijk met hem op te staan, zijn ontbijt klaar te maken en elke ochtend zijn overhemd te strijken. Hij bracht het strijkijzer naar de slaapkamer, stak de stekker in het stopcontact en somde ondertussen de plichten op die ik als echtgenote hoorde te vervullen. Daarna gaf hij me een biljet van twintig dollar en zei dat dat mijn zakgeld voor die week was.

'Twintig dollar?' Verbijsterd staarde ik naar het geld in mijn hand.

'Dat is meer dan genoeg voor wat jij nodig hebt.'

Hij hield zelf de sleutels van de auto waarmee hij naar het vliegveld was gekomen en gaf mij de sleutels van een auto die zo oud en afgeragd was dat het een wonder was dat hij het nog deed. En we hadden onenigheid over mijn opleiding. Ik zei dat ik lessen wilde volgen die me zouden voorbereiden op mijn examens in Irak, maar hij vond een universitaire opleiding tijdsverspilling en zei dat ik beter een makelaarsdiploma kon gaan halen. Daar was in elk geval geld mee te verdienen.

Hij hield zich aan geen van de beloftes die hij me in ons gesprek voor de ceremonie had gedaan, en ik kon niet bewijzen wat we hadden afgesproken. Ik herinnerde hem eraan, maar hij antwoordde dat hij zich aan onze afspraken hield; ik mocht doen wat ik wilde, mits ik maar eerst mijn taken als echtgenote vervulde. Ik moest zijn echtgenote zijn, het huishouden doen en hem kinderen schenken zodra ik mijn makelaarsdiploma had gehaald. Ik ging ertegenin en protesteerde, maar wat kon ik anders? Als ik mijn ouders zou bellen, zouden die alleen maar meer ruzie gaan maken en zeggen dat ik ons huwelijk gewoon een kans moest geven. Ten slotte sloten we een compromis over mijn opleiding: hij wilde me genoeg geld geven voor twee cursussen in het plaatselijke vormingscentrum, en ik stemde ermee in om naast de cursus Engelse schrijfvaardigheid die als voorbereiding op mijn afsluitende examens in Bagdad diende, ook een opleiding tot makelaar te volgen.

Ik dacht dat hij me halverwege tegemoet zou komen als ik hem zou laten zien dat ik het huishouden goed kon doen. Ik begon te strijken. De overhemden die ik streek, zagen er nooit zo mooi uit als die van Radya, maar ik deed mijn best. Ik kookte, al maakte hij mijn moeizame pogingen elke avond aan de eettafel belachelijk, soms waar gasten bij waren. Ik voelde me arm en kwetsbaar en was totaal afhankelijk van hem, zowel financieel als emotioneel. Toen ik hem halverwege de week om meer geld vroeg, moest ik tot in detail vertellen waaraan ik de eerste twintig dollar had besteed en werd hij boos omdat ik geld had verspild aan twee ansichtkaarten voor vriendinnen in Irak.

Ik had het gevoel dat ik de gevangenis die Irak was geweest, had verruild voor eenzame opsluiting in Chicago. Ik voelde me terneergeslagen en gevangen. Ik keek thuis om me heen en dacht aan de tijd in het weekendhuis en deed nu wat ik toen ook had gedaan: lezen. Ik had geen geld en ik had niemand om mee te praten, en dus stortte ik me op Danielle Steel. In de tweedehandsboekwinkel vlak bij ons huis barstte het van de paperbacks van die schrijfster, en ik hoopte dat er genoeg zouden zijn om te leren hoe ik van een man moest houden die niet van mij hield. Danielle Steel schreef over vrouwen die relaties hadden met mannen die hen slecht behandelden, maar ze beloonde die vrouwen altijd door hen aan het einde een vrij bestaan te schenken. Hoewel, ik ga me nu afvragen of haar boeken daar wel over gingen; ik weet alleen dat ik dat er toen in las.

We waren net iets langer dan een maand getrouwd toen Saddam Hoessein Koeweit binnenviel. Irak maakte al van oudsher aanspraken op de olievelden van dat land. De invasie leidde vijf maanden later, in januari 1991, tot de Golfoorlog. Ik hoorde er voor het eerst over tijdens een etentje bij Fakhri's ouders thuis. Mijn schoonvader begon niet, zoals hij gewoonlijk deed, met een blik op mij een hele tirade tegen amo, maar meldde dat hij de Iraakse ambassade had gebeld om hen te feliciteren. De bewoners van Koeweit zijn weliswaar ook Arabieren, maar veel Irakezen en andere Arabieren hebben een hekel aan hen. De Koeweiti's die we in Bagdad zagen, waren rijke, arrogante sjeiks die hun simpel verkregen rijkdom uitgaven aan Iraakse prostituees en Iraaks onroerend goed en zo de prijzen voor beide opdreven. De afkeer van Koeweiti's zat zo diep dat die in het geval van Fakhri's vader zelfs zijn haat voor Saddam oversteeg. Er zou tijd genoeg zijn om van Saddam af te komen nadat hij het vuile werk, namelijk het heroveren van Koeweit, zou hebben voltooid.

Het enige wat ik kon denken, was: wát? Weer een oorlog? We hebben er net eentje beëindigd. Er waren zoveel doden gevallen, zoveel. Ik geloofde u toen u zei dat u van Irak hield, amo. Maar wat doet u nu, waarom stuurt u het volk weer een oorlog in? Wat heeft het voor zin? Waarom doet u dit?

Bijna onmiddellijk vaardigde het Witte Huis ultimatums uit. Irak kwam bijna elke avond in het nieuws, en Fakhri en ik zaten net voor de tv toen er werd gemeld dat duizenden Koerden een paar jaar eerder door een gasaanval om het leven waren gekomen. Toen ik de beelden zag, moest ik denken aan wat ik voor me had gezien toen ik Lana hierover had horen vertellen. Fakhri wees naar de tv en keek me aan alsof ík er verantwoordelijk voor was. 'Kijk toch eens wat een schurk die amo van jou is!' zei hij. Ik zei niets. Ik kwam net uit Irak. Fakhri begreep nog steeds niet – of wilde zich er niet in verdiepen – dat ik hem niet uit genegenheid 'amo' noemde. Ik noemde hem zo omdat ik zijn naam, Saddam Hoessein, niet hardop durfde uit te spreken. Ik wist dat amo overal spionnen had. Ik wist niet waar zijn spionnen in dit land zaten. Ik vertrouwde niemand, zelfs mijn man niet.

Een paar weken na de invasie slaagde mijn vader erin me te bellen toen hij voor zijn werk in het buitenland zat. Fakhri nam op en begon meteen tegen hem over me te klagen: ik was geen goede huisvrouw, zei hij, wat me deed koken van woede. Het voelde alsof hij klaagde tegen een winkelier die hem een slecht product had verkocht. Hoe durfde hij zoiets tegen mijn vader te zeggen? Over mij? Wat was er gebeurd met de afspraak dat we onze huwelijksproblemen op eigen houtje zouden oplossen?

Toen Fakhri me eindelijk de telefoon gaf en ik de stem van mijn vader hoorde, besefte ik dat ik nog nooit zoiets liefs en warms had gehoord.

'Gaat het, lieverd?' vroeg hij. Had ik maar naar hem geluisterd en was ik maar nooit met Fakhri getrouwd, dan zou deze nachtmerrie me nooit zijn overkomen. Maar ik kon niet tegen hem zeggen hoe ellendig ik me voelde. Fakhri zat vlak naast me en ik voelde het als mijn plicht om iets van dit huwelijk te maken. Baba kon me niet helpen.

'Ik mis u heel erg, baba,' zei ik. 'Ik wou dat ik u in Bagdad kon komen opzoeken.'

'Dat gaat nu niet, lieverd,' zei hij. 'De grenzen zijn gesloten. Je kunt pas weer komen als het allemaal wat rustiger is geworden.' Toen zweeg hij even en vervolgde: 'Het is altijd moeilijk als je net getrouwd bent, Zainab. Heb gewoon geduld en pas goed op jezelf. We zien elkaar snel weer.'

Toen probeerde hij de stemming wat te verluchtigen met een oude grap over het huwelijk die hij ook vaak had gemaakt toen ik nog in Irak woonde. 'Je weet wat ik altijd zeg, Zainab. Het huwelijk is als een vat dat half met honing en half met stront is gevuld,' zei hij. 'Je kunt beginnen met de honing op te eten en later de stront, maar je kunt ook met de stront beginnen en later de honing oppeuzelen. Ik stel voor dat je die twee dingen door elkaar roert. Dat is het geheim van een goed huwelijk.'

Ik giechelde beleefd. Hij was befaamd om dat advies, waar volwassenen vaak om moesten lachen. Toen ik ophing, probeerde ik me te herinneren dat ik geduld moest hebben en naar de honing moest zoeken. Maar hoeveel geduld moest ik hebben? Misschien kwam de liefde wel als je eenmaal getrouwd was, maar hoe lang moest ik wachten? Ik sprak met mezelf af dat ik het een jaar lang zou aanzien. Ik zou het huwelijk een jaar lang de kans geven. Als het niet zou werken, kon niemand me verwijten dat ik het niet had geprobeerd.

Achteraf gezien besef ik dat ik ook leed onder een cultuurshock. Ik had gedacht dat ik in de vs gemakkelijk zou kunnen wennen; ik voelde me bij Amerikanen op mijn gemak, en dankzij de cursussen die mijn vader 's zomers bij Boeing had gevolgd, beschouwde ik Seattle als mijn tweede thuis. Maar de mensen in de kringen rond Fakhri waren heel anders dan de Amerikanen en de Irakezen die ik kende. Het waren sjiitische zakenlieden die net als de buren van oom Adel het land uit waren gezet en al hun dromen achter zich hadden moeten laten bij die machines die in de regen stonden te verroesten. Sommigen hadden alles verloren, maar anderen, zoals Fakhri, waren erin geslaagd om te ontkomen voordat hun bezittingen werden geconfisqueerd. Tien jaar geleden waren ze hier beland, en al die tijd zaten ze vast in banen die al hun tijd opslokten, deden ze hun best om hun kinderen te laten studeren en klampten ze zich steviger vast aan de religie waarvoor ze waren vervolgd dan ze ooit in Irak hadden gedaan.

De enige met wie ik echt bleek te kunnen praten, was een Iraakse vrouw van mijn leeftijd die via Iran naar Amerika was gekomen. Ze was eenzaam, getrouwd met een man die veel ouder was dan zij, en ze kwam uit een vooraanstaande familie die uit Bagdad was gedeporteerd, kort voordat de Moekhabarat de familie van mijn moeder het vuur na aan de schenen had gelegd. Nu hoorde ik voor het eerst van iemand die het had meegemaakt wat er met de mensen was gebeurd die het land uit waren gezet. Ik zoog haar tranen als een spons in me op. Om twaalf uur 's nachts had de geheime politie bij hen voor de deur gestaan met de mededeling dat ze een kwartier hadden om hun koffers te pakken. Ze werden in het donker met bussen naar de grens met Iran vervoerd, samen met honderden andere bewoners van Bagdad die van 'Iraanse herkomst' waren. Ze werden gedwongen dagenlang door de vrieskou te lopen, 'terug' naar Iran. Wanneer ze 's avonds in de ijskoude woestijn de slaap probeerden te vatten, slenterden bewapende Iraakse soldaten tussen hen door, op zoek naar vrouwen en meisjes die ze konden verkrachten. Haar ouders probeerden haar en haar zusjes onder dekens te verstoppen. De soldaten vonden hen toch, en haar vader bood hun geld als ze zijn dochters zouden sparen. Nadat haar familie van hun laatste cent was beroofd, liepen de soldaten door en verkrachtten meisjes wier vaders niet rijk genoeg waren om hen te kunnen redden. Iran, dat plotseling werd geconfronteerd met een vluchtelingenprobleem waarvan de rest van de wereld niets wilde weten, liet de Irakezen maandenlang in vluchtelingenkampen zitten voordat ze naar Teheran mochten doorreizen. Daar probeerden ze een leven op te bouwen, omringd door Iraniërs die hen zagen als inwoners van het land waarmee ze in oorlog waren. De familie van deze jonge vrouw had jarenlang krom moeten liggen om haar naar de Verenigde Staten te kunnen sturen. Haar redding was een oudere man die ze amper kende en van wie ze nu een kind verwachtte. Ze had mij kunnen zijn, bedacht ik. Amo had ons gered en haar gestraft.

De mensen in Fakhri's kringetje hadden alle redenen om amo te haten. Vooral zijn familie was erg bitter. In hun ogen was ik 'een vriendin van amo' die in zijn paleis had gezeten terwijl zij hadden moeten lijden. Fakhri wreef het me voortdurend onder de neus. Soms pakte hij een van mijn spulletjes op en zei op snerende, zeurderige toon: 'O, dus dit is je beloning als je een vriendin van Saddam bent?' Het nare was dat ik zag dat er stellen waren die weliswaar ook door hun ouders of andere familieleden aan elkaar gekoppeld waren, maar die toch een gelukkig huwelijk vol liefde hadden. Fakhri leek me daarentegen te zien als een soort postorderbruidje, net zoals het eenzame meisje uit Iran was geweest, net zoals de duizenden andere jonge bruiden die naar de Verenigde Staten kwamen om aan een leven vol onderdrukking te ontsnappen. Er werd niet alleen van me verwacht dat ik gehoorzaam was en me als een goede echtgenote zou gedragen, ik werd ook nog eens geacht dankbaar te zijn voor de kans die ik had gekregen – het was een soort giftige mengeling van Amerikaanse arrogantie en Arabisch haantjesgedrag.

Soms had ik het gevoel dat hij niet mijn gezicht zag wanneer hij naar me keek, maar dat van Saddam Hoessein. Zijn familie had geleden onder de tiran en had Bagdad moeten ontvluchten. Mijn familie was gespaard gebleven, zelfs beloond. Ik kreeg het vermoeden dat hij ons huwelijk zag als een manier om die ongelijkheid recht te zetten. Vergeet niet dat je vriendinnen vriendinnen met je willen zijn vanwege je vader, dacht ik op een avond toen mijn tranen in het afwaswater druppelden en een knisperend geluid op de vlokken sop maakten. Mijn vijanden zijn ook mijn vijanden vanwege jou, baba, dacht ik bitter. Ik was de dochter van de piloot van Saddam Hoessein, en Fakhri behandelde me in bed zoals de hele gemeenschap van bannelingen amo zou willen behandelen. Ik probeerde de lelijke Amerikaanse scheldwoorden die hij elke avond gebruikte uit mijn gedachten te bannen. '*Fuck you, fuck you,*' zei hij, wanneer ik bad dat het snel ochtend mocht worden. Voor hem had ik net zo goed een stuk hout kunnen zijn, onbuigzaam en droog.

Ik wist dat een vrouw werd geacht haar man ook in seksueel opzicht te bevredigen; dat hoort bij de Arabische cultuur. Pas later ontdekte ik dat er grote verschillen bestaan tussen culturele en religieuze opvattingen en dat de Koran bijzonder nadrukkelijk stelt dat beide huwelijkspartners genot aan hun samenzijn horen te beleven. Dat was ook wat mijn moeder me had geleerd. Ik probeerde met Fakhri over seks te praten, maar daar werd hij alleen maar kwader van. Ten slotte belde ik zijn moeder. Hij had ook al een afspraak over ons huwelijk geschonden, en daarom vond ik dat ik hetzelfde mocht doen. Misschien zou ik iets positiefs kunnen bereiken. Ik dacht dat ze me misschien zou begrijpen omdat ze ook een vrouw was en hem zou kunnen uitleggen dat een vrouw niet hardhandig moet worden behandeld. Ze vroeg me op de thee, en na de gebruikelijke beleefdheden bracht ik het probleem voorzichtig ter sprake. Maar mijn tactiek van vrouw tot vrouw leidde er alleen maar toe dat zij begon te schreeuwen en met haar armen begon te zwaaien. 'Waar heb je het over?' zei ze met een woedend gezicht. Ze maakte dramatische gebaren boven de theekopjes, en haar stem sloeg bijna over. 'Het is je plícht als echtgenote om de wensen van mijn zoon te vervullen. Als je een goede vrouw bent, sta je altijd klaar om je man te behagen. Zíjn behoeften gaan voor, heeft je moeder je dat niet geleerd? Vertel eens, baad je wel voordat je naar bed gaat, en doe je parfum op? Doe je je haar goed en trek je sexy ondergoed aan voordat je zeven keer rond het bed loopt om jezelf aan hem aan te bieden?' Dit ging twee uur zo door, totdat ze uiteindelijk buiten adem was. Toen ik wegging, was het enige wat ik beleefd over mijn lippen kon krijgen: 'Het spijt me, maar ik ben het niet met u eens.'

Was ze soms niet goed wijs? Zeven keer rond het bed lopen om mezelf aan Fakhri aan te bieden? Zij had het over een vorm van slavernij. Later hoorde ik dat er inderdaad plaatsen waren waar deze gewoonte werd gebezigd, maar ik twijfelde er heel erg aan of het ook in de slaapkamer van zijn moeder gebeurde: ze klaagde – achter zijn rug om natuurlijk – tegenover haar vriendinnen voortdurend over haar man. Dat wist ik omdat ik wel eens met haar meeging wanneer ze bij andere vrouwen op visite ging, maar het ging er heel anders aan toe dan vroeger met mijn moeder: hier gingen de gesprekken alleen maar over religie en de plichten van de vrouw. Soms dacht ik dat ze het over een andere religie hadden dan die waarmee ik was opgegroeid. Waar was de grens tussen een goede vrouw zijn en je door je man laten misbruiken? Waren vrouwen minder waard dan mannen? Hoeveel mannen zouden er bij elkaar komen om hun plichten als echtgenoot te bespreken?

Drie maanden na de bruiloft werd ik eenentwintig. Van Fakhri kreeg ik, naast vijftig dollar, in bed een nieuwe belediging naar mijn hoofd geslingerd: ik was nu een 'hoer' omdat mijn vagina niet langer 'strak' was. Tijdens onze eerstvolgende ruzie meldde ik dat ik niet meer met hem naar bed wilde. Hij gooide me schreeuwend op het bed, draaide me op mijn buik en duwde me met mijn gezicht in een kussen. Hij hield mijn hoofd naar beneden gedrukt en drong van achteren in me, waarbij hij me meer pijn deed dan hij ooit eerder had gedaan. *'Fuck you!'* schreeuwde hij keer op keer. Ik huilde in mijn kussen totdat ik geen stem meer overhad. Ik kreeg geen lucht en was bang dat ik zou stikken. Ik weet nog goed hoe machteloos ik me voelde. Ten slotte hield ik op me bewust te verzetten en sloot ik mijn ziel hiervoor af, zodat alleen mijn lichaam achterbleef, als een lege huls die hij kon misbruiken, zodat hij de illusie zou hebben dat hij me in zijn macht had. Ergens heel ver weg telde ik de seconden totdat hij klaar was. Toen stond hij op, trok zijn kleren aan en liep de kamer uit, me achterlatend alsof ik een stuk vuil was.

Ik strompelde naar de douche en draaide de kraan open. Ik bleef een uur lang in dat hokje van wit plastic staan, huilend en bevend van de pijn. *Ightisab*, dacht ik in het Arabisch. Verkrachting.

Toen ik eindelijk de douche uitkwam, zei Fakhri dat ik me moest aankleden omdat we met zijn moeder uit eten gingen. Op dat moment knapte er iets in me. Ik haatte hem! Ik zou nooit van hem gaan houden! Dat schreeuwde ik tegen hem. Ik probeerde hem met mijn vuisten te raken, en toen hij me bij mijn armen pakte, beet ik hem in zijn onderarm. 'Huiselijk geweld!' riep hij, en hij belde het alarmnummer. Het was onvoorstelbaar. Ik wist niet eens wat huiselijk geweld inhield. Het was, na wat hij mij had aangedaan, ronduit belachelijk dat hij, een volwassen man die groter was dan ik, het alarmnummer belde en zei dat zijn vrouw hem had gebeten. Ik rende naar de slaapkamer, deed de deur achter me op slot en stopte mijn beste kleren, de sieraden van mijn moeder en vierhonderd dollar in een tas. Toen de politie er was en ik eindelijk de slaapkamer uitkwam, zat zijn moeder nota bene in de woonkamer te wachten totdat we uit eten zouden aan. Fakhri wilde uitleggen dat ik hem had aangevallen, dat hij het slachtoffer was.

'Kijk dan, ze heeft me gebeten.' Hij wilde de agenten tandafdrukken laten zien die niet eens door zijn huid heen waren gegaan. 'U moet haar meenemen naar het bureau om haar een lesje te leren.'

'Ja, ik heb hem gebeten,' zei ik tegen de agenten. 'Ik ben klaar om mee te gaan.'

Op weg naar de politieauto vroeg een van de agenten me op vriendelijke toon of ik verliefd was op een ander. 'Nee,' antwoordde ik. 'Heeft hij u pijn gedaan?' Ik gaf niet meteen antwoord en mompelde toen zachtjes 'Nee.' Ik ging niet aan een vreemde man, en zeker niet aan een agent, vertellen hoe mijn seksleven was. Het was geen moment bij me opgekomen om naar de politie te gaan; de enige politie die ik kende, joeg me de stuipen op het lijf. Toen we op het bureau aankwamen, belde ik een vriendin van mijn moeder die me meteen kwam halen. De volgende dag, toen Fakhri op zijn werk zat, reed ze met me naar het appartement. We pakten mijn kleren, mijn Perzische tapijt en het servies dat mijn moeder me ter gelegenheid van mijn huwelijk had gegeven. Al het andere, ook mijn huwelijkscadeaus, liet ik achter.

'Pak de lakens,' zei ze.

Nu ik daar weer aan denk, moet ik lachen, al weet ik niet waarom. Het was uiterst triest.

'Wat moet ik met die lakens?'

'Goed, pak dan alleen maar de kussensloop.'

'Waarom?'

'Om gemeen tegen hem te zijn, om hem bij thuiskomst eraan te herinneren dat je weg bent en dat jij degene bent die hem heeft verlaten.'

Een kleine, bevredigende vorm van wraak die alleen een vrouw kon bedenken. Ik liep naar het bed en trok de sloop met beige bloemen en een groene rand van mijn kussen. Het was het enige wat ik tijdens mijn huwelijk heb gedaan wat me echt bevrediging gaf. Ik heb die sloop nog steeds, als herinnering aan de les die mijn moeder me heeft geleerd voordat ik Bagdad verliet: laat je nooit door een man misbruiken. Wees altijd een vrije geest.

Toen ik Fakhri net had verlaten, was ik gekwetst en kwaad en haatte ik mannen. Alle mannen. Ik beloofde mezelf plechtig dat ik nooit meer een relatie met een man zou beginnen. De twee mannen met wie ik mijn leven had willen delen, hadden beloofd voor me te zorgen en van me te houden, en dat had ik geloofd. Maar ze hadden allebei andere bedoelingen met me gehad. Ze waren geen van beiden wie ze op het eerste gezicht leken te zijn. Ze waren schijnheilig en hadden me met leugens in de val gelokt, zodat ze de baas over me konden spelen. De twee andere mannen die een grote rol in mijn leven speelden, waren ook geen goede voorbeelden: amo tiranniseerde en onderdrukte miljoenen mensen, en mijn vader was een lieve man, maar had een vrouw die zich zo gekooid voelde dat ze liever dood was dan zo'n leven te leiden. Had ik al verteld dat het niet bij die ene zelfmoordpoging is gebleven? Dat ik me soms zorgen over haar maakte wanneer ze naar het medicijnkastje liep?

Ik wilde zo ontzettend graag naar huis. Ik had zo'n heimwee dat het pijn deed. Ik wilde gewoon terug naar de universiteit, waar ik thuishoorde, en net doen alsof deze vreselijke maanden er nooit waren geweest. Maar ik kon niet eens mijn moeder bellen om haar te vertellen dat ik bij Fakhri weg was. Contact met Irak was niet mogelijk. Ik probeerde honderden keren naar huis te bellen, maar ik kwam er niet door. Omdat daar geen post werd bezorgd, kon ik ook geen brief sturen. Ik had nog steeds een retourticket, businessclass, maar internationale vluchten naar Irak waren niet toegestaan. (Ik hoorde later dat baba zijn eigen vloot van burgervliegtuigen naar Teheran had gevlogen; daar zouden de toestellen veilig zijn voor het geval de luchthaven van Bagdad zou worden gebombardeerd.) Ik kon alleen naar huis via Jordanië, maar daar kende ik niemand, en ik was bang dat ik daar zou stranden, zonder geld op zak. Omdat ik nergens heen kon, besloot ik uiteindelijk een oom van mijn vader te bellen die in Los Angeles woonde. Hij vroeg of ik bij hem en zijn gezin wilde komen logeren. Vervolgens schreef ik een brief aan mama waarin ik vertelde dat ik Fakhri had verlaten en nu naar Los Angeles ging. Voor op de envelop schreef ik een adres in Amman, Jordanië, en achterop in het Arabisch de boodschap: 'Aan het Jordaanse volk: ik zou u vriendelijk en beleefd willen vragen of u er alstublieft voor kunt zorgen dat deze brief dit adres in Bagdad bereikt, waar mijn geliefde moeder woont. Heel veel dank van haar liefhebbende dochter, die in Amerika is gestrand.'

Toen ik in Los Angeles aankwam, moest ik me eerst melden bij de immigratie- en naturalisatiedienst. Ik was het land binnengekomen met een toeristenvisum, dat voor een echtgenote van een man met een permanente verblijfsvergunning voldoende was, maar dat was inmiddels verlopen. Nadat ik uren voor diverse loketten in de rij had gestaan, eindigde ik ten slotte bij een balie met een Afro-Amerikaanse medewerkster die zo vriendelijk en moederlijk was dat ik me nog steeds haar gezicht kan herinneren. Ze luisterde naar me en gaf me het gevoel dat alles goed zou komen. 'U vindt wel een baan,' zei ze tegen me, en toen ik die dag naar buiten liep, had ik een tijdelijke werkvergunning op zak, bestemd voor buitenlanders die vanwege een politieke crisis in de Verenigde Staten waren gestrand. Ze had gelijk, ik vond zelfs twee banen; eentje als verkoopster bij kledingzaak The Limited en eentje in de wenskaartenwinkel van een vriendelijke Italiaanse kennis van mijn oom. Toen ik een tijdje later mijn eerste salaris kreeg, vroeg ik echtscheiding aan en kocht ik een autootje. Het was een tweekleurige Chevy uit 1978, vol deuken, waarvoor ik zeshonderd dollar moest betalen. Het was het eerste wat ik van mijn eigen geld kocht, en toen ik erin wegreed, was ik helemaal buiten zinnen van vreugde.

Ondertussen kwam een oorlog tussen de Verenigde Staten en Irak steeds dichterbij. Amo was voortdurend in het nieuws. Ik herinner me nog de beelden van dat Britse jongetje dat in de dagen vlak voor de oorlog werd gegijzeld, samen met honderden andere mensen die net als hij als menselijk schild moesten dienen. Amo liet de camera's toe, zodat kon worden vastgelegd hoe goed hij iedereen behandelde. Hij had het jongetje op schoot genomen en aaide hem over zijn bol. 'Heeft Stuart vandaag zijn melk al gehad?' vroeg hij. En ik dacht aan die arme Hassan die dit in Bagdad zou zien. Hij had ook vaak bij Saddam op schoot gezeten en had er dan net zo bang uitgezien als de kleine Stuart nu. Ik kromp ineen toen ik me herinnerde dat amo hem een glas whisky aan zijn lippen had gezet en hem had gedwongen te drinken, waarschijnlijk in de veronderstelling dat hij zo een man van mijn broertje maakte.

De Amerikaanse commentatoren walgden van de manier waarop amo dit Britse jongetje behandelde, maar ik zag dat zijn gedrag voor de verandering oprecht was. (Ik wist dat amo heel goed in staat was mensen aardig te vinden en ze dan toch te doden.) Ze vonden het pervers dat iemand een jongetje het ene moment over zijn hoofdje kon aaien en hem het volgende moment als menselijk schild kon inzetten. Ze hadden gelijk, maar waarom konden ze niet iets verder kijken dan hun neus lang was? Als de Amerikanen zo met het lot van dit kind begaan waren, waarom zwegen ze dan over al die Iraakse kinderen die hun melk die dag niet zouden krijgen? Waarom konden ze niet nog iets verder doordenken? Alle Irakezen waren dat kleine jongetje. We waren allemaal gijzelaars. Toen ik amo had leren kennen, was ik te groot geweest om op zijn schoot te zitten, maar ik had hem tien jaar lang van nabij meegemaakt. Mijn moeder en vader ook. Amerikanen waren een gul en meelevend volk, maar waarom zwegen ze over de misdaden die amo had begaan toen hij nog een van de beste vrienden van de Verenigde Staten was en de Amerikaanse regering hem financieel steunde? We hadden jaren vol martelingen, etnische zuiveringen, corruptie en massale deportaties meegemaakt. Maar waarom sprak het Witte Huis dan op dit moment, nu iedereen wist hoe hij zijn volk had onderdrukt, over het bombarderen van zijn slachtoffers? Waarom viel de FBI Iraaks-Amerikaanse kinderen op scholen lastig? Waarom werden er agenten naar de huizen van Iraakse Amerikanen gestuurd en werd hun loyaliteit opeens in twijfel getrokken? Waarom werd er zelfs over gedacht om bannelingen in speciale kampen te stoppen, net zoals ze tijdens de Tweede Wereldoorlog met Japanse Amerikanen hadden gedaan? De Amerikaanse regering schilderde de Irakezen op dezelfde negatieve manier af als amo de Iraniërs had afgeschilderd: door een volk van zijn menselijkheid te ontdoen, kun je gemakkelijker een oorlog tegen hen beginnen. 'Zeg tegen niemand dat je Iraakse bent,' drukte een Iraanse Amerikaan die ik had leren kennen me op het hart. 'Geloof me, als je dat doet, heb je geen leven meer. Zeg maar dat je uit Saoedi-Arabië komt.' Dan heb ik maar geen leven, dacht ik. Mijn familie had te veel moeite moeten doen om het Iraakse staatsburgerschap te behouden. Ik was een Iraaks staatsburger. En daar was ik trots op.

Al snel werd het kerst. Drukte in de winkels. Overal in de winkelcentra in het zuiden van Californië twinkelden de lichtjes. Kinderen zaten bij de Kerstman op schoot en lazen hun verlanglijstjes voor. Soms glipte een moeder weer terug de wenskaartenwinkel in en kocht snel iets waar haar dochtertje tijdens hun eerdere bezoek haar oog op had laten vallen. Ik miste mijn moeder vreselijk. Ik had al drie maanden niets meer van mijn ouders gehoord, maar op 2 januari 1991 wist mijn moeder me eindelijk telefonisch te bereiken. Ze vertelde dat iemand in Jordanië mijn brief naar haar had doorgestuurd en dat ze eerst huilend naar het berichtje op de envelop had zitten staren voordat ze die had opengescheurd. Ze klonk vermoeid en gehaast, alsof ze er net in was geslaagd te stoppen met huilen en niet wist hoe lang we met elkaar zouden kunnen praten. Ik kon me amper een voorstelling maken van de moeite die ze had moeten doen om me te bereiken.

'Onze tuin is droog, lieverd,' zei ze. Ze begon te huilen.

Dat was de geheime code die we hadden afgesproken voor het geval amo de gesprekken liet aftappen en ze me toch wilde vertellen dat er iets mis was. Ze sprak heel snel. 'Je moet een paar dingen weten. Er kan iets met ons gebeuren tijdens deze oorlog, en jij bent de enige die veilig in het buitenland zit. Je moet weten wat we hebben, zodat je weet wat je in dat geval moet doen.'

Ze zei dat ik pen en papier moest pakken en vertelde me over de erfenis, wat op wiens naam stond. De tranen liepen over mijn wangen. Ik schreef niets op. Het kon me niet schelen wat we bezaten. Ik luisterde alleen maar, huilend, en wilde dat ik daar was, oorlog of geen oorlog. We hadden dat soort dingen toch vaker meegemaakt? Zij was altijd dapper geweest en had ons aan het lachen gemaakt, zij had ons altijd het idee gegeven dat er niets bijzonders aan de hand was. Maar nu was ze bang en was ik bang dat ik haar zou verliezen. Ik zei tegen haar dat ik van haar hield en herhaalde het nog een keer. Toen werd de verbinding verbroken. Ik was bang dat ik haar stem nooit meer zou horen.

De avond erop begon de Golfoorlog. Zoals zoveel Irakezen in het buitenland zat ik voor de tv, met pijn in het hart omdat ik niet bij mijn familie kon zijn. Voor de Iraakse bannelingen had elk gebouw dat met felle flitsen explodeerde een naam, herbergden militaire doelen ook burgerpersoneel, en waren de bruggen die werden opgeblazen dezelfde die we op weg naar school of ons werk altijd waren overgestoken. Het leek meer op een computerspelletje dan op de ervaringen die ik met een oorlog had opgedaan. Op CNN zag ik niets over de mensen die het slachtoffer waren geworden, niets over de gewone burgers die zich afvroegen of deze strijd hun einde zou betekenen. Niets over de gezinnen die door de dood uiteen werden gerukt of die wegens stroomuitval niet langer konden koken, hun huizen niet meer konden verlichten en scholen en bedrijven niet langer draaiende konden houden. Op mijn werk liep ik als een zombie rond, en naarmate de oorlog voortduurde, maakte ik me steeds meer zorgen over mijn familie. Toen het Pentagon eindelijk toegaf dat er sprake was van 'nevenschade' vreesden we allemaal dat de mensen onder het puin bekenden van ons waren. Voor een groot deel van de Irakezen in Amerika was de ironie misselijkmakend: velen van hen waren Republikeinen die op president Bush hadden gestemd en er jarenlang voor hadden gelobbyd dat Washington iets tegen Saddam Hoessein zou ondernemen. Nu Washington de boodschap eindelijk had begrepen, waren het hun familieleden die de klos waren, en niet Saddam. Het Amerikaanse volk leek dit echt niet te begrijpen. Begrepen ze het maar, bleef ik maar denken. Dan zouden we een andere manier kunnen vinden om van die dictator af te komen, zonder dat het onze families het leven zou kosten. Ik bleef maar wensen dat er een manier zou zijn waarop ik de mensen in Irak zou kunnen helpen.

Op een dag vroeg een kennis me of ik meeging naar een persconferentie die de Iraaks-Amerikaanse gemeenschap in een moskee in Los Angeles hield en waarop men wilde vragen de bombardementen te staken. De moskee was gewoon een omgebouwd woonhuis zonder gouden versieringen of gekalligrafeerde citaten uit de Koran, maar toen ik zat te wachten totdat de persconferentie zou beginnen, bad ik daar heftiger dan ik ooit in mijn leven had gedaan. Ik vroeg God waarom Hij me van mijn familie had gescheiden, juist nu we elkaar zo hard nodig hadden. Ik begon te huilen en kon niet meer ophouden. Waarom doet U me dit aan? Hoe kunt U dit doen? U wordt geacht me voor onheil te behoeden. Waarom hebt U me hier helemaal alleen gelaten? Waarom zorgt U er niet voor dat ik naar huis kan, naar mijn familie? Maar er volgde geen antwoord, en ik werd zo kwaad dat ik ophield met bidden.

Een journaliste van de *Los Angeles Times*, die me tijdens die conferentie in tranen daar zag staan, vroeg of ze me mocht interviewen. Ik vertelde haar dat mijn familie in Bagdad zat en dat ik niet wist of ze nog leefden. Ze vroeg me hoe ik in de Verenigde Staten was beland. Het was een simpele vraag, maar het antwoord was zo ingewikkeld dat ik niet wist wat ik moest zeggen. Ik wist niet eens hoe ik mezelf moest noemen. Ik was geen vluchteling. Ik was geen toerist. Ik was hier als bruid gekomen, maar ik was niet eens meer getrouwd. Ik kon niet tegen haar zeggen dat ik hier was beland omdat mijn ouders bevriend waren met Saddam Hoessein en dat mijn moeder had gehoopt dat ik hier een beter leven zou krijgen. Daarom vertelde ik haar de halve waarheid, namelijk dat ik op een toeristenvisum voor een vakantie naar de vs was gekomen en niet meer terug had gekund toen de grenzen werden gesloten. Ze schreef er een stukje over en vertelde een vriend die bij cbs News werkte over mij, en het eindigde ermee dat ik min of meer het gezicht werd van de 'Iraakse kant van het verhaal', een symbool voor de onschuldigen die door de oorlog waren getroffen. Klanten in de winkel herkenden me en zeiden: 'O, jij bent dat arme meisje uit Irak, nietwaar? Heb je al iets van je moeder gehoord?' Ik was degene die geluk had gehad, ik was een onschuldige Iraakse die niet bedreigend was en alleen maar aardige en vriendelijke mensen tegenkwam, terwijl anderen die uit Irak afkomstig waren voor 'zandneger' werden uitgescholden en moesten toezien dat hun auto's en hun huizen werden vernield – en dat terwijl sommigen van hen note bene in dit land waren geboren. Dat gedrag deed me weer denken aan onze paspoorten, waarin generaties later nog stempels met 'van Ottomaanse afkomst' of 'van Iraanse afkomst' werden gezet. Waarom werden deze mensen uitgemaakt voor al wat lelijk was?

Niemand had enige reden om mij in verband te brengen met de man die de piloot van Saddam Hoessein was geweest. In die krantenartikelen en interviews heette ik Zainab Rasheed, en niet Zainab Salbi. Ik loog niet over mijn naam; amo had die veranderd. Veel mensen ergerden zich aan het feit dat hij zijn stamgenoten uit Tikrit allerlei topbanen gaf, maar in plaats van daarmee op te houden,

droeg hij iedereen op de voornaam van hun grootvaders te gebruiken, zodat niemand zou merken wie hij precies voortrok. Ik weet
zeker dat de officiële reden heel wat redelijker klonk, maar het resultaat was hetzelfde: onze achternaam werd officieel veranderd in de
voornaam van mijn opa – de bureaucratie moet enorm zijn geweest –
en tegen de tijd dat ik naar de vs vertrok, stond er Zainab Rasheed
in mijn paspoort.

Toen de oorlog ten einde liep, zag ik op tv de rij gebombardeerde
tanks en troepen langs de snelweg van Bagdad naar Koeweit. Veel
lichamen waren helemaal verkoold, en ik moest aan Radya denken.
Hoeveel van haar neven en buren waren deze keer gedwongen
geweest om amo's zinloze veldslagen uit te vechten, met als enige
resultaat dat ze door de Amerikanen als vijanden werden gezien en
werden gedood? Hadden die jongemannen ooit een keuze gehad?
Duizenden van hen waren dood, en de meeste doden waren dienst-
plichtigen wier moeders en echtgenotes nooit zouden weten wat er
precies met hen was gebeurd.

Kort na het einde van de oorlog kreeg ik te horen dat mijn familie
nog leefde. Mama had een in Irak werkzame Britse arts die via
Jordanië naar huis reisde een brief voor me meegegeven die hij in
Londen op de post had gedaan.

Mijn allerliefste dochter,
Ik wou dat ik nu bij je kon zijn en je kon kussen. Je bent het
licht van mijn leven. Het is hier zo ellendig. We danken God dat
we vandaag (zaterdag) veilig zijn. Misschien komt er ooit iets
goeds voort uit de zwaarste last die we moeten dragen.
Godzijdank ben jij niet hier. Het leven hier is een lot dat we
niemand toewensen. Ik loop voortdurend te piekeren en moet
de hele tijd huilen. Ik weet niet wat de toekomst ons zal
brengen. Maar je kent me, ik maak me altijd overal zorgen over.
Er waren nog andere manieren geweest; het is triest dat het nu
tot een oorlog is gekomen.
Ik heb je voor het laatste op de vijftiende gesproken. Op de
zestiende begonnen de bombardementen. We zijn uit Bagdad
vertrokken en zijn naar Al Khalis gegaan [een stad op ongeveer

negentig kilometer van Bagdad] en hebben daar bij een ver familielid gelogeerd. Onze kamer was heel erg koud, het leek wel of het er vroor. We hadden de hele nacht de radio aan. Maar omdat dat huis volstroomde met mensen die Bagdad waren ontvlucht, zijn we weer vertrokken en hebben we in een leegstaand gebouw geschuild.

Daar was geen wc. Het zat er vol kakkerlakken en andere insecten, en het stonk er vreselijk, naar beesten. Het was vies, vuil, verrot, stinkend. We hebben menselijke uitwerpselen met een bezem weggeveegd. Het was er donker en koud, maar we voelden ons er in elk geval veilig. Toen begonnen de bommen daar ook te vallen. We zijn er een week gebleven, en het was vreselijk. Ik stortte helemaal in en we moesten terug naar Bagdad. Ik wilde liever in mijn eigen huis sterven dan leven zoals we daar deden. De oorlog met Iran was niets in vergelijking met deze.

Nu zitten we alweer tien dagen in Bagdad. Elke morgen en elke avond zien we vuur aan de hemel. Het is net *Star Wars*: vliegtuigen, straaljagers, raketten, projectielen. Elke seconde staat het huis te trillen. Daar zijn we inmiddels aan gewend, maar de angst went niet. Het is net alsof we honderd jaar geleden leven. 's Avonds steken we een lantaarn aan. De koelkast kunnen we vergeten. Alle tekenen van beschaving zijn verdwenen. Er is geen stroom, geen water, heel weinig gas en geen stookolie.

Mijn dochter, maak je alsjeblieft geen zorgen. Ik wil je vragen om sterk te zijn, om naar je geweten te luisteren en te doen wat juist is. Je bent een sterke vrouw. Luister naar de ouderen en volg hun raad op. Verloochen jezelf niet. Hopelijk zal God ons weer herenigen. Groeten aan iedereen in Amerika. Over twee dagen vertrekken we naar een andere stad, tussen Tikrit en Al Mawsil. We weten niet wanneer we weer terugkomen. Als God het wil, zullen we elkaar weer zien. We zijn trots op je.

Mama

De *Los Angeles Times* plaatste die brief en mijn commentaar: 'Mijn moeder is mijn beste vriendin, en ik ben haar enige dochter. Ik wil gewoon naar huis.' Ik zei ook dat ik me zorgen maakte over mijn vader en mijn broers omdat mama in haar brief niet echt over hen had geschreven.

Amo had de oorlog verloren. Zo'n beschamende nederlaag had hij nog niet eerder meegemaakt, en ik geloofde niet dat zijn ego het zou kunnen verdragen. Ik dacht echt dat hij het presidentschap zou opgeven of zelfmoord plegen en ervoor zou zorgen dat hij zijn erfenis door middel van een of ander groots gebaar kon laten voortduren. Tot mijn grote verbazing gebeurde er echter niets van dat alles, en ik merkte dat ik, toen ik in mijn Chevy naar mijn werk reed, in gedachten tegen hem praatte. Als u echt gelooft in wat u al die avonden hebt gezegd, namelijk dat u zoveel van het volk en van het land houdt, waarom stapt u dan niet op? Hebt u nog niet genoeg levens verspild met die zinloze oorlogen? En als u niet kunt opstappen, amo, heb dan alstublieft het fatsoen om er een einde aan te maken. Zou dat niet de straf zijn die u een ander zou geven?

Maar hij bleef aan als president en vocht door, deze keer tegen zijn eigen volk. De Irakezen in de vs juichten toen ze via de media en de Iraaks-Amerikaanse tamtam hoorden dat Irakezen in het hele land zes dagen lang tegen hem in opstand waren gekomen. Koerden vochten in het noorden. In het zuiden hadden vliegtuigen pamfletten verspreid waarin de vs steun beloofden indien de sjiitische rebellen in het zuiden in opstand zouden komen. Dat deden de sjieten ook, ernaar verlangend om een einde te maken aan de al tientallen jaren durende onderdrukking door Saddam Hoessein. Totdat er op zeker moment een akkoord werd gesloten en Saddam weer vast in het zadel kwam te zitten. De vs zorgden ervoor dat de Koerden een zekere bescherming en een bepaalde mate van zelfbestuur kregen – de verhalen over de aanvallen op dit volk waren eindelijk ook in Amerika doorgedrongen. Maar de sjiieten in het zuiden konden een dergelijke bescherming wel vergeten. Saddam Hoessein mocht toch door de no-flyzone in dat gebied vliegen en liet duizenden sjiieten afslachten. Hij stuurde gewapende troepen naar de heilige begraafplaats in Najaf en viel een heiligdom aan waarin de rebellen hun toevlucht hadden gezocht. Hij liet de eeuwenoude moerassen in het zuiden, waar opstandelingen zich hadden verstopt, zonder pardon bombarderen. Om er zeker van te zijn dat niemand zich daar ooit nog zou kunnen verbergen, gaf hij zijn genietroepen de opdracht de Eufraat om te leiden en de dorpen van de Moerasarabieren droog te leggen. Zo kwam er een einde aan de drijvende nederzettingen van leem en riet die al vijfduizend jaar lang in de delta hadden bestaan.

Wanneer er sprake is van zoveel leed en dood, is het niet verwonderlijk dat niemand oog heeft voor de prijs die een gezin moet betalen dat niemand in een oorlog heeft verloren. Pas later kwam ik erachter dat mijn vader tijdens de bombardementen als bijna verlamd in een hoek had gezeten, vervuld van verdriet omdat zijn vaderland werd verwoest. 'Irak is verdwenen,' bleef hij maar zeggen, en hij verdoofde zichzelf met whisky. Mama was hysterisch en kon het allemaal niet aan, totdat ze zich, zoals vrouwen tijdens een oorlog nu eenmaal doen, begon af te vragen hoe ze haar gezin moest voeden en ze op een straalkacheltje brood leerde bakken. In die chaotische dagen aan het einde van de oorlog zag mama eindelijk kans om uit haar kooi te ontsnappen. Ze nam aan dat amo wel ergere dingen aan zijn hoofd had dan een paar vrienden die de benen namen naar Jordanië. 'Ik ga weg,' had ze tegen mijn vader gezegd, 'en als je wilt mag je met me mee, maar anders ga ik alleen.' Mijn broers werden gedwongen om een keuze te maken en werden zo van elkaar gescheiden. Haider, die altijd een goede band met mijn vader had gehad, bleef bij baba. Hassan, die erg aan mijn moeder verknocht was, ging met haar mee naar Jordanië.

De liefde, het zingen van liedjes, de lachjes en het geluk dat ik me uit de eerste tien jaar van mijn leven kon herinneren – dat was allemaal verdwenen. Amo had ons gezin kapotgemaakt. Mijn moeder nam het baba kwalijk dat hij in Irak bleef, en mijn vader nam het mijn moeder kwalijk dat mijn huwelijk op de klippen was gelopen. En wat ons kinderen betreft: wij woonden nu in drie verschillende landen en kozen allemaal een andere weg. We wisten niet wanneer we elkaar weer zouden zien en wisten niet waarom onze ouders ons gezin dit hadden aangedaan.

Toen mama naar Jordanië vertrok, ging tante Layla met haar mee. Het verhaal van die twee vrouwen die Bagdad verlieten doet me denken aan de Amerikaanse film *Thelma and Louise*, over twee vrouwen die aan de gewelddadige echtgenoot van een van hen ontsnappen. Op de Iraakse wegen werd dag en nacht gepatrouilleerd, amo's mannen waren bewapend en ongeremd, en de grenzen werden streng bewaakt. Mijn moeder en tante zetten Hassan op de achterbank, namen bij wijze van bescherming een gesigneerde foto van Saddam Hoessein mee waarmee ze hun trouw hoopten te kunnen bewijzen, en vertrokken naar Jordanië. Bij de controleposten zetten ze de radio op een patriottistische zender en mompelden het obligate 'Amo Saddam, moge God hem beschermen!' Nadat ze uren door de vlakke woestijn hadden gereden, kwamen ze een bedoeïen tegen aan wie ze vroegen waar de grens met Jordanië was. 'Dames, daar bent u al minstens een uur!' zei hij tegen hen. Lachend zetten ze de auto aan de kant, stapten uit, zetten de radio zo hard mogelijk en staken een paar Virginia Slims op.

'Ik ben vrij!' riep mijn moeder tegen de lege woestijn. 'Ik ben eindelijk vrij!'

Maar tante Layla had niet tegen mijn moeder gezegd dat haar man zich later bij haar zou voegen en dat mama dus helemaal alleen opnieuw zou moeten beginnen. Later hoorde mijn moeder van tante Nada dat amo mama 'die Perzische verraadster' en 'dat domme mens' had genoemd toen hij te horen had gekregen dat ze was ontkomen. Hij heeft het haar waarschijnlijk nooit vergeven dat ze is gevlucht, maar hij vond haar ook weer niet belangrijk genoeg om te straffen.

Toen mama me na de oorlog in Amerika kwam opzoeken, lagen we allebei in scheiding. Ik vertelde haar niet wat Fakhri me had aangedaan. Dat kon ik niet. Ze had al genoeg meegemaakt. In plaats daarvan spraken we over mijn toekomst. Ik vertelde haar dat ik het fijn vond om mijn eigen brood te verdienen en een avondopleiding te volgen. Voor de eerste keer in mijn leven had ik zelf de touwtjes in handen. Ze vertelde me over haar nieuwe woning in Amman en het restaurant dat ze wilde beginnen.

'Waarom kom je niet in Amman wonen?' vroeg ze opgetogen.

'Daar kun je ook je studie afmaken. Toen bekend werd dat je bij Fakhri weg was, hebben een paar families laten merken dat ze belangstelling voor je hebben.'

'Mama, bent u nu helemaal gek geworden?' vroeg ik stomverbaasd. Ik had eindelijk geleerd wat het betekende om onafhankelijk te zijn, en die vrijheid zou ik echt niet meer opgeven. 'U wilt dat ik opnieuw trouw? Ik ga niet met u mee, mama. Ik bleef hier en maak hier mijn studie af. Ik wil iets van mijn leven maken. Als ik met u meega, zou ik alleen maar proberen om het leven te leiden dat u me wilt laten leiden, en niet dat waarvoor ik zelf zou kiezen. Alstublieft, mama, laat me los. Laat me iets van mijn leven maken, en misschien ga ik dan op een dag terug naar Irak om de mensen daar te helpen. Laat me los, mama.'

Haar ogen vulden zich met tranen, maar ze zei ja.

Uit het notitieboekje van Alia

Op een dag in december 1989 liet Saddam ons bij zich roepen. Toen we binnenkwamen, zat hij net tv te kijken. Toen hij zag dat de vs Panama waren binnengevallen om het bewind van Manuel Noriega omver te werpen, raakte hij behoorlijk van streek. 'Kunnen jullie je voorstellen wat die Amerikanen Noriega aandoen?' vroeg hij aan ons. 'Hij was hun vriend, maar nu vallen ze zijn land binnen en nemen het hem af.' Hij was erg kwaad en beledigd.

Ik zag hem voor het laatst op 28 december 1990, twee weken voor de Golfoorlog. We waren een paar maanden eerder nog in de Verenigde Staten geweest en hadden de indruk gekregen dat de Amerikanen oorlog als een serieuze mogelijkheid zagen. Dat zeiden we ook tegen hem. Ik weet nog dat hij op dat moment zat te vissen. Hij begon te lachen en dreef de spot met de Amerikanen en al hun militaire materieel en satellieten en dergelijke. Hij rekende niet op een oorlog. Sterker nog, toen ik hem op de man af vroeg of hij een oorlog verwachtte, zei hij dat de Amerikanen Irak nooit zouden aanvallen omdat ze bang waren voor de reacties van andere Arabische landen. Hij was er ook van overtuigd dat Amerikaanse soldaten de Iraakse hitte niet konden verdragen.

Die avond was hij ontspannen. Hij kookte zelfs voor ons en maakte gevulde lamsbout, een traditioneel gerecht. Hij vertelde dat hij, mocht Amerika durven aanvallen, de Arabische wereld voor zou gaan in een oorlog. Hij zei dat hij kortgeleden nog had gedroomd dat hij en Hoessein Kamel werden achtervolgd door blaffende zwarte honden. Een van de honden wilde hem aanvallen, maar Hoessein Kamel slaagde erin het dier met één klap te doden en Saddam te redden. Hij zei ook dat hij had gedroomd dat hij ergens stond en dat er duizenden moslims achter hem aan het bidden waren. In die droom zag hij een man met een hoofddeksel dat aangaf dat hij een geestelijke was. De man wendde zich tot Saddam en vroeg of hij het gebed wilde leiden. Volgens Saddam betekende dat dat hij alle moslims moest leiden. Hij geloofde oprecht dat zijn dromen een betekenis hadden en putte er in die tijd veel kracht uit.

Toen ik kort na de oorlog Bagdad verliet, had ik het gevoel dat ik mijn ketenen eindelijk had afgeworpen. Het was geen gemakkelijke beslissing. Hij was kwaad op me omdat ik mijn land verliet, maar dat kon me niet schelen. Ik moest weggaan en mezelf en mijn kinderen bevrijden. In al die jaren was ik mezelf vergeten. Ik had tijd nodig om de spanning kwijt te raken en te bepalen wat ik nu wilde. Ik had tijd nodig om mijn eigen ik weer te vinden. Mij was overkomen wat zoveel Irakezen was overkomen: mijn leven was me ontnomen. Niet alleen door de Golfoorlog, maar door Saddam zelf. Mijn slaap was al te lang verstoord door vreselijke nachtmerries over hem.

NEGEN

Op zoek naar de echte Zainab

Op kerstavond 1991 pakte ik mijn kostbaarste bezittingen bijeen en nam de trein naar Washington D.C. Aan mijn voeten lag een Perzisch tapijt. Rond mijn middel droeg ik de sieraden die mijn moeder me als huwelijkscadeau had gegeven en al het geld dat ik met mijn baantjes als caissière, verkoopster en assistent-boekhouder bij elkaar had weten te sparen. Het was verschrikkelijk koud, en ik wikkelde mijn geruite jas van Dior om me heen en probeerde de slaap te vatten, als een arme vrouw met de bagage van een rijke. Ik beloofde mezelf dat ik nooit meer toe zou staan dat iemand me zou kwetsen of de baas over me zou spelen. Ik werd gedreven door wat ik mijn 'overlevingsdrang' noemde, en als iemand me op dat moment had gevraagd hoe ik mezelf zag, zou ik hebben geantwoord dat ik een kasteel was, met een gracht eromheen en boven op de kantelen bewakers met getrokken wapens. Ik zou geen romantische verbintenis met een man meer aanknopen. Ik zou niemand over mijn leven in Irak vertellen. Niemand wist dat ik de dochter van de piloot was en me had bevrijd van de man aan wie ik was uitgehuwelijkt, en dat hoefde ook niemand te weten. Wat ik van nu af aan van mijn leven zou maken, zou geheel en al mijn eigen prestatie zijn. Als iemand me zou vragen hoe ik in Amerika was beland, zou ik hetzelfde antwoord geven dat ik aan de journaliste had gegeven: ik was hier toevallig op vakantie toen de Golfoorlog uitbrak. Het zou bij niemand opkomen om te vragen waarom ik niet was teruggegaan.

In Washington wachtte me een baan als assistent van de ambassadeur van de Arabische Liga, en in die stad wilde ik ook mijn universitaire studie afronden. In de wijk Adams Morgan vond ik een eenvoudige woning die zo klein was dat ik er net een bed en een tafeltje in kwijt kon, maar voor mij was dat genoeg om trots op te zijn. Ik genoot van elke stap die ik tijdens mijn verkenningstochten door mijn nieuwe buurt zette. Om me heen woonden Guatemalteken, Ethiopiërs, Thai en talloze andere immigranten die allemaal hun eigen verhalen en dromen hadden. Ik was net verhuisd toen ik werd uitgenodigd op een nieuwjaarsfeestje waar heel veel mensen van mijn leeftijd waren, en ik besefte dat dit het eerste feestje was waar niemand me kende. Ik speelde er spelletjes en lachte met mensen die ik helemaal niet kende, en we bleven tot vroeg in de ochtend op. Zoveel plezier had ik in jaren niet meer gehad. Alles om me heen voelde vrij. Er waren jonge mannen en vrouwen uit allerlei landen aanwezig, en een van hen was een lange, slanke, jonge Amerikaan van Palestijnse afkomst die Amjad Attalah heette, net was afgestudeerd aan de Universiteit van Virginia en nu als publiciteitsmedewerker voor een organisatie voor uitwisselingsstudenten werkte. Hij had de mooiste ogen die ik ooit had gezien, en ik bleef maar naar hem staren. Hij vroeg of ik zin had om een keertje met hem te gaan lunchen, maar ik zei meteen nee. Geen mannen. Ik wilde mijn hoofd leegmaken en me op mijn studie storten en daarna over mijn mogelijkheden gaan nadenken.

Ik schreef me in voor avondcolleges aan de universiteit en bracht mijn vrije uren steeds vaker met mijn nieuwe vrienden door. We deden spelletjes, gingen bij elkaar eten en hadden gewoon lol. Toen bleek dat Amjad en ik in hetzelfde gebouw werkten, gaf hij me soms een lift wanneer we na het werk met onze vrienden hadden afgesproken. Zelf had ik geen auto meer. Op een avond bood een vriend aan om ons allemaal taekwondoles te geven. Hij deed ons de bewegingen voor, die we allemaal lachend nadeden. Op een bepaald moment koos hij mij uit om een techniek te demonstreren.

'Geef me eens een stomp tegen mijn borst, Zainab,' zei hij.

Lachend gaf ik hem een slap duwtje.

'Nee, niet zo,' zei hij. 'Harder.'

Ik giechelde en gaf hem een stomp.

'Harder.'

'Maar ik ben bang dat ik je dan pijn doe,' zei ik.

'Dat doe je niet. Geloof me.'

Zijn stem klonk vastberaden en geconcentreerd. Ik gaf hem zo hard mogelijk een stomp tegen zijn borst. Hij bewoog niet. 'Harder,' bleef hij maar zeggen, 'harder.' En uiteindelijk gaf ik hem een dreun.

Ik richtte mijn blik op hem en stompte hem echt, zo hard als ik kon, en toen kon ik niet meer ophouden. Op de een of andere manier voelde ik dat al mijn woede en haat jegens Fakhri via mijn vuisten naar buiten kwamen. Ik haatte hem omdat hij me pijn had gedaan. Ik haatte hem omdat hij me had vernederd. Ik haatte hem omdat hij me had verkracht. En ik barstte ten slotte in tranen uit en rende de kamer uit, terwijl al mijn nieuwe vrienden me nakeken. Deze jongen, die bijna een vreemde voor me was, had nog geen maand nadat ik in Washington was aangekomen de muur omver weten te halen die ik rond mezelf had opgetrokken. Ik ging in de kamer ernaast naast een piano zitten en bleef in mijn eentje onbeheersbaar zitten snikken. Op een gegeven moment kwam Amjad binnen. Hij ging naast me zitten en legde zijn hand op de mijne, maar hij zei niets. Ik weet niet hoe lang we daar hebben gezeten. Ik schaamde me omdat ik in zijn bijzijn zat te huilen, maar ik werd ook getroost omdat hij er gewoon was en geen oordeel velde. Hij bracht me zonder iets te zeggen naar huis en stelde geen vragen.

Een paar weken later kwam hij bij me langs, en het eindigde ermee dat we bij gebrek aan stoelen op de grond gingen zitten kletsen. Het was toevallig Valentijnsdag, een Amerikaanse feestdag die ik dankzij mijn vorige baan kende omdat er dan veel wenskaarten werden verstuurd. Ik merkte dat ik op een bepaald moment over Fakhri begon te praten, ondanks mijn belofte om niemand iets over mijn verleden te vertellen. Ik vond dat Amjad recht had op een uitleg. Ik weet nog dat ik naar zijn gezicht keek, wachtend op een reactie, of misschien wel op een afwijzing. Maar ik zag alleen maar vriendelijkheid in zijn blik. En dus bleef ik praten en vertelde hem stukje bij beetje over wat Fakhri me had aangedaan en waarom ik eigenlijk naar de Verenigde Staten was gekomen. Hij luisterde naar me. Voor het eerst in mijn leven besefte ik hoe het voelde om gewoon open over mijn eigen gevoelens en mijn eigen leven te kunnen praten. Op sommige momenten begon ik te huilen, op andere momenten moest ik juist lachen. Het stelde me gerust en leek me te genezen, en het voelde gewoon zo fijn dat ik op een bepaald moment merkte dat ik hem bijna alles had verteld wat ik geheim had willen houden. Ik wilde dat hij zou begrijpen hoe belangrijk het voor me was om opnieuw te beginnen, alleen.

'Mijn vader was de piloot van Saddam Hoessein,' zei ik ten slotte. 'We waren met hem bevriend.'

En ik wachtte weer op een teken van afwijzing.

'Bedankt dat je me in vertrouwen hebt genomen,' zei hij. 'Dat vind ik echt een eer.'

'Dus je hebt geen hekel aan me?' vroeg ik.

'Nee, natuurlijk niet,' zei hij. 'Dat was niet het leven waarvoor jij had gekozen, die keuze werd voor je gemaakt. Ik vind het heel moedig dat je Fakhri hebt durven verlaten. Ik heb geen hekel aan je. Ik ben er trots op dat ik je vriend ben. Dankzij jou begrijp ik wat de Iraakse bevolking heeft moeten doorstaan.'

Hij beloofde niemand iets over mijn ontboezemingen te vertellen, en ik wist dat hij zich altijd aan die belofte zou houden. Ik vertrouwde hem, en we brachten steeds meer tijd met elkaar door. Toen ik zei dat ik het Iraakse eten zo miste, nam hij me mee naar een Iraans restaurant, dat in Washington het eten van thuis het dichtst benaderde. Toen ik zei dat ik het zo erg vond dat ik mijn familie niet kon omhelzen, gaf hij me een teddybeer. Toen ik zei dat ik op mijn werk geen lunchpauze kon nemen, bracht hij me een lunch die ik aan mijn bureau kon opeten. Ik was nog maar zes weken in Washington en was net een jaar geleden aan een mislukt huwelijk ontsnapt, maar ik merkte dat ik ondanks al mijn voornemens verliefd dreigde te worden. Ik wist hoe gevaarlijk dat kon zijn. Wat had Amjads vriendelijkheid te betekenen? Toen we op een avond naar huis reden, nadat we met vrienden naar de film waren geweest, vroeg ik hem of hij de auto even ergens kon parkeren omdat ik met hem wilde praten. Het was al laat, bijna twaalf uur, en we liepen langs de Potomac in Georgetown. Het was zo koud dat onze adem wolkjes vormde.

'Amjad, je bent tot nu toe alleen maar aardig voor me geweest, in sommige opzichten zelfs te aardig,' zei ik. 'Ik wil duidelijkheid hebben en zou daarom graag willen weten of je altijd zo aardig bent voor de vrouwen die je kent of dat je het vooral tegen mij bent. Ik wil gewoon niet gekwetst worden. Het maakt me niet uit wat je antwoord is, maar ik moet het weten, Amjad. Ben je gewoon een vriend, of ben je meer dan dat?'

Hij haalde diep adem, keek me met die betoverende ogen van hem aan en zei: 'Zainab, ik wil de rest van mijn leven met je delen, als je dat niet erg vindt.'

Ik voelde een enorme golf van liefde voor hem. Ik had geen flauw idee gehad dat hij dat zou gaan zeggen, en ik sloeg mijn armen om hem heen en verloor mezelf in zijn heerlijke warmte. Hij zei toen tegen me dat hij op die allereerste avond dat we elkaar leerden kennen al verliefd op me was geworden. Ik voelde de wol van zijn jas tegen mijn wang en wenste dat ik op dat moment voor de eerste keer verliefd had kunnen worden, dat ik de mannen die ik eerder had gekend uit mijn geheugen kon wissen. Mijn hart bonsde als een razende, maar in mijn hoofd bleef ik maar een stem horen die zei: 'Voorzichtig, Zainab, wees voorzichtig. Maak niet nogmaals dezelfde fout.'

'De rest van ons leven? Dat kan ik nog niet zeggen,' zei ik ten slotte tegen hem. 'Laten we het rustig aan doen, dan kunnen we het er over een jaar of twee nog eens over hebben.'

Hij protesteerde niet, maar zei alleen: 'Ik begrijp het.'

'En je moet nog een paar dingen weten,' zei ik. 'Dit zal niet gemakkelijk voor me worden. Je hoeft niet te rekenen op gezoen en al helemaal niet op seks. Niets van dat alles. En als het ooit iets tussen ons mocht worden, moet je wel weten dat ik geen kinderen wil.'

Hij keek me een tijdlang aan, en ik zag dat hij het allemaal in zich opnam en verwerkte. 'Als ik een keuze moet maken,' zei hij, 'dan kies ik voor jou.'

De kou was vreselijk, maar het leven was mooi die avond. We bleven daar staan, met onze armen om elkaar heen, totdat we onze voeten niet meer voelden.

Amjad had nooit gedacht dat hij ooit een 'vriendin van Saddam' zou leren kennen, en al helemaal niet dat hij verliefd op haar zou worden. Hij was politiek actief en had regelmatig tegen de Amerikaanse steun aan Saddam Hoessein in de Iraaks-Iraanse oorlog gedemonstreerd. In bepaalde opzichten wist hij meer over de toenmalige situatie in Irak dan ik. Wij hadden nooit vrije media gekend, en bovendien had ik Saddam van zo dichtbij meegemaakt dat het me moeite kostte om hem in een breder perspectief te zien. Ik schrok enorm toen Amjad me vertelde dat sommige dingen die ik al mijn hele leven voor waar had aangenomen, simpelweg onjuist waren. Hij vertelde me dat Irak, en niet Iran, de oorlog was begonnen en dat er aan beide kanten een miljoen jonge mannen voor niets waren gestorven. Mijn moeder had me wel verteld dat de oorlog zinloos was en talloze levens had gekost, maar ik had nooit geweten dat amo ons zo'n rad voor ogen had gedraaid. Er was geen sprake geweest van verdedigen, het was gewoon een vooraf bedacht plan. Amjad legde uit dat Saddam niet zomaar op dat moment Iran de oorlog had verklaard. Het buurland verkeerde zo kort na de revolutie nog in een kwetsbare fase waarin lang onduidelijk was wie de touwtjes in handen zou krijgen. Saddam had toegeslagen op een moment dat de haviken het invloedrijkst waren, zodat een oorlog onvermijdelijk was geweest. Hoewel dat me allemaal niet had moeten verbazen, voelde ik me naarmate ik meer over Saddam te horen kreeg steeds ellendiger omdat ik zoveel tijd met hem had doorgebracht. Ik bleef maar denken aan wat Amjad tijdens die oorlog had gedaan en waar ik mee bezig was geweest. Terwijl hij voor de Iraakse ambassade in Washington had staan demonstreren, met een kaffiya voor zijn gezicht om te voorkomen dat de Moekhabarat hem zou herkennen en wraak zou nemen, zat ik keurig aangekleed in het weekendhuis de man die dit alles had veroorzaakt op zijn wenken te bedienen. Amjad wakkerde mijn dorst naar kennis over mijn eigen land verder aan. Wie waren onze vijanden eigenlijk geweest, en hoe had het zover kunnen komen? Wat was het verhaal van de Perzische vrouwen; welke rol hadden zij in de revolutie gespeeld, en hoe was het hen sindsdien vergaan? Amjad werd mijn leraar en politieke zielsverwant. Ik vertelde hem dat ik me heel erg schuldig voelde omdat ik dan weer wel en dan weer niet serieus met het geloof bezig was geweest en ik bekende dat ik na de Golfoorlog en mijn slechte ervaringen niet meer had gevast tijdens de ramadan en zelfs niet meer had gebeden.

'Ik was zo kwaad op God,' zei ik tegen hem. 'Ik had het gevoel dat God me had verraden.'

'Als je niet van Hem zou houden, zou je je ook niet verraden voelen,' zei hij. 'Als je geen relatie tot Hem had gehad, zou je ook geen woede hebben gevoeld toen er zoveel in je leven verkeerd ging.'

Door die opmerking, die even logisch en vergevingsgezind was als Amjad zelf, viel er een last van me af en slaagde ik er uiteindelijk in om te ontdekken wat spiritualiteit voor me betekende. Hij liet me opnieuw kennismaken met een islam die niet was vertroebeld door eeuwenoude culturele voorschriften, maar die net als het geloof van mijn moeder heel mooi was. Amjad kwam zelf uit een soennitische familie en had een bachelorstitel in de theologie op zak. Zijn kennis van de islam was niet alleen gebaseerd op wat hij zelf geloofde, maar ook op feiten uit de geschiedenis en hedendaagse politiek. Zijn ouders waren in Palestina alles kwijtgeraakt, maar waren er toch in geslaagd om samen met een paar familieleden naar Amerika te emigreren. Zijn vader had zijn baan in een fabriek gecombineerd met een universitaire studie en zijn moeder had in de kantine op school gewerkt. Stukje bij beetje hadden ze een nieuw bestaan opgebouwd. Zijn vader werd vertaler, zijn moeder verkoopster. Ze waren met niets begonnen, maar slaagden erin hun beide zonen naar de universiteit te sturen. De twee jongens waren nu allebei bezig met promoveren.

Ik was verliefd op een geweldige en intelligente man met wie ik kon lachen, praten en plezier kon maken. Ik had een fijne vriendenkring, een boeiende baan, en hoewel mijn drie jaar universiteit in Irak hier slechts als één jaar telde, was ik eindelijk weer bezig met het behalen van mijn titel. Alles voelde nieuw, ik ook, en bij elke stap die ik zette, voelde ik me vrij. Ik was slechts zelden zo gelukkig geweest. Ik leerde opnieuw te ademen.

Totdat mijn moeder opeens opbelde vanuit Jordanië, helemaal van streek. We belden elkaar gemiddeld drie, vier keer per maand, en dan vertelde ze vooral over de problemen rond haar scheiding of het opzetten van haar restaurant. Ik had het nooit over Amjad gehad – het laatste wat ik wilde, waren mama's adviezen over het huwelijk aanhoren. Maar een van Amjads familieleden had me verteld dat ze naar Amman ging, en puur uit vriendelijkheid had ik deze vrouw het nummer van mijn moeder gegeven. Toen die twee elkaar troffen, had ze mama natuurlijk over Amjad en mij verteld.

'O, God, Zainab, je hebt een vriendje!' zei ze, behoorlijk overstuur.

Dat ik nu in Amerika woonde, betekende niet dat de regels waren veranderd. Ik kwam er onomwonden voor uit dat ik een relatie had met een man met wie ik niet was verloofd, en dat was de nachtmerrie van iedere immigrantenouder: een gescheiden vrouw die alleen woonde, in een vreemd land, en de tradities van haar eigen cultuur negeerde. Ik had Amjad zelfs toestemming gegeven om me te kussen, al kon zij dat niet weten. Dat was trouwens niet wat haar zo bang maakte.

'Waarom heb je niets tegen me gezegd, *habibiti*?' vroeg mama. 'Ben ik je dan helemaal kwijtgeraakt?'

'Het is al goed, mama, rustig maar,' zei ik. Ik probeerde te bedenken hoe ik goed kon maken dat ik haar had gekwetst. 'Hij heet Amjad, hij is een geweldige man. Het is allemaal heel snel gegaan. Ik wilde u binnenkort bellen om te vragen of u het goedvindt dat hij meekomt naar Jordanië. Ik wil hem aan u voorstellen en vragen of ik met hem mag trouwen.'

Zodra ik had opgehangen, belde ik Amjad en zei dat hij naar Jordanië moest gaan om om mijn hand te vragen. Hij was buiten zinnen van vreugde, en zijn ouders ook. Van het een kwam het ander, en opeens besefte ik dat er van mijn wachttijd van twee jaar niets terecht zou komen. Weer had ik de emotionele behoeften van mijn moeder boven die van mezelf gesteld. Ik belde haar terug.

'Mama, ik moet u iets vertellen,' zei ik. 'Ik wil graag uw goedkeuring, maar ik hou van hem, en ik ga ook met hem trouwen als u die niet geeft.'

Baba wilde wel met Haider naar Amman rijden, zodat ze Amjad konden leren kennen. Ik voelde grote bewondering voor Amjad toen ik merkte dat hij zijn aanzoek zorgvuldig voorbereidde, met respect voor zowel alle culturele gewoonten als mijn familieleden. Twee goede vrienden zouden hem vergezellen en namens de mannen uit zijn familie het woord doen.

Nadat hij een paar keer met baba had gesproken en ze elkaar iets beter kenden, zei hij tegen hem: 'Ik hou van uw dochter. Ik weet dat ze heel veel heeft moeten doorstaan, maar ik wil u zeggen dat ik er alles aan zal doen om haar gelukkig te maken. Ik beloof u, uit de grond van mijn hart, dat ik haar het beste leven zal bieden dat ze zich maar kan wensen.'

Amjad vertelde me later dat baba hem toen huilend zijn zegen had gegeven. Ik wist dat baba het gevoel had dat hij had gefaald in zijn traditionele vaderlijke rol als beschermer van het gezin. Door de Golfoorlog had hij niet naar Amerika kunnen komen om me te redden en had ik het helemaal alleen moeten zien te rooien. Nu droeg hij de zorg voor zijn dochter voor de eerste keer over aan iemand die hij na een paar ontmoetingen al aardig vond en respecteerde, maar het was wel een man die uit een totaal andere wereld kwam dan hij. Amjad was nog steeds bezig Arabisch te leren, en het gesprek ging vooral in het Engels.

'Ik geef je mijn dochter, van wie ik meer hou dan van wie dan ook,' zei baba. 'Ik kan er niet voor haar zijn, maar jij wel. Ik vraag je slechts of je haar gelukkig wilt maken, en ik vertrouw erop dat je dat zult doen. Vergeet niet dat zelfs de beste man niet zonder een goede vrouw kan. Zainab is mijn oogappel, Amjad. Zorg goed voor haar.'

Ik wou dat ik erbij had kunnen zijn. Ik wou dat ik me in baba's armen had kunnen storten. Maar in tegenstelling tot Amjad was ik geen Amerikaans staatsburger en kon ik niet aan het juiste visum komen. En vanwege de beperkingen die na de Golfoorlog waren opgelegd aan Iraakse mannen die naar de vs wilden komen, was mama het enige familielid dat op de bruiloft kon komen. Jaren geleden had amo er al voor gezorgd dat de banden in onze familie scheurtjes begonnen te vertonen, maar door de wereldwijde politieke verwikkelingen die het gevolg waren van de invasie van Koeweit werd ons gezin nu helemaal uiteengereten. Het zou negen jaar duren voordat ik mijn vader weer zou zien, het zou negen jaar duren voordat ik naar Bagdad zou terugkeren – en het zou me moeite kosten om zowel man als stad te herkennen.

Amjads mentor aan de Universiteit van Virginia, dr. Abdulaziz Sachedina, was een imam, een moslimgeestelijke, en hij zou ons islamitisch huwelijk voltrekken en helpen bij het opstellen van het huwelijkscontract. Amjad en ik hadden de bruidsschat al besproken en besloten dat die symbolisch diende te zijn: een oude munt uit Jeruzalem.

'Dat is mooi,' zei dr. Sachedina toen hij ons op zijn kamer in Charlottesville ontving. 'Maar je moet het over veel meer dan alleen de bruidsschat hebben, Zainab. Je moet al je voorwaarden laten vastleggen.'

'Voorwaarden?' vroeg ik. Ik wist bijna niets over de juridische aspecten van een moslimhuwelijk. Toen ik met Fakhri trouwde, was de bruidsschat het enige waar ik iets over wist. Er was een stuk papier voor me neergelegd dat ik had ondertekend.

Dr. Sachedina slaakte een zucht. 'Dit is iets wat ik helaas vaker meemaak,' zei hij op rustige, zakelijke toon. 'De mensen kennen de islamitische wetten helemaal niet, ze volgen alleen de culturele voorschriften die aan de islam zijn ontleend. Je kunt heel wat meer bespreken dan alleen maar de bruidsschat. Wanneer een moslim-vrouw trouwt, heeft ze het recht om om het even welke bepaling in het contract te laten opnemen. Als de man het daarmee eens is, moet hij zijn handtekening zetten. Dit is je kans om jouw eisen te stellen waar het je verbintenis met Amjad betreft.'

'Ik mag eisen wat ik maar wil?'

'Wat je maar wilt, van het soort leven dat je wilt leiden tot de manier waarop je eventuele kinderen wenst op te voeden,' zei hij. Het waren een soort huwelijkse voorwaarden. 'Daar staat mijn com-puter, Zainab,' zei hij. Hij stond op en bood me zijn stoel. 'Je kunt intikken wat je maar wilt, en als Amjad het met je bepalingen eens is, gelden ze als bindend. Doe je best.'

Toen liep hij de kamer uit.

O hemel, ik had geen flauw idee wat ik moest doen. Nog maar een paar minuten geleden had ik voor het eerst van mijn leven gehoord over welke rechten ik als moslimvrouw beschikte. Niemand had me daar ooit iets over verteld. Dit was weer iets waarover in Irak werd gezwegen. Hoeveel vrouwen wisten dit? Zelfs mijn moeder, die net officieel gescheiden was, wist hier niets van. Had ik dit maar geweten toen ik met Fakhri trouwde. Dan had ik niet zo mijn best gedaan om een 'gehoorzame' vrouw te zijn, maar had ik het contract kunnen pakken en kunnen zeggen: 'Kijk eens, je hebt dit getekend.' Dan had ik zwart op wit bewijs gehad van al die beloften die hij me voor ons huwelijk had gedaan.

In die tijd wist ik nog niet hoe ik een computer moest gebruiken en kon ik niet eens typen, dus ik dicteerde, en Amjad typte.

'Je mag me niet belemmeren in het nastreven van een carrière of het volgen van een opleiding,' dicteerde ik.

'Daar ben ik het mee eens,' merkte Amjad al tikkend op.

Ik was zo opgetogen, en dat deed hem duidelijk plezier. 'Alle taken in het huishouden moeten gelijkwaardig worden verdeeld. Jij moet ook koken en schoonmaken en...'

'Voordat je over stofzuigen begint: is het niet logisch dat dat allemaal onder "alle taken in het huishouden" valt?'

'Mm,' zei ik aarzelend. Daar zat wat in, maar toch wilde ik elke bepaling laten opnemen die ik kon verzinnen. Ik wilde niets weglaten. 'En dan nu het belangrijkste,' zei ik tot besluit. Ik keek hem aan alsof ik hem op elk moment op een leugen kon betrappen. 'Ik wil het recht hebben om als eerste een scheiding aan te vragen.'

'Uitstekend,' zei hij. Hij begon weer te typen.

O God, dit werkt echt, dacht ik bij mezelf.

'En je kunt altijd nog iets aan het contract laten toevoegen,' zei hij. 'Op welk moment dan ook.'

Later die dag hielden we een bescheiden en intieme religieuze plechtigheid bij dr. Sachedina thuis. Amjads familie, mijn moeder en een paar vrienden die erbij geweest waren toen we elkaar leerden kennen, waren ook aanwezig. Ik stond te popelen om mijn moeder het contract te laten zien. Ik was er trots op dat ik zoiets belangrijks had ontdekt en dat ik een geweldige man had die het er helemaal mee eens was.

'Maar Zainab, een vrouw heeft niet het recht om van haar man te scheiden!' zei ze. 'De man moet er eerst mee instemmen.'

'Des te meer reden om een contract op te stellen,' zei ik. 'Niemand zei dat dat niet mocht.'

'Maar liever, of het nu mag of niet, weet je wel zeker dat je al die bepalingen wilt laten opnemen?' drong ze aan. 'Je wilt je huwelijk met Amjad toch niet op het spel zetten?'

'Mama, wat is er met u?' vroeg ik. 'Wilt u nu echt dat ik alle rechten opgeef die me tijdens mijn huwelijk met Fakhri hadden kunnen beschermen? Ik snap het niet. Waarom zegt u dat?'

Ik was heel erg van streek. Wat bezielde haar? Ik had haar nooit verteld wat Fakhri me had aangedaan. Eerst had de oorlog onze communicatie beperkt, toen had ze aan een zenuwinzinking geleden, en nog later was ze in een scheiding verwikkeld geraakt. Ze wist niet dat hij me had verkracht. Ik had het gevoel dat ik een heel andere moeder voor me had dan de sterke, onafhankelijke vrouw die ik van vroeger kende.

'Het spijt me, Zainab,' zei ze. 'Je moet doen wat je zelf wilt. Het spijt me dat ik me ermee heb bemoeid.'

'Het is niet alleen het huwelijkscontract, mama,' zei ik. 'Sinds u hier bent, loopt u me de hele tijd adviezen te geven over hoe ik moet koken en het huishouden moet doen. U hebt uzelf altijd als een sterke en onafhankelijke vrouw betiteld, mama, maar ik zie dat u veranderd bent. Ik begrijp het niet.'

Toen stortte ze min of meer haar hart uit. Het was alweer een paar maanden geleden dat Amjad haar in Amman was komen opzoeken, en sindsdien had ze haar plan om in die stad een restaurant te beginnen laten varen en was ze teruggekeerd naar Bagdad, waar ze in elk geval geen huur hoefde te betalen. Maar de maatschappij waarnaar ze was teruggekeerd, was niet zo ruimhartig ten opzichte van vrouwen – en zeker niet ten opzichte van gescheiden vrouwen van middelbare leeftijd – als in de jaren zeventig en tachtig het geval was geweest. Ze had etentjes georganiseerd en stellen uitgenodigd die ze nog van vroeger kende, maar ze was alleen maar met de nek aangekeken door vrouwen die vonden dat het ongepast was dat een gescheiden vrouw 'gemengde' etentjes gaf. Ze had geprobeerd om een paar oude vriendschappen nieuw leven in te blazen, maar haar vriendinnen dansten niet langer; nu lazen ze de Koran en spraken ze daarover.

'Sommige vriendinnen geven mij de schuld van de scheiding omdat ik het initiatief ertoe heb genomen,' zei ze. 'En nu we weer een tijdje verder zijn en ik erover nadenk, vraag ik me af of ik er verkeerd aan heb gedaan. Misschien had ik beter bij je vader kunnen blijven.'

'Mama, u moet het niet opgeven,' zei ik, en ik sloeg instinctief mijn armen om haar heen. 'U moet sterk zijn. U bent mooi. Uw huwelijk met baba is weliswaar niets geworden, maar u komt wel weer iemand anders tegen.'

'Dat denk ik niet, *habibiti*. Ik vertrouw niet langer op de goede raad over liefde en het huwelijk die ik jou ooit heb gegeven. Ik vertrouw niet langer op mezelf. Misschien waren al die lessen over een sterke vrouw zijn die ik jou heb geleerd wel verkeerd. Misschien kun je maar beter een brave echtgenote zijn.'

Ze staarde naar de vloer en wilde me niet aankijken.

Een paar maanden later vloog mijn moeder naar de Verenigde Staten met een zelfgemaakte trouwjurk van witte en goudkleurige stof waarop ze liefdesgedichten en onze namen had geborduurd. Amjad en ik trouwden in januari 1993. Zijn familie organiseerde de plechtigheid, zoals in Irak in moslimkringen de gewoonte is. Amjad en ik huurden voor onze huwelijksnacht een suite in een hotel, en mama en ik checkten al vroeg in, zodat ik me op mijn gemak kon aankleden. Mama zag er die dag prachtig uit. We deden elkaars haar en moesten giechelen toen de visagiste die ons kwam opmaken dacht dat we zussen waren. Toen de visagiste weer weg was, sloeg ik mijn arm om mijn moeders hals – we liepen nog steeds in onze badjassen – en zei lachend: 'We zijn twee zussen!'

Toen mijn moeder me hielp de jurk aan te trekken, viel het me op dat hij wel erg laag was uitgesneden. Ik vroeg me af of dat wel gepast was.

'O, lieverd, maak je geen zorgen,' zei ze. Ze gaf me een kus op mijn voorhoofd. 'Geniet gewoon van je bruiloft, en van de rest van je leven. Ik hou van je, *habibiti*. Amjad is een goede man. Zorg goed voor hem en wees gelukkig. Vergeet nooit gelukkig te zijn! Wees gelukkig!'

Die dag was ik gelukkig. Ik was echt gelukkig. Mama leek zelf ook net een bruid, en iedereen zei dat ze zo mooi was. Ik merkte dat er iets van haar oude zelf naar boven kwam. Dat was mijn mama. De mooie Alia. Ik hoorde haar te midden van de gasten lachen. Ze vermaakte zich. Mijn bruiloft was het mooiste feest dat ik ooit heb meegemaakt, al drong het op dat moment amper tot me door omdat ik alleen maar oog voor Amjad had. Ik danste bijna de hele tijd alleen maar met hem en bedacht hoe gelukkig we waren en hoeveel ik van hem hield.

Stukje bij beetje begon ik hem ook in seksueel opzicht te vertrouwen. Ik weet dat hij er nooit aan heeft getwijfeld dat dat zou gebeuren. Amjad genas me, toonde begrip en had meer geduld dan wie dan ook. Soms stonden we in mijn kleine huisje alleen maar urenlang te zoenen – zo lang dat mijn knieën begonnen te knikken – maar ik durfde niet te gaan liggen, en er was geen plek om te zitten. Later gingen we wel samen in bed liggen, maar toen hield hij me alleen maar urenlang vast totdat we in slaap vielen. Op een avond, toen 'Unforgettable' van Natalie en Nat King Cole op de radio te horen was, was ik in staat de muur om me heen neer te halen. Hij praatte tegen me en raakte me aan en liet me zien dat er meer was dan alleen maar pijn. Toen begreep ik eindelijk waarover mijn moeder me al die jaren geleden thuis aan de keukentafel had verteld.

Amjad was bezig met een promotieonderzoek aan de Universiteit van Virginia, op twee uur rijden van Washington D.C., en ik was drieëntwintig, werkte fulltime en volgde 's avonds colleges. Nu we getrouwd waren, was samenwonen niet meer dan logisch. Maar voor forenzen was de afstand te groot, en ik durfde mijn baan niet op te zeggen en bij hem in te trekken. Ik was doodsbang dat ik de onafhankelijkheid waarvoor ik zo hard had gevochten dan kwijt zou raken. Het was bijna niet te geloven, maar ik had de man van mijn dromen te snel leren kennen.

'Als ik bij jou in Charlottesville ga wonen, word ik geheid depressief en zal ons huwelijk op de klippen lopen. Als ik in Washington blijf, kan ik je elk weekend zien en zal ik veel gelukkiger zijn,' legde ik hem uit. Hij koos voor het laatste, zodat we elkaar in het begin van ons huwelijk alleen in het weekend zagen.

In de herfst van het jaar daarop schreef ik me in aan de George Mason University en besloot als hoofdvakken vrouwenstudies en internationale betrekkingen te kiezen. Nu kon ik eindelijk lezen wat ik maar wilde en zeggen wat ik op mijn hart had. Ik leerde meer over het feminisme en ontdekte tot mijn verbazing dat westerse vrouwen nog steeds vochten voor bepaalde rechten, zoals een gelijke betaling voor hetzelfde werk, die in veel zogenoemde 'ontwikkelingslanden' een vanzelfsprekendheid waren. Tijdens colleges hoorde ik dingen die me vroeger nooit waren verteld, zoals bijvoorbeeld dat Stalin de Russische soldaten in de Tweede Wereldoorlog opdracht had gegeven om zoveel mogelijk Duitse vrouwen te verkrachten. Ik hoorde over de Jodenvervolging, over het verzet tegen de slavernij in de Verenigde Staten, over de anti-apartheidsbeweging in Zuid-Afrika. Mijn wereldbeeld werd op zijn kop gezet. Omdat ik was opgegroeid in een dictatuur, waar alles vastlag en niets zomaar veranderde, begreep ik aanvankelijk niets van een vrije wereld die voortdurend in beweging was, waar recht tegen onrecht streed, waar reactie op actie volgde, waar politieke en sociale veranderingen konden plaatsvinden, waar de seksen gelijk waren, maar er toch sprake was van discriminatie op basis van geslacht, waar goed en kwaad voortdurend tegenover elkaar stonden. Toen ik ontdekte dat andere volkeren onderdrukking hadden weten te overleven, dat andere landen hun tirannen hadden verdreven, voelde ik dat ik hoop kreeg.

Amjad gaf me boeken die me hielpen een wereld te begrijpen die tot dan toe verboden gebied voor me was geweest. Ik leerde de patronen in de wreedheden en wandaden van Saddam Hoessein herkennen en besefte dat alle dictators, ook Hitler en Stalin wier werk ik Saddam had zien lezen, zich op dezelfde manier gedroegen. Ik zag sporen van zijn Irak in 1984 van George Orwell, ik voelde zijn verschrikkingen in *Heart of Darkness* van Joseph Conrad. Toen ik *Republic of Fear* van Kanan Makiya las, ontdekte ik tot mijn schrik dat Saddam Hoessein nog veel meer gruwelijkheden in Irak had begaan, en vroeg me af of mijn ouders daarvanaf wisten. Door dat boek begreep ik uiteindelijk dat de deportatie van de sjiieten, waarvan mijn moeder ook bijna het slachtoffer was geworden, een van amo's eerste etnische zuiveringen was geweest. Makiya schatte dat er ongeveer tweehonderdduizend sjiieten waren gedeporteerd, maar in dat getal waren niet de duizenden families meegenomen die al eerder waren gevlucht, zoals die van Fakhri. De westerse media hadden hier geen enkele aandacht aan besteed omdat Saddam Hoessein tegelijkertijd met westers geld tegen Iran streed, en zelfs Amjad wist daar niets van.

Ik nam al deze kennis in me op, maar praatte er met niemand over, behalve met Amjad. Voor mij was het persoonlijk en abstract tegelijk. Het kwam geen moment bij me op om bij een oppositiepartij te gaan; dat kon mijn familie in gevaar brengen. Ik was tegen de economische sancties waarvan veel Irakezen in ballingschap voorstander waren, omdat die volgens mij alleen zin hadden als het onderdrukte volk in kwestie er zelf om vroeg, zoals in Zuid-Afrika het geval was. Ik wist dat economische maatregelen tegen Irak er alleen maar toe zouden leiden dat de gemiddelde burger nog moeilijker aan voedsel en medicijnen zou komen, terwijl amo alleen maar rijker zou worden. Voorstanders van de sancties hanteerden de verwrongen logica dat de Irakezen, mits ze maar genoeg leden, vanzelf wel tegen amo in opstand zouden komen en hem zouden verdrijven. Dat vond ik een zeer vooringenomen en wrede veronderstelling die helemaal niets te maken had met het leven van het gemiddelde Iraakse gezin. De amo die ik kende, begreep zijn volk veel beter dan degenen die ergens in een ver land voor economische sancties pleitten. Voordat ik Irak verliet, was mij al duidelijk geworden dat amo ervoor zorgde dat sommige voedingsmiddelen alleen via bepaalde kanalen te krijgen waren: wie de hele dag zijn best moest doen om aan eten te komen, had geen tijd om herrie te schoppen. Ik wist dat hij nu veel ergere dingen zou doen dan degenen straffen die tegen hem in opstand durfden te komen. En natuurlijk deed hij dat ook. Door Iraakse olie op de zwarte markt te verkopen, werd hij nog rijker dan hij al was, maar ondertussen verdeelde hij ook bedorven voedsel onder de sjiieten in het zuiden en beroofde hen van hun stroom, hun water en hun dorpen. Voor velen van hen betekende dat het doodvonnis.

Het feit dat ik in de vs woonde, betekende nog niet dat ik me veilig voelde. Iedere Irakees wist dat de Moekhabarat over de hele wereld spionnen had. Er deden talloze verhalen de ronde over Irakezen in ballingschap die in hun eigen huis waren aangevallen of gedood, en er was zelfs iemand die een videoband toegestuurd had gekregen waarop te zien was dat zijn dissidente zus werd verkracht; daarmee hoopten ze hem te kunnen chanteren. Maar mijn angst was, net als die van veel Irakezen, niet alleen maar gebaseerd op feiten. Ik was in elke vezel van mijn lichaam, met mijn hele hart en ziel, bang voor Saddam, en die lichamelijke angst dacht ik nooit kwijt te kunnen raken, zelfs niet nu ik veilig en wel getrouwd was. Ik huiverde wanneer ik eraan dacht hoe dicht ik bij amo in de buurt was geweest. Soms zag ik die angst als een deel van mijn lichaam, net als mijn cellen en mijn bloed dat waren. Ik weet zeker dat mijn vrienden dat maar raar vonden. Toen ik een keer bij een vriend een fles Chivas Regal zag staan, vroeg ik of hij die uit het zicht wilde zetten. Wanneer ik bezoek kreeg, zette ik instinctief de radio aan wanneer iemand over politiek begon of zelfs maar een persoonlijke roddel vertelde. Op een avond gebruikte ik per ongeluk de vork van amo om iets op te dienen, en toen een Egyptische vriend hem oppakte en de inscriptie bekeek, griste ik de vork uit zijn handen en borg hem voor altijd op. Het was onnadenkend van mij geweest. Hoe zou ik ooit kunnen verklaren hoe ik aan die vork was gekomen? Hoe kon ik aan de Amerikaanse autoriteiten uitleggen dat mijn vader degene was die tijdens de Golfoorlog de Iraakse burgertoestellen voor alle zekerheid naar Teheran had gevlogen en dat mijn moeder Saddam vochtinbrengende crème had gegeven omdat hij klaagde dat zijn gezicht zo droog was? Dat waren dingen die ik alleen maar met Amjad deelde. Als we over hem spraken, zei ik altijd 'amo' omdat ik zelfs in mijn eigen huis niet hardop 'Saddam Hoessein' durfde te zeggen. Ik nam tijdens colleges nooit deel aan discussies over Irak. Ik schreef nooit werkstukken over Irak. Na een tijdje vroeg bijna niemand er nog iets over. Voor miljoenen Irakezen brak er een decennium vol ellende aan waarin ze de prijs betaalden voor de tirannie van een man die bijna iedereen wilde zien verdwijnen, maar de Amerikanen gingen over tot de orde van de dag.

Ik ook. Amjad en ik waren bijna een half jaar getrouwd toen ik in het blad *Time* een artikel las over 'verkrachtingskampen' in Bosnië-Hercegovina en Kroatië, waar naar verluidt vrouwen gevangen werden gehouden en voortdurend door Servische soldaten werden verkracht. Op de foto bij het artikel zag ik een stel vrouwen op een ziekenhuisbed zitten. Sommigen waren tieners, anderen konden hun moeders zijn. Iets in dat artikel haalde bij mij een pijn naar boven die diep vanbinnen zat, en opeens begon ik te huilen. Amjad, die net met een paar vrienden in de keuken het eten aan het klaarmaken was, kwam naar me toe rennen en vroeg wat er aan de hand was.

'We moeten iets doen,' zei ik. Ik schoof hem het artikel onder de neus. Terwijl hij me probeerde te troosten en tegelijkertijd probeerde te lezen wat me zo'n verdriet had gedaan, zei ik: 'Ik wil iets doen om die vrouwen te helpen.'

De volgende dag ging ik naar de bibliotheek om alle boeken over dat onderwerp te lenen die ik maar kon vinden. Ik wilde weten waar Bosnië lag, wie die vrouwen waren, wat de geschiedenis van dat land was en waarom er nu eigenlijk werd gevochten. Ik weet niet zeker wat me voortdreef – mijn eigen verkrachting, het feit dat ik wist hoe het was om een oorlog mee te maken, of misschien alleen maar het idee dat ik misschien zou kunnen helpen – maar ik had het gevoel dat ik aan een missie begon. Ik pakte de Gouden Gids en belde vrouwenorganisaties op om te vragen of ik hun projecten in Bosnië en Kroatië kon steunen, maar tot mijn verbazing hield niemand zich met dit thema bezig. 'Bel over een half jaar nog eens,' zei een van de vrouwen tegen me. 'Misschien doen we dan wel iets.' Een half jaar? Zou iemand pas over een half jaar iets tegen die massale verkrachtingen ondernemen? Dankzij de vele boeken die ik inmiddels had gelezen, wist ik dat mensen vaak genoeg hadden gezegd dat ze niet hadden geweten wat er nu precies in nazi-Duitsland gaande was geweest, maar in het geval van Bosnië ging dat niet op. Honderdduizenden Bosnische en Kroatische burgers vonden de dood tijdens een volkerenmoord die min of meer voor het oog van de televisie-camera's plaatsvond. Twintigduizend vrouwen waren al verkracht – twintigduizend! Hoe konden we dit laten gebeuren? Welk excuus hadden we deze keer om geen vinger uit te steken?

Toen ik op een avond met Amjad en zijn broer Eyad ergens koffie zat te drinken, vertelde ik dat ik van plan was wel iets te doen, om een soort hulpprogramma op poten te zetten. We vroegen ons al snel hardop af wat we precies konden doen. Misschien was het mogelijk om persoonlijk hulp te bieden en de vrouwen als het ware door donateurs te laten 'adopteren': de donateurs konden de slacht-offers niet alleen steunen door financiële hulp te bieden, maar ook door met de vrouwen te corresponderen, zodat die zouden weten dat ze er niet alleen voor stonden.

De volgende dag hing ik weer bij een groot aantal hulporganisa-ties aan de telefoon om te vragen of ze me konden helpen dit idee te realiseren en wist ik een afspraak te maken met de All Souls Unitarian Church. Een week later liep ik, in de veronderstelling dat ik daar-door serieuzer over zou komen, met de aktetas van mijn vader onder mijn arm de zaal binnen waar het bestuur vergaderde. Van tevoren had ik soera's uit de Koran gelezen en God gevraagd of Hij ervoor kon zorgen dat ik zou weten wat ik moest zeggen, net zoals Mozes had geweten wat hij moest zeggen toen hij tegenover de farao stond. En het lukte me: het bestuur gaf me toestemming om onder hun non-profitvlag met mijn project voor de vrouwen in Bosnië te beginnen. Ze zouden me van advies dienen en de boekhouding ver-zorgen, ik mocht een jaar lang de tijd nemen om de levensvatbaar-heid van mijn plan aan te tonen. Dat was meer dan waarop ik had durven hopen.

Amjad was net zo blij als ik en stond voor honderd procent achter me. Dit project was iets van ons samen: hij boog zich over de officië-le oprichting en alles wat daarbij kwam kijken, ik verzorgde samen met vrijwilligers van de kerk de publiciteit. In de kelder van Amjads ouders, onze voorlopige uitvalsbasis, zaten we ijverig folders te vou-wen en te sorteren. Na twee maanden netwerken en geld inzamelen werden Amjad en ik de officiële mede-oprichters van Women for

Women in Bosnia, de voorloper van het huidige Women for Women International. Toen we het geld, dat we eigenlijk voor een huwelijksreis naar Spanje hadden willen gebruiken, bij de binnengekomen donaties legden, hadden we net genoeg om naar Kroatië te reizen en echt van start te gaan. Daarbij werden we ter plaatse geholpen door Judy Darnell, een verpleegkundige uit Philadelphia die al heel lang vrijwilligerswerk in Kroatië deed. Toen ik haar had gebeld om te vragen of ze haar medewerking wilde verlenen, aarzelde ze geen moment en zei ja.

Toen we in Zagreb aankwamen, had Judy al een aantal afspraken voor ons geregeld. De eerste vrouw met wie we kennismaakten, was Ajsa, die kort, donker haar, een rond, blozend gezicht en een beleefde lach had en die kort tevoren in het kader van een uitwisseling van burgergevangenen en soldaten was vrijgelaten uit een kamp. Ze zat in veel te grote, gekregen kleren tegenover ons aan tafel en begon, nadat we haar hadden verteld hoe we precies hulp wilden bieden, op zakelijke, bijna mechanische toon over haar ervaringen te vertellen.

'Ik heb negen maanden in een verkrachtingskamp gezeten. Toen ze me vrijlieten, was ik acht maanden zwanger.' Ze sprak heel snel, bijna alsof ze het over een ander had. 'Ik ben twee maanden geleden bevallen, maar het kind is ten gevolge van medische complicaties overleden. Ik weet niet wat ik van haar moet vinden. Ik hield van haar omdat ze mijn kindje was, maar elke keer wanneer ik naar haar keek, moest ik denken aan wat de soldaten tegen me zeiden toen ze me verkrachtten: "Je bent een moslim. Je bent een Turk. Je verdient het om te worden verkracht. Dit is onze wraak voor wat jouw voorouders ons volk hebben aangedaan." Ze bleven me maar uitschelden, bespugen, verkrachten.'

Ze wist niet wie haar kind had verwekt. Ze kon zich hen zelfs niet allemaal herinneren. Ik voelde het bloed uit mijn gezicht wegtrekken. Af en toe onderbrak ze haar verhaal even om de tolk de gelegenheid te geven het te vertalen. Ik zag dat ze op die momenten haar tranen wegknipperde, zodat ze daarna weer verder kon gaan. Ze vertelde over het leven dat ze vroeger had geleid, over haar lieve man en twee kinderen en hun boerderij met schapen.

'Dat was mijn leven, maar nu is het voorbij. Alles is me in een paar tellen ontnomen. Ik weet niet waarom. Wat heb ik hen misdaan? Wat heeft mijn man hen misdaan? Ik heb hem en de kinderen niet meer gezien sinds ze me gevangennamen. Ik weet niet of ik hen ooit nog zal zien. Willen ze dan nog wel iets met me te maken hebben? Zullen ze nog wel van me houden nadat ze me zo hebben gezien? Kijk eens naar me. Kijk toch eens naar me.'

Amjad en ik huilden geen van beiden toen zij aan het woord was omdat we instinctief aanvoelden dat haar verdriet daardoor zou worden gebagatelliseerd, maar toen we later terug op onze hotelkamer waren, gingen we naast elkaar op het bed liggen en huilden, met onze armen om elkaar heen. Tijdens die eerste reis door Kroatië, die een week duurde, hoorde ik over verschrikkingen die ik ook nu nog amper kan bevatten. Op dorpspleinen werden net zo gemakkelijk omaatjes van tachtig als meisjes van vier verkracht, die daarna met inwendige verwondingen en gescheurde ingewanden voor dood werden achtergelaten. Zonen werden gedwongen hun moeders te verkrachten, vaders hun dochters. De vrouwen met de hoogste opleiding werden eruit gepikt en voor het oog van alle bewoners van hun dorp verkracht. Sommige Servische soldaten moesten aantonen dat ze echte mannen waren door zich aan vrouwen te vergrijpen. Een soldaat die later gevangen was genomen, vertelde dat hij dat had geweigerd, waarop zijn commandant hem had uitgelachen, zijn broek naar beneden had getrokken en zich toen zelf voor de ogen van de soldaat aan de vrouw had vergrepen. 'Zo doe je dat,' had hij opgemerkt, terwijl de andere soldaten erbij stonden te lachen.

Het waren niet zomaar misdaden die in een vlaag van haat waren begaan. Duizenden vrouwen waren het slachtoffer geworden, duizenden waren er ooggetuige van geweest. Sommige mensen zeggen dat de soldaten van alle legers zich schuldig maken aan verkrachting, maar slechts één leger, het Servische leger onder leiding van Slobodan Milošević, heeft er ooit speciale verkrachtingskampen voor ingericht. Dat waren geen simpele bivakken ergens in het bos; het Servische leger nam voor dit doel hotels, scholen en openbare gebouwen in beslag en bleef ook onder het toeziend oog van het buitenland onverminderd doorgaan met hun praktijken. Ze lieten slachtoffers vaak pas vrij als de zwangerschap al zo ver was gevorderd dat abortus van de 'Servische' baby's niet meer mogelijk was, en meestal schaamden de families van de vrouwen zich zo erg dat ze hen in de steek lieten. Volgens de Verenigde Naties had het Servische leger maar liefst zestien kampen speciaal voor dit doel ingericht. Verkrachting vormde net zo'n effectieve oorlogsstrategie als de etnische zuiveringen die met wapens werden uitgevoerd, of misschien was deze methode nog wel effectiever: hierdoor werden niet alleen individuen getroffen, maar werden hele gezinnen en gemeenschappen uiteengereten. De haat van de Servische soldaten jegens Bosnische moslims kwam deels voort uit het feit dat het Ottomaanse rijk vroeger de macht op de Balkan had gehad; de Kroaten werden gehaat omdat de Kroatische Oestasja-beweging in de Tweede Wereldoorlog met de nazi's had gesympathiseerd. Er werd hun verteld dat ze op deze manier de misdaden konden wreken die de grootvaders van deze vrouwen jegens hun eigen grootvaders hadden begaan. Alsof de vrouwen een slagveld waren waarop twee oude vijanden een rekening vereffenden.

De meeste vrouwen met wie we spraken, hadden uit hun huizen niet meer mee kunnen nemen dan een paar kleren of andere schamele bezittingen die het bewijs vormden van verloren gegane levens waarin een diploma van de middelbare school of een eigendomsbewijs van een huis nog betekenis hadden gehad. Sommigen hadden nog het geluk dat ze een foto van hun omgekomen zoon of vermiste man konden laten zien. Ik weet nog goed dat een vrouw op uiterst neutrale toon vertelde hoe ze aan de Servische soldaten was ontsnapt die haar dorp waren binnengevallen. Ze had haar twee zoontjes gepakt en was weggerend. Toen ze over haar schouder had gekeken en haar huis had zien branden, was ze nog harder gaan rennen om hun het leven te kunnen redden. Twee dagen lang hadden ze door een donker bos gerend, en dat was een verhaal dat ik vaker zou horen: je moet een onbekende duisternis in rennen, en je hebt geen keuze; je moet blijven rennen en alles achterlaten: je herinneringen, je dorp, soms zelfs de lichamen van je dierbaren. Het was net alsof die vrouw het verhaal van een ander vertelde; slechts haar trillende handen verraadden haar. Aan haar stem was bijna niets te horen.

We waren naar Kroatië gegaan om de slachtoffers van verkrachting te helpen, maar leden van vrouwenorganisaties in Kroatië en Bosnië maakten ons duidelijk dat dat minder eenvoudig was dan we hadden gedacht. Het echte probleem was dat deze vrouwen weer opnieuw onderdeel van de maatschappij moesten zien te worden. Dat zou niet meevallen. Sommige van die vrouwen deden me denken aan mijn moeder wanneer ze zaten te roken, met elkaar fluisterden of zelfs onbekommerd om mijn serieuze plannen zaten te lachen. 'Wil je die vrouwen echt elke maand hulp laten ontvangen, terwijl hun buren hen nawijzen en zeggen: "Kijk, daar gaat zo'n verkrachte vrouw?"' vroeg een van hen me. 'Is het al niet erg genoeg dat sommigen van hen in een vluchtelingenkamp wonen, met bordjes met "verkrachtingsslachtoffers", zodat de pers en internationale hulporganisaties hen gemakkelijker kunnen vinden?'

Dat was mijn eerste les in professionele nederigheid. De tweede was dat ik ontdekte dat de vrouwen die ik wilde helpen mij op hun beurt ook heel veel konden leren. Ze bezaten een wijsheid waarnaar ik hunkerde en waren bereid die met me te delen, waarvoor ik hen erg dankbaar was. Nu kreeg ik de kans dingen te begrijpen die tot dan toe altijd verboden gebied voor me waren geweest. Ik wilde niet alleen hun lijden begrijpen, maar ook weten wat voor soort mannen dit op hun geweten hadden. Hoe ziek moest je zijn om een ander zo'n pijn te kunnen doen? Hoeveel Servische soldaten waren gedwongen geweest dienst te nemen? Tegen hoeveel van hen was gezegd: 'Laat maar eens zien hoe loyaal jij bent, verkracht en vermoord jij de vrouwen van de vijand maar.' Hoeveel hadden nee gezegd, en tegen welke prijs? In moreel opzicht was het op een bepaalde manier gemakkelijker om het slachtoffer te zijn. Een slachtoffer had niets te kiezen, een dader wel.

Tijdens een van onze laatste avonden in Kroatië spraken Amjad en ik heel lang over morele vraagstukken en persoonlijke keuzes.

'Wat voor soort misdadiger doet een ander mens zoiets aan?' vroeg hij. Hij kon het maar niet begrijpen.

'Voor sommigen is de prijs die ze moeten betalen voor het weigeren van een bevel simpelweg te hoog,' zei ik.

'Niet iedereen heeft een wapen tegen zijn hoofd gekregen.'

'Nee, de meesten waarschijnlijk niet, nee, maar dat zou het juist gemakkelijker maken. Als iemand een wapen tegen je hoofd zet, is het gemakkelijker om te zeggen dat je liever doodgaat dan dat je doet wat ze van je vragen. Maar stel dat het leven van anderen wordt bedreigd? Dat van de mensen van wie je houdt, van je vader en moeder, van je vrouw en kinderen, van al je neven en nichten? Zeg eens eerlijk, Amjad, als iemand je een wapen zou geven en zou zeggen "Hier, dood deze vreemde vrouw, of ik maak jouw vrouw dood", voor wie zou je dan kiezen? Voor mij of voor die vreemde?'

Hij keek me met zijn prachtige ogen aan. 'Iemand moet nee zeggen,' zei hij.

We begonnen met verschillende standpunten, maar kwamen tot dezelfde conclusie. We konden niet de geschiedenis veranderen die ervoor had gezorgd dat mensen elkaar haatten. Maar we beloofden elkaar plechtig dat we allebei ons best zouden doen om een einde aan die haat te maken. We zouden elkaar liever zien sterven dan dat we zouden meewerken aan de dood van een ander mens.

Drie maanden later keerde ik in mijn eentje terug naar Kroatië om de donaties te overhandigen die we hadden ingezameld. Mijn vierentwintigste verjaardag bracht ik door in een vluchtelingenkamp in Split aan de Kroatische kust. Daar leerde ik Inger kennen, een vrouw die vijf jaar jonger was dan ik en erg goed Engels sprak. Ze vertelde me dat ze haar vader in Bosnië vreselijk miste en stelde me voor aan een paar gezinnen die in de lokalen van een voormalige school woonden. Twintig mensen waren gedwongen om samen in één kleine ruimte te slapen, met slechts een paar dekens en bijna geen water. Ik had heel erg veel dorst, en een van de vrouwen moet dat hebben gemerkt, want ze zei iets in het Servo-Kroatisch en haalde een fles met het kostbare water tevoorschijn die ze had verstopt en deelde die met me. Ik had een enorm ontzag voor de gulheid van de vluchtelingen. Toen ik de bus nam voor de twaalf uur durende rit naar Zagreb bleef Inger achter.

Die avond kon ik de slaap niet vatten. Waarom kon ik weer met de bus terug naar mijn hotel maar moest zij lijden? Was het toeval? Het lot? De genade van God? *Hamdoelilah. Hamdoelilah. Hamdoelilah.* Godzijdank. Godzijdank hoefde ik niet zo te lijden als Inger en de andere vluchtelingen. Amjad herinnerde me eraan dat ik nooit naar Washington zou zijn gekomen en dit werk nooit zou hebben gedaan als mijn vorige huwelijk niet op een ramp was uitgelopen. Het gevecht tegen de onrechtvaardigheid ging een hoofdrol in het leven van Amjad en mij spelen. Dankzij de hulp van de All Souls Unitarian Church, van studenten die benefietconcerten organiseerden en vrijwilligers die overal in het land een steentje bijdroegen, slaagden we erin om genoeg geld voor een kantoor bij elkaar te schrapen en konden we de kelder in het huis van Amjads ouders achter ons laten, al hadden we nog steeds niet genoeg geld om mij als hoofd van Women for Women aan te stellen. Daarom zei Amjad vaarwel tegen zijn grote droom – zijn titel halen en een baan als universitair docent aannemen – en ging tijdelijk hele dagen voor Women for Women werken.

Amerikaanse vrouwen, Canadese vrouwen en zelfs Bengaalse vrouwen meldden zich aan als donateur en stuurden elke maand cheques en brieven voor de vrouwen die ze hadden 'geadopteerd'. Ik wilde per se dat de vrouwen zelf over het geld zouden kunnen beschikken omdat ze daardoor meer vrijheid zouden hebben om een eigen keuze te maken. Met dat geld konden ze medicijnen voor hun kinderen kopen, of fruit, of zelfs make-up als ze dat zouden willen. Dat was iets wat ze zelf moesten beslissen, en niet wij. In een later stadium startten we met initiatieven die de vrouwen moesten helpen hun plaats in de maatschappij opnieuw te vinden, zoals steungroepen die dienden als vervanging voor de sociale netwerken die ze hadden verloren. Deze 'onzichtbare vluchtelingen', zoals ik ze noemde, voldeden niet aan het clichébeeld van uitgehongerde vluchtelingen in lompen. Levens veranderden misschien, maar bepaalde karaktertrekken en hygiënische gewoonten niet. Dat wist ik uit eigen ervaring. Ook toen ik alles had verloren wat me dierbaar was, was de manier waarop ik praatte, liep of mijn lippen stifte nooit veranderd. Waarom denken zoveel mensen dat alle vluchtelingen hetzelfde zijn en zich hetzelfde gedragen, alsof hun tegelijk met hun persoonlijke bezittingen ook hun cultuur en opvoeding is ontnomen? Dat deze vrouwen toevallig schone jurken droegen en keurig spraken, betekende nog niet dat ze geen hulp nodig hadden. Soms gaf het aantrekken van een schone jurk of het opdoen van een beetje lippenstift een vrouw de broodnodige hoop dat er nog iets van haar oude leven bewaard was gebleven. Ik moest zwaarwegende beslissingen nemen, soms zelfs over zoiets simpels als de foto's die we in onze folders zetten: mensen geven gemakkelijker geld wanneer ze foto's van hongerig en onderdrukt ogende vrouwen met een hoofddoekje zien. Er waren heel veel van dat soort vrouwen, maar ik vond dat ik de vluchtelingen van hun laatste restje waardigheid beroofde als ik ervoor koos ze zo af te beelden.

Na een tijdje begonnen we ook met het verstrekken van kleinschalige leningen voor bedrijfjes en boden we vakopleidingen aan die vooral waren gericht op de niet-traditionele vaardigheden zoals ik die ook op de middelbare school had geleerd. Iedere donateur schreef brieven aan haar 'zuster', die op haar beurt weer terugschreef. Ik zorgde er elke dag samen met vrijwilligers voor dat alle brieven op de juiste plaats terechtkwamen. In het begin had ik gedacht dat de brieven er vooral voor zouden zorgen dat de oorlogsslachtoffers zich minder alleen zouden voelen, maar na een tijdje drong het tot me door dat de overlevenden deze persoonlijke brieven gebruikten om vreemden te vertellen over een pijn die ze met niemand anders konden delen. In de brieven, die een soort getuigenissen waren, konden ze zichzelf zijn en toch anoniem blijven, terwijl ze tegelijkertijd uit de antwoorden van de donateurs konden opmaken dat hun leed niet onopgemerkt was gebleven. De brieven grepen me enorm aan. Vrouwen spraken in deze stille vloedgolf van emoties niet alleen over de oorlog en over wat ze hadden verloren, maar ook over hun gezinnen en hun tuinen. Sommige waren poëtisch, andere diepzinnig. 'Jouw brieven,' schreef een Bosnische vrouw uit Sarajevo aan haar donateur, 'zijn voor mij net zonnestralen die tot achter in een donkere grot reiken. Ik heb aanvallen met granaten en al het andere weten te overleven, maar ze hebben de "ik" in me gedood.'

Ik begreep waarom Ajsa was uitgekozen om als eerste haar verhaal aan ons te doen. Ze had de tijd gehad om enigszins te verwerken wat haar was overkomen. Bijna alle andere vrouwen die ik had leren kennen, hadden een dode blik in hun droge ogen gehad. Huilen, besefte ik later, was het eerste teken van genezing. Ik was geen therapeut en zat vaak alleen maar naast een vrouw, hield haar hand vast en probeerde getuige te zijn van het persoonlijke verdriet dat ze wilde delen. Ik merkte dat vrouwen zelden toegaven dat ze zelf waren verkracht. Het ging altijd over een ander, een buurvrouw misschien, of het hele dorp, maar nooit over zichzelf. Durfden deze vrouwen soms uit schaamte niet over hun lichaam te praten omdat alles wat met seksualiteit te maken had, was verbonden met de eer van hun familie, net als in Irak het geval was? Mochten ze er niet over praten, was dat *ayeb*? Ik wist het niet zeker, maar ik wist wel dat de pijn die de verkrachtingen hadden veroorzaakt zwaarder woog dan eventuele culturele conventies. Ik vond het vreselijk wanneer mensen beweerden dat moslimvrouwen een verkrachting anders ervoeren. Waarom in vredesnaam? Met als enige uitzondering de talkshows waarin vrouwen in ruil voor geld of kortstondige roem de intiemste ontboezemingen deden – een bizarre gewoonte die ik erg vrouwonvriendelijk vind – gold voor de vrouwen in Amerika net zo goed dat ze liever niet over verkrachting spraken.

De vluchtelingen die ik leerde kennen waren zo getraumatiseerd dat ik velen van hen urenlang zwijgend voor hun tenten heb zien zitten, met een dode blik in hun ogen, zonder aandacht te schenken aan de kleine kinderen om hen heen. 'Ik ben zo ver heen dat ik niet meer geholpen kan worden,' zei een van de vrouwen, toen ik met haar probeerde te praten. Elk verhaal dat ik te horen kreeg, zorgde ervoor dat ik me nog dankbaarder voelde omdat ik het minder slecht had gehad, maar elk verhaal voedde ook een pijn diep in me waarvan ik wist dat hij dezelfde oorsprong had als die van deze vrouwen. Ik raakte geobsedeerd door mijn werk en was dankbaar dat ik deze vrouwen mocht proberen te helpen. Ik had op mijn vijftiende verjaardag tegen mijn moeder gezegd dat ik dit soort werk wilde doen, en nu was het zover. Ik hield hele dagen en avonden toespraken, waar ik maar kon: voor vrouwenorganisaties, in kerken, synagogen en moskeeën, op scholen en universiteiten. Ik wilde mensen aanmoedigen om iets te doen tegen de verschrikkingen die voor onze ogen plaatsvonden. Ik walgde van de vn-vredestroepen die alleen maar vanaf de zijlijn toekeken en niets deden om de wandaden te voorkomen. Ik demonstreerde voor het Witte Huis – de regering-Bush had niets gedaan om Bosnië te voorkomen, en de regering-Clinton kwam haar beloften in de eerste jaren evenmin na. Ik greep de megafoon en scandeerde leuzen tegen de genocide, tegen de verkrachtingen. Voor de eerste keer in mijn leven voelde ik hoe opwindend het was om in het openbaar mijn mening te kunnen geven.

Saddam Hoessein had openlijk steun betuigd aan de Servische leider Slobodan Milošević, en ik begon steeds meer overeenkomsten tussen die twee te zien. Ik moest denken aan wat Ehab me had verteld over de Moekhabarat, dat de agenten de verkrachtingen die ze pleegden op video hadden vastgelegd zodat ze hun slachtoffers met chantage tot medewerking konden dwingen. De vrouwen konden onmogelijk weigeren; hun echtgenoten en families zouden hen na het zien van zo'n opname onherroepelijk verstoten of zelfs doden. Zelfs de zus van Mohammed Bakr Al-Sadr, de meest vooraanstaande sjiitische geestelijke van Irak, was niet veilig voor hen geweest. Ik wist nog goed dat tante Samer me in het zwembad van de Jachtvereniging had verteld dat ze haar verkrachtten en tegelijkertijd haar broer martelden. Ook haar hadden ze zwanger weer vrijgelaten. Omdat ik wist dat ik Saddam Hoessein niet kon treffen, probeerde ik Slobodan Milošević te treffen. Omdat ik in Irak niet kon vechten, deed ik dat in Bosnië en Kroatië. Milošević was een misdadiger, die in het openbaar voor zijn oorlogsmisdaden moest worden bestraft. Ik vertelde echter niemand in Irak wat ik deed, uit angst dat amo mijn familie en vrienden daar zou straffen omdat ik politiek actief was.

Het enige wat ik deed, was naar college gaan, mijn huiswerk maken en op kantoor zitten. Ik weet nog dat ik op een dag over de campus liep en honderden studenten om me heen zag lachen, praten, flirten en lezen, en dat ik even wenste dat ik meer vrienden had gemaakt. Maar daar had ik geen tijd voor; na mijn colleges moest ik altijd rennen om op tijd op kantoor te zijn, en niets was zo belangrijk als dat werk. Ik droomde erover, ademde het in en uit, leefde het. Ik werd zo achtervolgd door herinneringen aan die vrouw die had gezegd dat ze te ver heen was om te worden geholpen, dat ik mezelf soms niet eens kon dwingen om naar huis te gaan. Women for Women groeide in een rap tempo, en Amjad en ik kregen het steeds drukker. We wisten veel geld in te zamelen, maar het was niet genoeg. Rekeningen bleven onbetaald liggen, en elke keer dat de telefoon ging, was ik bang dat het een schuldeiser was. We konden het alleen nog maar over Bosnië hebben, en ik weet dat sommige vrienden er een beetje genoeg van kregen. Zelfs sommige familieleden van Amjad zeiden: 'Jullie hebben heel goed werk verricht, maar nu moeten jullie eens verder gaan kijken en echt geld gaan verdienen. Dit trekt een te zware wissel op jullie allebei.' We vroegen ons af of we ermee moesten stoppen, maar elke keer wanneer we daar serieus over nadachten, moest ik weer aan Ajsa denken of kwam er een cheque van een donateur binnen, wat voor mij een teken was dat we door moesten gaan.

Toen ik in Sarajevo zat, belde mama me op een dag bij het gezin bij wie ik logeerde. Amjad had haar het nummer gegeven. 'Waar ben je mee bezig?' schreeuwde ze huilend. 'Snap je niet hoeveel moeite ik heb moeten doen om je voor de oorlogen in dit land te beschermen? En nu zoek je zelf een oorlog op. Waarom doe je me dit aan? Waarom?'

Ik wist dat ik alleen maar terugkeerde naar oorlogsgebieden omdat ik daar troost vond. Ik was net dat jongetje uit *Jungleboek* dat alleen maar terug wilde naar de jungle. Oorlogsgebieden waren mijn jungle. Ik bleef terugkeren naar de kogels. Ik bleef terugkeren naar de pijn van vreemden. Ondertussen groeide de afstand tussen mij en mijn familie. Baba was na de scheiding meteen hertrouwd, wat ik als verraad beschouwde. Ik belde mijn vader en broers alleen nog met de feestdagen. Een tijdlang belde mama me om twee uur 's nachts op om over mijn vader te klagen. Ik begreep niet waarom ze dat deed. Ik kon er toch helemaal niets aan veranderen. Ik was doodop. Ik moest slapen. De dozen die ik in Irak had begraven, begonnen naar boven te komen, en soms kon ik dat niet tegenhouden.

Na mijn reizen naar Bosnië vond ik het een tijdlang ondraaglijk wanneer Amjad me aanraakte. Elke keer wanneer ik een vrouw daar over haar verkrachting hoorde vertellen, werden mijn eigen wonden weer opengereten. Ik merkte dat ik niet kon huilen. Ik was bang om zwanger te worden en een kind te krijgen, omdat ik niet wist hoe ik zou kunnen voorkomen dat ik dat kind pijn zou doen. Ik heb ontdekt dat tegengestelde dingen soms allebei waar kunnen zijn: ik hield van Amjad, maar was ook bang voor hem. Die arme Amjad; hoe liever hij voor me was, des te meer ik in paniek raakte. Ik was bang dat hij me zou verstikken of verraden, maar ik was ook bang om me te binden. Ik weet nog dat ik dacht dat liefde ook een soort kooi was. Hoe liever en begripvoller hij was, hoe kwetsbaarder en meer opgesloten ik me voelde.

Soms had ik het gevoel dat ik een elastiekje was dat tot op het punt van knappen was uitgerekt. Telkens wanneer ik sterk dacht te zijn, veerde het elastiekje terug tot zijn oude vorm en werd ik weer dat kwetsbare kind van vroeger. Vrolijk zijn was niet langer alleen maar leuk, maar herinnerde me er vooral aan dat ik vroeg of laat weer zou terugvallen en die bekende gevoelens weer zou ervaren: machteloosheid, angst en het idee opgesloten te zitten. Ik deed mijn uiterste best om innerlijke rust te vinden, maar het lukte me niet. Het leven was al sinds mijn vroege jeugd een kwelling voor me geweest, besefte ik. Het was een marteling waaraan alleen de dood een einde kon maken. De dood was de beloning die voor bevrijding zorgde.

Tijdens een enorme ruzie met Amjad kort na thuiskomst van een van mijn reizen – ik weet niet eens meer waarover – had ik opeens het gevoel dat mijn hoofd uit elkaar barstte. Ik begreep niet wat me overkwam, maar werd beheerst door het gevoel dat ik mijn lichaam wilde verlaten. Ik kon mezelf niet langer verdragen, en de kooi waarin ik leefde ook niet. Ik wilde aan mijn lichaam en geest ontkomen en liep zonder nadenken, als op de automatische piloot, naar het medicijnkastje. Het verleden en het heden smolten in mijn gedachten samen, de kabels ervan brandden door toen ze elkaar kruisten. Ik voelde een enorme angst: angst voor de muren van het weekendhuis, angst dat ik geen stem zou hebben, angst dat Amjads liefde me gevangen zou houden, angst om in de kooi van mijn moeder te moeten leven, angst dat ik buiten de kooi zou moeten leven.

Ik had het mijn moeder zo vaak zien doen, maar nu was het mijn beurt. Mijn beurt om voor de gemakkelijkste uitweg te kiezen, net zoals zij had gedaan.

Ik weet nog dat ik naar de medicijnen keek en dacht dat het er waarschijnlijk niet genoeg zouden zijn om zelfmoord te plegen – het waren voornamelijk pillen die zonder recept verkrijgbaar waren – maar ik greep er zoveel als ik maar kon, liep naar de hoek van de kamer en strooide ze over de grond uit. Het tapijt was beige. Ik zie het weefpatroon nog zo voor me. Ik weet nog dat ik deze pillen vond lijken op die die mama tijdens die ene avond en alle andere keren daarna had geslikt. Ik durfde ze niet allemaal tegelijk door te slikken en nam ze in kleine porties, langzaam en weloverwogen. Ik kan me de tweestrijd in mijn gedachten beter herinneren dan de daad op zich. Ik was een klein meisje dat haar moeder nadeed, een meisje dat bevrijding in de dood wilde vinden.

Toen stond Amjad opeens voor me, met een ontzet gezicht. Hij liet zich voor me op zijn knieën vallen en ging naast me zitten. 'Doe dat niet, Zainab,' zei hij smekend. 'Doe dat alsjeblieft niet. Ik hou van je. Ik zal alles doen wat nodig is om je gelukkig te maken. Maak er alsjeblieft geen einde aan. Alsjeblieft.'

Het scenario uit mijn jeugd dat ik naspeelde, klopte opeens niet meer. Hij hoorde op de bank te zitten en zichzelf met whisky te verdoven. Maar dat deed hij niet; hij keek me met zijn prachtige ogen aan, en dat maakte me in de war. Toen ik de pijn in zijn blik zag, stopte ik met slikken. Ik herkende die pijn. Ik wist precies hoe het voelde. Ik wilde hem geen pijn doen. Ik hield van hem.

'O, Amjad, het spijt me, het spijt me,' zei ik tegen hem. 'Vergeef het me alsjeblieft.'

Hij probeerde me te helpen bij het uitbraken van de pillen, maar hij wist niet hoe dat moest. Ik wist dat een bezoek aan het ziekenhuis niet nodig was omdat ik te weinig had geslikt om mezelf van kant te maken. Ik wist dat ik melk moest drinken. Dat wist ik allemaal omdat ik degene was die dood wilde en tegelijkertijd het kind was dat haar wilde redden. En ik weet nog dat ik hem ten slotte vasthield en probeerde uit te leggen wat ik voelde, al begreep ik dat zelf niet eens. Ik probeerde hem te vertellen over de pijn die ik sinds de dag waarop ik Irak had verlaten diep in me had weggeborgen. Ik wilde de schildwachten weghalen die mijn kasteel moesten bewaken, maar zonder hen kon ik mezelf niet verdedigen.

Ik beloofde Amjad dat ik hulp zou gaan zoeken, en de volgende dag ging hij samen met me op zoek naar een therapeut. Ik sprak meer dan een uur met haar, maar ik wijdde geen woord aan mijn leven met amo. Ik durfde niemand, op Amjad na, toe te vertrouwen dat ik de dochter van de piloot van amo was en een dergelijk leven had geleid. Ik vertelde haar uitsluitend over persoonlijke dingen die geen kwaad konden. De therapeute stelde vast dat ik aan een posttraumatische stressstoornis leed die het gevolg van mijn werk was. Ze zei dat ik nog niet had geleerd hoe ik moest omgaan met de pijn die vreemden met me hadden gedeeld. Ik had veel te weinig tijd voor mezelf genomen: sinds ik naar de Verenigde Staten was gekomen, had ik helemaal geen vakantie meer gehad en was ik amper tot rust gekomen.

'Als je met dit werk door wilt gaan, moet je leren die pijn los te laten,' zei de therapeute. 'Je moet leren ademen als een vis. Adem de zuurstof in en laat alles los wat je verder niet nodig hebt. Neem de verhalen die je voor je werk nodig hebt in je op, en adem al het andere uit.'

Ik had nog steeds niet geleerd hoe ik moest ademen.

Wat ze niet wist, was dat ik mijn werk nooit zou staken, zelfs niet voor even. Ik was bang dat er, als ik me zou ontspannen, allerlei angsten in me boven zouden komen. Ik had nog steeds niet verwerkt dat ik zelf verkracht was, maar zelfs dat durfde ik haar niet te vertellen omdat ik dan een verleden zou oprakelen dat voor mij onbespreekbaar was. Ik was zelfs bang om te worden aangeraakt. Toen een vriend me een keer bij de schouder pakte en me wegtrok voor een passerende auto, scheelde het niet veel of ik had hem geslagen.

Toen de therapeute vragen over mijn verleden begon te stellen, werd er in mijn gedachten een doos geopend waarvan ik had gedacht dat die voor altijd gesloten zou blijven. Als antwoord op haar vragen over mijn moeder vertelde ik dat die had geprobeerd om zelfmoord te plegen toen ik nog klein was. Ik zei dat ik het gevoel had dat ik mijn moeder niet meer kon vertrouwen omdat ze nu voortdurend terugkwam op dingen die ze vroeger had geleerd en verteld. Ik gaf een paar kleine voorbeelden en hield toen mijn mond. De therapeute zat nieuwsgierig naar me te luisteren, alsof ze een journaliste was die mijn verhaal wilde ontleden, en even was ik bang dat ik stof zou worden voor een of andere studie of een discussie met vakgenoten. Ze merkte dat ik aarzelde en vroeg of ik dat wat ik mijn moeder niet kon vertellen misschien wel op papier kon zetten.

'Maar ik wil haar niet kwetsen,' zei ik. 'Ze moet haar eigen verdriet zien te verwerken. Ik wil haar niet met nog meer ellende opzadelen.'

'Schrijf haar gewoon een brief en verscheur die vervolgens,' raadde ze me aan. 'Of verbrand hem, gooi hem weg, doe ermee wat je maar wilt. Maar schrijf op wat je dwarszat. Op die manier raak je het kwijt.'

Ik heb na het consult een uur op de parkeerplaats bij haar praktijk zitten huilen voordat ik in staat was om naar college te rijden. Voordat ik naar binnen ging, zette ik mijn zonnebril op, en ik voelde me net een spook toen ik over het prachtige groene grasveld liep. De hele wereld bewoog om me heen, zonder me te zien, en ik zat gevangen in mijn eenzame gedachten, geketend door zoveel herinneringen. Zou ik ooit net zo worden als deze studenten? Zo zorgeloos? Zo onbekommerd dat ik van het leven en mijn studie zou kunnen genieten? Ik nam mijn opleiding zo serieus; tot dan toe had ik nog geen enkel college overgeslagen. Ik vond een vrije plek op het grasveld en draaide mijn rug naar de studenten toe, zodat niemand mijn gezicht kon zien. Het was een prachtige dag in april, en ik keek uit op de talloze bomen die de universiteit omringden. Ik pakte mijn pen, en zonder na te denken over de vraag waar ik zou moeten beginnen, begon ik aan een brief aan mijn ouders.

Ik voelde een woede naar boven komen die ik tot dan toe nooit van mezelf had mogen ervaren. Er kwamen talloze kwade vragen in me op waarop ik geen antwoord wist.

Waarom zijn jullie niet vertrokken toen amo in jullie leven kwam? Ik vertrouwde jullie! Jullie zijn mijn ouders. Ouders horen hun kinderen te beschermen en hen niet bloot te stellen aan gevaren. Jullie keuzes hebben niet alleen jullie eigen leven beïnvloed, maar ook dat van mij en mijn broertjes. Waar zaten jullie met je gedachten? Zagen jullie niet hoe slecht hij was? Lazen jullie geen kranten wanneer jullie in het buitenland waren, praatten jullie nooit met de mensen? Wat was het? Ontkenning? Overgave? Waarom hebben jullie je kop in het zand gestoken, waarom hebben jullie je mond dichtgehouden en je ogen en oren gesloten? Wisten jullie niet dat hij het kwaad zelf was en dat het niet alleen om jullie leven ging, maar ook om dat van mij? Hoe konden jullie mij, je eigen kind, zo laten opgroeien, in die gevangenis, terwijl jullie wisten dat ik het vreselijk vond? Baba, waarom hebt u ons niet geholpen om weg te vliegen? U hebt me ooit beloofd dat u me zou leren vliegen, baba. Weet u dat nog? Maar u liet me liever achter bij een man van wie u wist dat hij niet deugde. Waarom hebt u me helemaal alleen in een vreemd land achtergelaten, zonder middelen van bestaan?

En mama, o mama, ik heb nog nooit zoveel van iemand gehouden als van u. Ik hield zoveel van u. Ik vertrouwde u. U hebt me een schitterende jeugd gegeven, en ik heb mijn leven in uw handen gelegd. Maar toen verraadde u mij, en mijn vertrouwen, en wel dusdanig dat ik uiterst kwetsbaar werd. En u vindt het vreselijk als een vrouw kwetsbaar is! Hoe kon u mij dat aandoen? Er hebben meer mannen om mijn hand gevraagd, maar waarom gaf u me nu juist aan degene die het wreedst was? Hij heeft me verkracht, mama. Weet u dat? Ik vertrouwde u, en kijk eens wat hij me heeft aangedaan! En toen hebben u en baba me hier helemaal alleen achtergelaten, zonder een rooie cent. Waarom hebt u mij en mijn dromen en mijn opleiding gewoon afgeschreven? U hebt me toch opgevoed met het idee dat dat het allerbelangrijkste was? Hebt u er nooit over nagedacht dat ik mijn eigen leven moet leiden, en niet dat van u? Ik heb er nooit om gevraagd om naar Amerika te gaan, of wel? Dat was uw droom, niet die van mij. Daar had baba gelijk in, u hebt sinds ik een tiener was heel erg uw best gedaan om mij uw leven op te leggen. Kijk eens wat u me hebt geleerd. Kijk eens wat ik met die pillen heb gedaan. Ik heb mezelf bijna van kant gemaakt, mama. Net als u. Ik heb iemand pijn gedaan van wie ik erg veel hou, mama. Net als u.

Ik heb die middag heel wat brieven geschreven, de een nog kwader dan de andere.

Op een dag heb ik de brieven verscheurd. Toen mijn moeder me daarna weer eens om twee uur 's nachts belde, heb ik tegen haar gezegd dat het niet eerlijk was om mij met haar problemen op te zadelen. Ik kon er toch niets aan veranderen; ik was haar kind, niet haar moeder. Ik bleef mijn ouders met de feestdagen bellen, maar in gedachten maakte ik me helemaal van hen los. Ik moest me op mezelf richten.

Een paar maanden later, in december 1995, kreeg ik een telefoontje van het Witte Huis. Women for Women zou, samen met vijf andere organisaties, worden onderscheiden voor haar inzet voor vluchtelingen. Er waren twee jaar verstreken sinds ik het artikel over Bosnië in *Time* had zien staan, en nu kregen we – een dag voordat het Dayton-akkoord in Frankrijk zou worden getekend – een onderscheiding van president Clinton, die duidelijk wilde maken dat de Amerikanen wel degelijk om de mensen in Bosnië gaven. Ik was dolblij. De oorlog was voorbij. Milošević zou uiteindelijk voor zijn oorlogsmisdaden moeten boeten.

Ik had maandenlang in zwarte coltruien en spijkerbroeken rondgelopen, maar ik kon moeilijk in dat soort kleren op het Witte Huis verschijnen. Omdat ik geen geld had voor iets nieuws, trok ik kleren aan die ik vijf jaar eerder tijdens een reisje naar Europa met geld van amo had gekocht: een mantelpakje van Mondi, een blouse van Escada, een jas van Dior en een paar schoenen die inmiddels een gat in de teen hadden. Ik had nog nooit van het 'oval office' gehoord, maar het leek me leuk om kennis te maken met president Clinton. De bijeenkomst was om tien uur 's morgens, en hij zat er ontspannen en innemend bij, met een glas cola in de hand. Tijdens het gesprek dat de prijswinnaars met hem en Hillary over de vluchtelingen in Bosnië en Kroatië hadden, sloeg ik zo onopvallend mogelijk mijn enkels over elkaar om het gat in mijn schoen aan het zicht te onttrekken. De president nodigde ons na het gesprek uit om naar Parijs te vliegen en de ondertekening van het akkoord bij te wonen, maar helaas is het daar vanwege een staking nooit van gekomen. Toen we later weer naar buiten liepen, stonden televisieploegen ons op te wachten. Ik voelde me gevleid door alle aandacht, totdat ik opeens, vanuit het niets, de stem van mijn vader hoorde: 'Laat dit je niet naar het hoofd stijgen.'

Toen Amjad en ik later die dag in een limousine van de televisieploeg van het Witte Huis naar de studio werden gereden voor een interview, hadden we samen precies vijf dollar op zak. Ik moest denken aan wat mama vroeger altijd had gezegd: 'Het leven is als een komkommer. Zo heb je hem in je hand, zo heb je hem in je kont.' In Bagdad had hij financieel gezien in mijn mond gezeten, maar in politiek opzicht in mijn kont. Daar had ik alles gehad wat mijn hartje begeerde, behalve vrijheid. Hier was ik vrij, maar platzak. Maar ik was verliefd en deed het werk dat ik moest doen.

Een week later, toen mijn tentamens voorbij waren, stortte ik helemaal in en mocht ik van mezelf voor het eerst sinds mijn terugkomst uit Kroatië eens flink huilen. Toen ik eenmaal met huilen was begonnen, wist ik niet meer hoe ik ermee moest ophouden. Ik zat de hele tijd onbeheersbaar te brullen. Uiteindelijk belde Amjad ten einde raad het alarmnummer om te vragen of ze me een kalmeringsmiddel wilden toedienen. Toen de verpleegkundigen binnenkwamen, vuurden ze meteen vragen op me af waarop ik alleen maar snikkend antwoord kon geven.

'Wordt u door uw man mishandeld?' vroeg een vrouwelijke verpleegkundige.

'Nee,' zei ik snikkend. 'Ik hou heel veel van hem.'

'Weet u zeker dat hij u geen pijn heeft gedaan?' vroeg ze. Ze stond op het punt om Amjad door de politie te laten afvoeren – waar had ze gezeten toen ik nog met Fakhri getrouwd was geweest?

'Ja, dat weet ik heel zeker. Ik hou heel veel van hem. Hij zou me nooit pijn doen.'

'Hoe is het op uw werk, hoe gaat het met uw opleiding?'

'Ik haal alleen maar tienen. Ik heb net een prijs van het Witte Huis gekregen.'

'Ik begrijp er niets van, lieverd, wat is nu toch met je? Zeg het maar. Wat is er mis?'

'Er is niets mis,' bleef ik maar zeggen. 'Er is niets mis. Mijn leven loopt op rolletjes. Ik weet alleen niet hoe ik moet ophouden met huilen!'

Uit het notitieboekje van Alia

Hij bleef vrouwen voor zijn eigen genot misbruiken. Hij sprak over Bagdad alsof de stad een vrouw was op wie hij verliefd was. Hij had het over de palmbomen, de rivieren, het zand en zelfs over de vrouwen van Bagdad. Hij beweerde dat hij zoveel van de stad hield dat hij zich niet kon voorstellen dat hij ooit ergens anders zou wonen. Hij had nooit genoeg vrouwen, over hoeveel hij er ook kon beschikken. Zijn verklaring luidde dat hij op die manier een compensatie voor zijn moeilijke jeugd en jaren als politiek activist probeerde te vinden. Tijdens een van onze avondjes vertelde hij dat hij, toen hij in de gevangenis zat, opgewonden was geraakt toen hij twee vogels had zien paren. Vandaar dat er geen grens was aan het aantal vrouwen dat hij kon bezitten. Hij begon met vrouwen uit de stad en eindigde met vrouwen van het platteland.
Irak en zijn volk zijn zo vaak door zoveel verschillende machthebbers misbruikt, maar niets is te vergelijken met wat Saddam het land en het volk heeft aangedaan. Niets is met zijn wreedheden te vergelijken. We waren de stille getuigen van die wandaden. Door alles wat ik in mijn leven heb gezien, ben ik als een getraumatiseerd kind geworden.

TIEN

Bevrijding

Ik zag mijn moeder vijf jaar lang niet.

We belden elkaar wel, maar telefoneren met Irak was niet eenvoudig, en onze gesprekken waren vaak gespannen omdat ik nog steeds met zoveel opgekropte woede rondliep. Ook al had ik het gewild, dan had ik nog niet geweten hoe we een oprecht gesprek hadden moeten voeren – ik wist immers dat er minstens één geheim agent in Irak mee zat te luisteren, en mogelijk ook nog eentje in de vs. Onze gesprekken volgden dan ook een voorspelbaar patroon; we omzeilden behendig allerlei emotionele kwesties, deinsden terug voor te veel openheid en eindigden steevast met mama's vraag wanneer ik weer eens thuis zou komen. Ze beloofde dat ze dan een groot feest voor me zou geven. Het laatste wat ik wilde, was een feestje waarop ze tegenover haar vriendinnen met me kon pronken omdat ik toch nog een goed huwelijk had gesloten. De Iraakse inlichtingendienst, die vrij ouderwetse methoden hanteerde, luisterde ons hoorbaar af, en tijdens een van die gesprekken kwam de agent zelfs tussenbeide. 'Wees een goede dochter en ga bij je moeder op bezoek,' zei hij. Zelfs nu ik in Amerika woonde, bemoeide de geheime politie van amo zich nog met mijn leven. Na dat gesprek kreeg ik altijd de vervelende neiging om me rechtstreeks tot de afluisteraar te wenden en te vragen: 'Hoe gaat het vandaag met jou? Hoe is het in Irak, is iedereen nog steeds doodsbang?'

In 1997 belde mama me op om te zeggen dat ze zich niet lekker voelde. Ze liep mank, maar de artsen in Bagdad kwamen er maar niet achter hoe dat kwam – ze vroeg me ik misschien een afspraak met een arts in de Verenigde Staten voor haar kon maken. De medische zorg in Irak had ooit tot de beste van de Arabische wereld behoord, maar door de sancties was daar verandering in gekomen. Nog een straf voor de gestraften. Ik hielp haar met het aanvragen van een visum en het maken van de afspraken, en opeens rolde ze weer mijn leven binnen, in haar nertsjasje van Nina Ricci en gezeten in een rolstoel. Ze liep zo mank dat het me niet verbaasde dat ze haar een rolstoel hadden gegeven, en toen ik haar omhelsde, merkte ik dat haar vertrouwde levendigheid leek te ontbreken. Ze was niet langer de schoonheid die ik van vroeger kende. De huid rond haar lippen zakte uit wanneer ze glimlachte, en ik besefte dat ze oud was geworden.

Amjad en ik hadden een flatje met één slaapkamer gekocht in Alexandria, Virginia, dat we als ons 'nestje' zagen. We zaten op de zesde verdieping en konden tot aan de horizon kijken. De flat had een rustig balkonnetje met uitzicht op bomen en een zwembad, en we hadden al vrienden van over de hele wereld te logeren gehad. Tot nu toe had ik me hier voor het verleden kunnen terugtrekken, maar toen we met mama naar binnen liepen, werd ik opeens nerveus en voelde ik me door emoties overmand.

Mama was doodop van de lange vlucht en ging vroeg naar bed.

'De ark van Noach?' vroeg ze.

De ark van Noach. Ik voelde dat oude sprankje liefde voor haar. Zo noemden we vroeger toen ik nog klein was dat grote tweepersoonsbed van haar. 'De ark van Noach!' riep ze soms wanneer mijn vader er niet was, vooral tijdens de oorlog, en dan renden mijn broertjes en ik naar haar bed en gingen daar allemaal in liggen. Die avond probeerde ik ook naast haar in slaap te vallen en iets van het oude vertrouwen terug te vinden dat verloren was gegaan, maar ik merkte dat haar aanwezigheid geen troost bood, maar alleen maar nervositeit. Ik wilde van alles tegen haar zeggen, maar dat ging niet. Toen ze in slaap was gevallen, sloop ik stilletjes weg en kroop bij Amjad op de bank.

'Ik kan haar niet eens een knuffel geven,' zei ik, zachtjes huilend op zijn borst. 'Dat kan ik gewoon niet.'

De volgende dag leek het veel beter met haar te gaan en liep ze alleen nog maar mank. Ik was het toonbeeld van een goede dochter en bracht haar ontbijt op bed, praatte met haar over de afspraken die ik voor haar had gemaakt en over de uitjes die we wilden gaan maken. We konden voor het eerst in zeven jaar weer bij elkaar zijn zonder dat een huwelijk om onze aandacht vroeg, maar vanaf het allereerste moment was het duidelijk dat we allebei andere ideeën hadden. Ze wilde de liefhebbende dochter terug die ik was geweest, en ik wilde de sterke, onafhankelijke moeder terug die zij was geweest. We probeerden elkaar zo beleefd mogelijk te ontzien terwijl Amjad ongemakkelijk toekeek. Tijdens een bezoek aan het Smithsonian Institution bleef mama zwijgend voor een portret van moeder en dochter staan. Tijdens een bezoek aan *Phantom of the Opera* in het Kennedy Center vielen me de woorden op die de jonge zangeres tegen het gruwelijk misvormde spook met het masker zegt: 'Zij die jouw gezicht hebben gezien, zullen zich vol angst afwenden. Ik ben het masker dat je draagt.' Zo is het, moeder, wilde ik zeggen. Dat is de nachtmerrie van mijn leven, die jij voor me hebt geschapen. Zie je dat niet? Ik was het masker dat amo droeg. Ik droom nog steeds dat mijn gezicht uit elkaar valt en dat mensen zijn gezicht onder het mijne zullen zien. Voel je het dan niet, mama? Maar het enige wat ze zei, was dat ze zo van de voorstelling had genoten. Afgezien van één emotionele tirade die Amjads vader, die geen idee had dat wij Saddam Hoessein kenden, over amo afstak, kwam de man die mijn leven had gevormd, of liever gezegd had misvormd, geen enkele keer ter sprake.

Op een avond vroeg mama een Iraaks stel te eten dat toevallig ook bij hun kinderen in Washington op bezoek was. Ze kleedde zich voor de gelegenheid prachtig aan, en toen we aan tafel gingen, voelde ik dezelfde vlaag van nerveuze opwinding die ik vroeger altijd had gevoeld wanneer we samen naar een van de feestjes van tante Sajida gingen waar ze met me wilde pronken en ik moest glimlachen en omwille van haar moest doen alsof ik me vermaakte. Maar nu was het anders. Ik was zevenentwintig. Dit was mijn huis. Ik had zo mijn best moeten doen om uit het oude keurslijf te breken dat ik haar niet de kans zou geven om me er weer in te rijgen. Ik stond beleefd op, liep naar de stereo en zette muziek van de Perzische zanger Quoqoosh op. Meteen viel het gesprek aan tafel stil. Mijn moeder begon te blozen. Op haar bovenlip zag ik een zweetdruppeltje verschijnen, net zoals vroeger altijd gebeurde wanneer ze boos was of zich ergens voor schaamde. Mama wierp me een blik toe die ik niet snel zou vergeten. Amjad keek verwonderd. Hij was de enige aan tafel die niet Iraaks was. Hij kende de woordenschat van de angst niet. Hij begreep niet wat het betekende om naar de muziek van de vijand te luisteren. Ten slotte werd de spanning verbroken toen de Iraakse man opmerkte: 'O, wat heb ik dat soort muziek gemist. Het is zo lang geleden.' Toen moesten we allemaal lachen omdat we begrepen hoe dom het was om doodsbang te worden van een lied, op duizenden kilometers van Bagdad, en jaren na de oorlog. Toch gingen we hierna snel over op veiliger onderwerpen, zoals de goede oude tijd in Bagdad. Ik kromp inwendig ineen toen ik besefte hoe ongevoelig en wreed ik was geweest. Ik wist niet of deze bezoekers aanhangers van de Baathpartij waren. Ze hadden net zo goed informanten kunnen zijn, en dan had mama bij thuiskomst moeten boeten omdat ik zo achteloos was geweest. In plaats van mijn nieuwe vrijheid met haar te delen, stak ik mijn tong naar haar uit en speelde ik met haar leven.

Een van de dingen die ik wilde doen, was haar laten zien wat ik ondanks alles wat ze me had aangedaan toch had weten te bereiken. Ik wilde haar mijn nieuwe ik laten zien, de vrouw die opkwam voor andere vrouwen en een internationale organisatie in het leven had geroepen, die een deskundige op het gebied van oorlogsslachtoffers was geworden en artikelen over dat thema op haar naam had staan, die op tv was verschenen en haar best deed om in het leven van anderen iets te betekenen. Tussen de afspraken met artsen door nam ik haar mee naar kantoor en legde uit wat we deden en hoopten te bereiken. Ik vertelde haar over de verkrachtingskampen in Bosnië en de massale verkrachtingen in Rwanda en liet haar foto's zien van vrouwen die ik daar had leren kennen. Nadat ze al mijn verhalen had gehoord, zei ze dat ze zich ook als vrijwilligster wilde inzetten.

Ze hielp bij het uitzoeken van de brieven van vrouwen in Bosnië, Kroatië en Rwanda, en toen ik zag hoe ze op die verhalen reageerde, wist ik dat de moeder die me had geleerd om te geven om vrouwen en hun lot, nog steeds ergens in haar schuilging. Ze had de inspiratie voor dit werk gevormd, zowel door het voorbeeld dat ze me altijd had gegeven als door de feministische boeken die ze me had laten lezen. Ik besloot mijn eigen verzameling feministische literatuur, die deels over de verhouding tussen moeders en dochters ging, met haar te delen. Ik gaf haar de boeken in de volgorde waarin ze ze volgens mij het beste kon lezen: *De vreugde- en gelukclub* van Amy Tan, *De kleur paars* van Alice Walker, *De mystieke vrouw* van Betty Friedan en *Sultanes: de macht van vrouwen in de wereld van de islam* van Fatima Mernissi.

Na één hoofdstuk te hebben gelezen uit het boek van Amy Tan had ze de boodschap al begrepen. 'Probeer je me te vertellen dat ik geen goede moeder ben geweest?' vroeg ze.

Dat was het begin waarop ik had gehoopt, maar ze had me op deze zonnige middag een beetje overrompeld. Even vroeg ik me af of ik hiermee door moest gaan.

'*La, la, la,* moeder,' antwoordde ik op typisch Iraakse wijze, door het drie keer te herhalen. 'Nee, nee, nee. U bent een geweldige moeder, en ik hou heel veel van u.'

Maar mama herkende mijn plastic glimlach zodra ze die zag.

'Er is iets mis, Zainab,' merkte ze een paar dagen later op. 'Wat is er? Wat heb ik gedaan, Zainab? Waarom ben je zo boos op me?'

Ze zat in een stoel die zij en ik samen hadden bekleed. Ik ging naast haar op de grond zitten en voelde al mijn woede, kwaadheid en teleurstelling uit me vloeien, in de gedaante van bittere beschuldigingen.

'U hebt me geholpen om van alles op te bouwen, maar dat hebt u even snel weer kapotgemaakt, mama,' zei ik. 'Waarom hebt u dat gedaan? Me tijdens mijn laatste jaar van de universiteit gehaald? Me bij mijn familie en vrienden weggehaald en me laten trouwen met een man die ik amper kende – een man die me pijn heeft gedaan? Waarom hebt u me in de steek gelaten en me helemaal alleen in een vreemd land achtergelaten?' Ik begon te snikken.

'O, Zanooba, je...'

'Ik begrijp het zeker niet? Wat valt eraan te begrijpen, mama? U moest altijd lachen om mensen die met vreemden trouwden. U hebt me geleerd dat ik een opleiding moest volgen, een baan moest zoeken, een sterke vrouw moest zijn, en kijk nu eens wat u uw eigen dochter hebt aangedaan! Ik geloofde in u, mama, maar u hebt me naar de andere kant van de wereld gestuurd, naar een man die helemaal geen respect had voor al die dingen waarvan u altijd zei dat ze zo belangrijk waren. Ik vertrouwde u met mijn leven, mama! U bent degene die me altijd hebt ingewreven dat ik me nooit door een man mocht laten misbruiken, maar wat hebt u gedaan? U hebt me laten trouwen met een kille, vreselijke vent die me nota bene heeft verkracht!'

Ik weet niet hoe ik de blik moet omschrijven waarmee ze me aan-keek. Ze keek verslagen, alsof ze zich bewust was van fouten die ze nooit meer goed kon maken. Ik denk dat er op dat moment iets in haar knapte. Ze boog haar hoofd, keek naar haar handen en begon te huilen.

'Ik moest je weg zien te krijgen, *habibiti!*' zei ze ten slotte. 'Ik moest wel! Hij wilde je, Zainab. Ik zag geen andere uitweg.'

'Hij? Welke hij?'

Ik zat al te lang in Amerika. Er was maar een 'hij' in Irak. Amo.

Dus mama had me niet naar Amerika gestuurd omdat ze wilde dat ik haar dromen zou waarmaken? Ze had me aan Fakhri uitgehu-welijkt omdat ze bang was geweest dat amo me zou verkrachten? Mij? Het wilde maar niet tot me doordringen wat ze me probeerde te vertellen.

'Maar, mama, ik was nog maar negentien,' zei ik, beseffend dat dat heel erg naïef klonk.

'In zijn ogen was je een vrouw, Zainab,' zei ze. 'Je was verloofd. Toen verbrak je de verloving. Je was een vrouw.'

Ze probeerde me ervan te doordringen waarom ze het had gedaan en voerde me terug naar de tijd die we met amo hadden doorgebracht, de tijd die ik had geprobeerd te vergeten. Ze trachtte me duidelijk te maken hoe het zat.

'Weet je nog dat hij en ik je die avond op het balkon van het huis aan het meer zagen staan? De wind speelde door je haar, en hij stond alleen maar doodstil naar je te kijken, alsof hij je in zich op wilde nemen. Ik stond naast hem, *habibiti*. Ik kende die blik. Hij keek me niet eens aan toen hij zei: "Je dochter is heel mooi." Vanaf dat moment wist ik dat ik alles op alles moest zetten om hem uit je buurt te houden.'

'Maar mama,' zei ik stamelend. Ik deed mijn uiterste best om te bevatten dat hij me iets had willen aandoen waartoe ik hem wat mezelf betrof nooit in staat had geacht. 'Maar hij beschouwde ons als familie, hij kon toch niet... Hij zou me toch nooit pijn hebben gedaan? Of wel?'

'O, lieverd, ik had gehoopt dat ik je dit nooit had hoeven vertellen! Ik merkte dat hij gek op je was. Hij begon op een bepaalde manier naar je te glimlachen, je weet wel, met die charmante lach van hem. Die rotlach kende ik zo goed. Geloof me, Zainab, je weet niet waartoe hij allemaal in staat is.'

Ik dacht terug aan de eerste avond waarop ik hem na het verbreken van mijn verloving had gezien. Toen had hij me heel lang aangekeken, met een blik die ik als meelevend had opgevat. Ik dacht aan de stralende blik die hij me had toegeworpen nadat ik *An der schönen blauen Donau* voor hem had gespeeld, toen ik had gedacht dat hij vooral Sarah wilde straffen. Had die blik meer te betekenen gehad? Ja, wist ik opeens, dat had hij.

Ik keek naar mama's prachtige ogen, die helemaal rood zagen. Ze was gekwetst omdat ik zo naar tegen haar had gedaan. Ik voelde opeens zo'n liefde en vertrouwen dat ik me in haar armen stortte, en we snikten samen vanwege alles wat hij ons had aangedaan en alle jaren die we hadden verloren. Ik voelde haar pijn, ik voelde dat ze die pijn met moeite losliet. Het was een van de indrukwekkendste momenten uit mijn leven. Ik werd opnieuw haar dochter, zij was opnieuw in staat me te troosten. Ik vroeg haar om vergiffenis, en zij mij. Hoe had ze in vredesnaam kunnen weten dat ze me, terwijl ze me voor de ene verkrachter probeerde te behoeden, juist in de armen van de andere dreef?

Toen we allebei weer een beetje gekalmeerd waren, zei ze dat zij en de andere ouders zich al zorgen over hun dochters hadden

gemaakt sinds de dag waarop amo ons voor een ritje in zijn sportauto had meegenomen.

'Wat waren we toen bezorgd! Toen jullie terugkwamen, zag hij
hoe wij keken en liet hij jullie uitstappen. Daarna nam hij ons apart
en zei: "Hoe durven jullie ook maar te denken dat ik jullie dochters
iets zou aandoen!"'

Ik hoorde zijn stem in de hare. Ik kende de intonatie, en ik verkil-
de tot op het bot.

Geen wonder dat ze bang waren geweest toen ze Saddam Hoessein
zagen naderen in het gezelschap van hun jonge dochters. Hij had
met ons kunnen doen wat hij maar wilde, zonder dat onze ouders er
iets aan hadden kunnen doen. Ik was me van geen gevaar bewust
geweest. In mijn herinnering had ik slechts twee keer echt van zijn
gezelschap genoten, en die middag was een van die beide keren
geweest. Na al die jaren en alles wat ik had geleerd, kon ik, zo besefte
ik, de Saddam Hoessein die hele volkeren had uitgemoord nog
steeds niet in verband brengen met de amo die ons die dag in zijn
rode sportauto had rondgereden. Verstandelijk gezien wist ik
natuurlijk wel dat het om dezelfde persoon ging, maar voor mijn
gevoel was het niet zo. De muur die amo van Saddam Hoessein
scheidde, stond in mijn gedachten nog recht overeind en was even
sterk als mijn angst.

Mensen die nooit onder Saddam Hoessein hebben moeten leven,
hebben me vragen gesteld waarop ik geen antwoord weet. Was een
gearrangeerd huwelijk echt de enige oplossing die mama had kunnen bedenken? Had ze me niet gewoon de waarheid kunnen vertellen, zeker nadat ik Fakhri had verlaten? Ik wist dat de antwoorden
op die vragen te maken hadden met praktische zaken, zoals beperkte mogelijkheden tot vrij reizen, geld en zelfs studiepunten, maar uit
de vragen op zich bleek al dat de vraagstellers absoluut niet konden
begrijpen wat we hadden moeten doen om te overleven. In Irak
hadden we nooit vrij kunnen denken. Onze angst had ons in onze
gedachten de veiligste van alle ontsnappingsroutes laten zien, en
voor die oplossing kozen we. Als mama me de ware reden voor het
huwelijk met Fakhri had verteld, zou ze alle hoop op wat haar een
goede verbintenis leek, hebben verwoest. Daarom koos ze voor de

illusie en zorgde ze ervoor dat de kans zo klein mogelijk was dat amo zou ontdekken wat ze van plan was en haar en ons gezin zou straffen. Misschien waren er in theorie nog wel andere ontsnappingsroutes mogelijk geweest, maar dit was nu eenmaal de enige manier waarop veel moeders in Irak hun dochters voor Oedai, en blijkbaar ook voor amo zelf, dachten te kunnen behoeden. Hoeveel anderen zoals ik waren er, vroeg ik me af. Hoeveel van ons waren uitgehuwelijkt aan een foto of een stem aan de andere kant van de telefoonlijn?

Mama had gewoon gedaan wat alle wanhopige moeders door de eeuwen heen hadden gedaan. Net zoals de moeder van Mozes die hem in een biezen mandje aan de stroom van de Nijl had toevertrouwd, net zoals de Vietnamese moeders die aan het einde van de oorlog hun baby's in de armen van vertrekkende Amerikaanse soldaten hadden geduwd, net zoals de vrouwen die ik in de vluchtelingenkampen had leren kennen en die me hadden gesmeekt of ik hun dochtertjes mee wilde nemen, zo had ook mijn moeder mij afgestaan.

En ik had haar voor haar liefde voor mij gestraft.

Bij mama werd de diagnose 'klinisch depressief' gesteld, waar weinig tegenin te brengen viel, maar het was duidelijk dat ze ook aan een kwaal leed die lichamelijke oorzaken had. Hoewel de artsen niet precies konden zeggen waarom ze mank liep, concludeerden ze wel dat het ging om een aandoening die ook in Irak kon worden behandeld. Ik probeerde haar over te halen om in Amerika te blijven, maar ze wilde per se terug naar Bagdad, naar mijn broertje die daar nog steeds op school zat. Deze keer zette ik haar, verdrietig en verscheurd door twijfels, met een voorraad Prozac op het vliegtuig.

Ze werd niet beter. Ze liet nog meer onderzoeken doen en onderging zeven maanden later in Amman een waarschijnlijk onnodige operatie die haar bijna fataal werd. Tegen de tijd dat ik alle hindernissen van de immigratiedienst had overwonnen en haar naar de Verenigde Staten wist te krijgen, was het overduidelijk dat ze zwaar ziek was, al wist niemand precies wat ze mankeerde. Maandenlang lag ze in Amerika in het ziekenhuis, maandenlang was ze bezig met wat eufemistisch 'revalidatie' werd genoemd, totdat eindelijk de diagnose werd gesteld die behoort tot de vreselijkste die een mens te horen kan krijgen: ze leed aan amyotrofische laterale sclerose (ALS), ook wel de ziekte van Lou Gehrig genoemd. Het is een ongeneeslijke neurologische aandoening die vaak 'de levende gevangenis' wordt genoemd omdat het lichaam langzaam maar zeker steeds meer verzwakt, maar de geest tot aan de dood toe helder blijft. Mama's spieren, die nu al zo zwak waren dat ze zich amper kon bewegen, zouden uiteindelijk helemaal niet meer functioneren, maar haar geest zou intact blijven, zodat ze tot aan haar dood elk moment bewust zou meemaken. ALS is de laatste jaren vaak in verband gebracht met het 'Golfoorlogsyndroom', een verzameling aandoeningen waardoor Amerikaanse en Britse soldaten worden getroffen die in de Golfoorlog hebben gediend, maar in haar geval was het onmogelijk te zeggen of er een verband bestond.

Ze was eenenvijftig en leed aan een ongeneeslijke ziekte. Haar levensverwachting bedroeg twee tot tien jaar, als ze geluk had – of pech, zouden sommigen zeggen. Ik was mijn hele leven bang geweest haar te verliezen, en nu was het zover.

'Ik wil niet in het ziekenhuis sterven,' zei ze tegen me. 'Dat is alles wat ik wil.'

Amjad en ik verhuisden naar een zonnige, gezellige flat met twee kamers die toegankelijk was voor rolstoelen. Mama wilde in een gewoon bed slapen, op een gewone stoel zitten en een zo gewoon mogelijk leven leiden – voor zover dat ging met een lichaam dat ze zonder hulp niet eens kon bewegen. Ik bekleedde de antieke stoel die ze voor me had meegebracht met bordeauxrode stof uit Pakistan en zette er planten omheen. Ik schilderde haar slaapkamer in haar lievelingskleuren, bordeauxrood en groen, en hing de oude foto's van Bagdad op die vroeger bij ons in de woonkamer hadden gehangen. Tegen de tijd dat ze bij ons kwam wonen – om bij ons te kunnen sterven – kon ze niet langer zonder hulp lopen en niet eens meer haar hoofd omdraaien. Haar prachtige lach was verdwenen. De spieren in haar romp en haar mooie gezicht waren verslapt, en haar huid hing over haar gezicht als een gesloten gordijn voor een raam. Dat gezicht, dat ooit zoveel had verraden dat ik doodsangsten had uitgestaan, was nu doods, op de enorme bruine ogen na die nu nog groter leken. Ik durfde haar niet eens te omhelzen omdat ik bang was dat ze dan zou stoppen met ademen; we hadden een zuurstofapparaat in haar kamer staan. Ze kon niet praten, maar vreemd genoeg en gelukkig wel haar handen bewegen. Wanneer we haar een pen in de hand stopten, kon ze door middel van zinnetjes die ze in een notitieboekje uit de supermarkt neerkrabbelde toch met ons communiceren.

In het begin namen we haar in haar rolstoel mee op wandelingen door de stad, maar overal bleven mensen staan om naar ons te kijken. Aanvankelijk kregen we ook nog bezoek, maar niemand kon haar aankijken zonder het te kwaad te krijgen en in huilen uit te barsten. Het laatste wat ze wilde, was medelijden, en daarom omringde ze zich tijdens de laatste maanden van haar leven vooral met haar familie en haar brieven. Fatima, een verpleegkundige uit Tanzania, verzorgde haar wanneer Amjad en ik de deur uit moesten. Amjad, die in het laatste jaar van zijn postdoctorale rechtenstudie zat, gaf poppenkastvoorstellingen voor haar en kocht een aquarium vol goudvissen, zodat ze overdag iets had om naar te kijken. Als er eentje doodging, deed hij voordat ze dat merkte een nieuwe vis in het water. Ik las haar elke avond gedichten van Roemi voor. Haider, die ik me als een irritante computerfanaat herinnerde, had kortgeleden een visum gekregen om in Detroit te werken en kwam op elk vrij moment naar ons toe, zodat hij kon helpen haar te wassen of haar haar te borstelen. Uit alles bleek dat hij een diepe liefde en genegenheid voor haar voelde. Mama maakte zich zorgen over mijn broertje Hassan, die ze al bijna een jaar niet meer had gezien. Ik bewoog hemel en aarde om een visum voor hem los te peuteren, maar de Amerikaanse autoriteiten zeiden nee. Wanneer het ons lukte om hem aan de telefoon te krijgen, hield ik de hoorn tegen mama's oor, zodat ze zijn stem kon horen. Bij wijze van antwoord tikte ze zachtjes met haar vinger op het mondstuk – tik, tik, tik – zodat hij wist dat ze hem had verstaan.

Dit was niet het lot dat we ons hadden gewenst, maar toch schreef ze dat dit de gelukkigste tijd van haar leven was. Wat droevig, dacht ik, maar ik begreep wat ze bedoelde. Dit was geen strijd die we konden winnen, er was niets wat we konden doen, en dat schonk ons op een bepaalde manier rust. We hadden de tijd om een signaal te bedenken waarmee ze me na haar dood kon laten weten dat ze aan me dacht: het zachte gevoel van de rug van haar hand die langs mijn nek streek. Mama was, zoals veel Irakezen in de jaren negentig, veel geloviger geworden. In het begin vond ik het vreemd om haar met het gebedssnoer in haar handen te zien bidden zonder dat haar lippen bewogen. De angst waarmee ze vijfentwintig jaar lang had moeten leven, was verdwenen, en ik voelde me bevoorrecht toen ik zag hoe nederig en waardig ze het einde van haar leven tegemoet trad. Ze gaf in de Koran aan welke soera's ik na haar dood moest lezen en schreef brieven aan vriendinnen van vroeger in Irak. Ze vertelde hoeveel ze van hen hield, vroeg hen om vergiffenis of vergaf hen juist voor misverstanden uit het verleden. Wanneer ik thuiskwam van mijn werk, lag er altijd wel iets nieuws op me te wachten: een kleurig portret van een tante dat ze uit het hoofd met waterverf had geschilderd, een brief aan een oude vriendin die ik moest posten, of een Iraaks gerecht dat haar verpleegkundige op haar aanwijzingen had weten klaar te maken.

In Bagdad had mama vaak geklaagd dat ze haar handen te mollig vond, maar nu waren ze op een vreemde manier elegant, als gracieuze werktuigen die een alsnog meelevende God haar had geschonken. Ze breide twee dekens, een gele voor mij en een witte voor de baby die ik zwoer nooit te zullen krijgen – 'voor het geval je van gedachten verandert', schreef ze. Met elke steek bad ze tot God om vergiffenis: 'Vergeef me, God, vergeef me God, vergeef me God.' Nu werd ze op een andere manier een voorbeeld voor me. Haar uiterlijke schoonheid maakte plaats voor een innerlijke kracht die nog mooier was. Ik besloot alle misstanden waaraan ik zelf schuldig was recht te zetten, voor het geval de dood mij kon overvallen voordat ik daartoe de kans had gekregen.

Jarenlang had ik zo mijn best gedaan om mijn verleden uit te wissen, maar nu besefte ik dat ik het moest zien te begrijpen. Wat had ze tijdens mijn jeugd allemaal voor me verborgen gehouden? Het was egoïstisch, maar ik was bang dat ze het gebruik van haar handen zou verliezen voordat ze met haar enige dochter had gesproken, en daarom vroeg ik haar op een avond of ze mij ook wilde schrijven. Ze zei ja.

Pas toen, toen ze niet langer kon praten, vertelde ze me over haar leven.

Ze begon met de avond waarop zij en baba amo hadden leren kennen. Ik was toen drie. Ze had me toen ik klein was al over Varkenseiland verteld, maar toen had ik het vooral als een fantasieverhaal beschouwd. Nu herkende ik in haar notities over die tijd, die een zekere arrogante onbekommerdheid uitstraalden, de eerste donkere voortekenen van wat in het verschiet lag, de guerrilla van een meedogenloze strateeg die met zorg zijn wapens koos: kogels en champagne. Ik probeerde me mama voor te stellen zoals ze toen was geweest, vijf jaar jonger dan ik nu was, een beeldschoon jong meisje uit de gegoede klasse dat een paar jaar geleden was afgestudeerd en met haar charmante en beschaafde jonge echtgenoot danste op de klanken van een band op een partyboot, omringd door jongere versies van tante Layla en oom Mazen, tante Nada en oom Kais. Ik voelde dat de motoren zich schrap zetten tegen de stroming in de Tigris en dat de boot naar Varkenseiland voer, waar ze van boord gingen en meteen in de gastvrije, uitgestrekte armen liepen van een knappe jongeman die van top tot teen in het wit was gekleed, als een toneelspeler op een podium dat baadde in het maanlicht. Toen ze het strand opliepen, zich verbazend over de verrassingen die hun gastheer voor hen in petto had, knipte de gestalte in het wit met zijn vingers en verschenen er vanuit het niets boten om hen heen. Er kwamen soldaten aan met dienbladen vol champagne. Wie is die man, vroegen de vrienden aan elkaar. Zelfs nadat hij aan hen was voorgesteld, zei zijn naam hen niets. Iedereen kende de president, maar wie kende nu zijn neef Saddam Hoessein, ook al was hij vice-president? Mijn ouders in elk geval niet. Mama was degene die had gevraagd, achtelozer dan dat ze daarna ooit nog zou doen: 'En wie mag Saddam Hoessein dan wel zijn?'

Toen ik haar woorden las, zag ik amo's witte schoenen voor me die vies werden door het zilte zand van Varkenseiland. Ik had in dat zand gespeeld en vond het pijnlijk om te weten dat hij juist die plek had uitgekozen om in ons leven binnen te dringen. Ik wist nog goed dat baba rondom Varkenseiland had gewaterskied, lenig en fit, terwijl het water als een volmaakte boog achter hem opspatte en hij gekke gezichten trok en af en toe een been optilde om indruk te maken op mij en mijn neefjes en nichtjes. Hoe zouden mijn ouders vandaag de dag zijn geweest, vroeg ik me af, als Saddam Hoessein hen met rust had gelaten? Wanneer had mijn vader voor het laatst een gek gezicht getrokken? Zou mijn moeder dan ook hier hebben gezeten, gevangen in een lichaam dat niet kon verhinderen dat ze haar ziel vrijuit liet spreken?

Amo achtervolgde mijn ouders met een geslepenheid die kenmerkend was voor een jager als hij. Twee jaar lang stuurde hij hen uitnodigingen, twee jaar lang verzonnen ze excuses om hem te ontlopen. In 1974 raakte zijn geduld op en zette hij een val: hij vroeg Mahmoed, een wederzijdse vriend die de eerste ontmoeting op Varkenseiland ook had geregeld, of hij een feestje wilde geven en mijn ouders niet wilde vertellen dat hij, Saddam, ook zou komen. Toen ze op de bel drukten, deed Mahmoed open en waarschuwde hen dat Saddam Hoessein binnen zat. Voor de deur dachten ze over de mogelijkheden na en zagen maar één oplossing. Weggaan zou een gevaarlijke faux pas en *ayeb* zijn.

'En dus zijn we gebleven,' had mama opgeschreven, 'en daardoor veranderden onze levens.'

Ze kozen voor overleven, maar het werd een leven in een kooi. Ik probeerde me voor te stellen dat ik daar voor de deur had gestaan, dat ik nerveus de oude munt rond mijn hals had betast en zenuwachtig naar mijn man had gekeken, me snel afvragend wat de gevolgen voor ons en ons kind zouden kunnen zijn als we nee zouden zeggen. En ik wist dat ik ook naar binnen zou zijn gegaan. Dat was hun eerste stap in hun pact met de duivel. Mama had hem zelf een keer de duivel genoemd. Want zou de duivel zonder zijn macht en de charme om de levenden stukje bij beetje te verdoemen, totdat hij ze van hun diepste wezen had beroofd, niet slechts een gevallen engel zijn?

'We dachten in het begin dat we de vriendschap wel aankonden, als we maar voorzichtig waren,' schreef ze me. Dat ging niet, mama, wilde ik schreeuwen. Kijk eens hoe we er allemaal voor moeten boeten!

Toch herkende ik in haar woorden de onbedoelde arrogantie van een onschuldige. Ze waren in Bagdad gebleven, zich niet bewust van wat hun te wachten stond. Mahmoed, die zich dat blijkbaar wel was, was het land ontvlucht. Ik had hem nooit ontmoet, maar toen ik haar woorden las, stelde ik me een slimme vent voor die risico's durfde te nemen en in het onbekende diepe durfde te springen, terwijl mijn ouders waren achtergebleven. Ze hadden die stap niet durven nemen en namen in hun onschuld aan dat hun niets zou overkomen en dat ze hun gezin konden beschermen. Waarom hadden ze niet net als Mahmoed het lef gehad om te vertrekken? Waarom waren sommigen gebleven en anderen vertrokken? Ik kon bijna niet naar mama kijken zonder te zien hoe beschadigd en gekwetst haar ontsnappingspogingen haar hadden gemaakt, maar toen ik haar dagboek las, had ik het idee dat ik nog steeds een glimp van die onschuldige jonge moeder in haar ogen kon zien.

Elke avond las ik na mijn werk wat ze die dag had geschreven. Het was net een feuilleton. Soms schreef ze maar een paar zinnen, soms veel meer. Ze maakte me duidelijk hoe Saddam Hoessein als jonge despoot de macht had kunnen grijpen zonder dat het buitenland er iets van had gemerkt. Haar herinneringen waren een soort tastbare bevestiging van mijn eigen angsten en hielpen me een beeld te schetsen van amo die als een soort nachtuil de straten afschuimde, op zoek naar een prooi, of die mijn ouders en anderen uit hun bed haalde om een feestje te bouwen of alleen maar urenlang tegen hen aan te praten. Ik zag bekende momenten in een nieuw licht: mama die snel in de kast keek of we nog pistachenoten hadden die we voor hem op de palissanderhouten tafel konden zetten; amo die met een charmante glimlach op zijn gezicht en een doos Chivas Regal onder zijn arm bij ons de gang binnenliep; baba die op onze blauwe bank whisky zat te drinken, vol wrok over deze 'ongelijke vriendschap' zoals hij en mama die noemden, en steeds meer ging drinken; en mama die schuldbewust de radio zachter zette zodat ze haar kleine kinderen, Haider en ik, die boven lagen te slapen niet zou wekken; de verdorven mengeling van whisky en reukwater.

Het was tegelijkertijd fascinerend en pijnlijk om te lezen wat ze had geschreven, alsof ik naar een rampenfilm keek waarin iedereen, behalve de hoofdrolspelers, de rampen al van verre zag aankomen. Ik had tante Nahla, een van mama's beste vriendinnen, al jaren niet meer gezien, maar dankzij mama's woorden zag ik haar weer dansen met amo, die haar man zoveel whisky had voorgezet dat hij er misselijk van was geworden. Tante Nahla wilde haar echtgenoot gaan helpen, maar amo wilde dat ze met hem bleef dansen, en dus deed ze dat, dans na langzame dans. Ik stelde me voor dat ze over amo's schouder moet hebben gekeken, met ogen vol stilzwijgende angst, maar niet eens mocht stoppen om haar eigen man te helpen. Ze was een kunstenares die vaak 's middags bij mama Turkse koffie kwam drinken, en ik kon me nog goed het geluid herinneren dat je altijd kon horen wanneer ze de kopjes omdraaiden zodat ze de *finjan* konden zien en de toekomst konden voorspellen. Totdat mama op een dag huilend thuiskwam en ik haar vroeg wat er was gebeurd en zij vertelde dat tante Nahla tegen haar over amo had zitten roddelen. Ze heeft me nooit willen vertellen wat tante Nahla had gezegd, maar ik zag dat ze heel erg gekwetst was. Ik wist dat ze vaker teleurgesteld was geweest, en door de jaren heen had ik haar steeds bitterder zien worden toen de tantes een voor een uit haar leven verdwenen omdat zij bijna al haar tijd in het weekendhuis moest doorbrengen. Nu, een jaar of vijftien later, gaf ze me een brief voor tante Nahla waarin ze had geschreven dat ze van haar hield, dat ze haar vergaf en dat ze om haar vergiffenis vroeg. Ik weet niet waarom ze dat vroeg en ging er ook niet op in. Soms zag ik dat ze op de velletjes die ze me 's avonds gaf woorden of zinnen had doorgestreept. Ik wist hoe moeilijk het voor haar moest zijn geweest om voldoende kracht te verzamelen om iets door te strepen.

Women for Women International maakte ondertussen een flinke groei door: we hadden inmiddels vier afdelingen en verlegden ons werkterrein naar Kosovo, waar een strijd was losgebarsten die alle tekenen van een humanitaire ramp vertoonde. Overdag las ik de brieven van de vrouwen in de oorlogsgebieden en 's avonds het levensverhaal van mama, en de overeenkomsten waren overduidelijk. Dezelfde op feiten gebaseerde opsommingen, dezelfde stoïcijnse ooggetuigenverslagen van misdaden, dezelfde vreemde tegenstellingen tussen doodgewone details en gruwelijkheden. Ik dacht aan de honderdduizenden gezichten van de door oorlog, verkrachting of beide getraumatiseerde vrouwen die ik had ontmoet. Ze hadden, op Ajsa na, allemaal als verdoofd gekeken, maar geen van hen was zo verdoofd geweest als mijn moeder.

Ze schreef zelden over haar eigen gevoelens. Vaak begon ze aan verslagen die ze niet afmaakte. Ze vermengde triviale details met historische feiten; haar bespiegelingen over amo's kleding, zijn paleizen en zijn jeugd namen bijna evenveel plaats in als de moorden die hij had bekend. Een groot deel van wat ze schreef, wist ik al of had ik al die tijd vermoed. Sommige van haar verhalen had ik zelf al van amo gehoord of zelfs op school te horen gekregen. Maar terwijl ik zat te lezen, besefte ik dat mama en baba al van het begin af aan hadden beseft dat hij tot moorden in staat was. Hij maakte er geen geheim van dat hij politieke tegenstanders in het openbaar liet executeren, dus het verbaasde me niet dat hij in kleine kring opschepte dat hij vrienden had gedood. Maar wat ik, omdat ik in zekere zin nog steeds het kleine meisje van toen was, nog het aangrijpendst vond, waren de enorme tegenstellingen in mama's leven: zo moest ze 's avonds nog aanhoren wat hij allemaal op zijn geweten had, en zo bracht ze me de volgende ochtend weer gewoon naar school. Amper een paar dagen nadat ze tegen me had gezegd dat de gedachte aan amo het ene oor in en het andere oor uit moest gaan, moest ze aanhoren dat hij zojuist eigenhandig een vriend had gedood en een oude waarzegster om het leven had gebracht, iets waar hij nog trots op was ook. Hij had een vrouw van wie hij hield gedood terwijl ze samen met haar moeder en dochtertje van drie had liggen slapen. Het meisje had geschreeuwd toen hij haar moeder had gedood, en naar verluidt had ze daarna heel lang geen woord meer gezegd. 'We waren gedwongen de stille getuigen van zijn wandaden te zijn,' schreef ze. 'We waren ook slachtoffers, want niemand kan zijn gruweldaden overleven. En we bleven gevangenen van onze eigen angsten, we durfden geen nee tegen hem te zeggen en niet te laten merken dat we walgden van wat hij deed.'

Ik had nog niet eens echt geleerd hoe ik moest omgaan met de verhalen die ik van de vrouwen in oorlogsgebieden had gehoord. Ik wist niet hoe ik moest omgaan met de gebeurtenissen waarvan mijn moeder in Irak getuige was geweest. Adem als een vis, zei ik tegen mezelf. Vergeet niet te ademen.

'Waarom bent u gebleven, mama?' vroeg ik ten slotte. Dat was een vraag die me misschien wel meer dwarszat dan alle andere, en ik probeerde hem te stellen zonder beschuldigend te klinken. Bij wijze van antwoord keek ze me alleen maar met grote ronde ogen aan. Ze lachte met haar ogen en huilde met haar ogen, hoewel ze geen tranen meer had. Zeg nu niet dat je dat niet begrijpt, dat je de ruzies van je vader en mij bent vergeten, zei ze met die ogen. Ben je al zo lang weg dat je bent vergeten hoe het was, Zanooba?

Toen ik haar dagboek las, drong het tot me door dat amo's verlangen naar seks even sterk was als zijn verlangen naar geweld.

Ik denk dat mijn moeder hierover zou hebben gezwegen als ik haar niet had laten zien wat mijn werk inhield. Amo had mijn ouders verteld over Hana'a, de maîtresse van wie hij had gehouden en die hij eigenhandig had vermoord. En over Amel, wier man geen 'vrienden' met amo had willen zijn en dood langs de weg naar het vliegveld was aangetroffen, en haar zus Samira, de maîtresse-echtgenote tegen wie mijn vader zo minachtend had gedaan dat amo tegen mijn moeder had staan schreeuwen. Wat me vooral trof toen ik de aantekeningen van mijn moeder las, was dat het allemaal zo smakeloos was; amo die, met een glas whisky in zijn hand, beweerde dat hij zo'n behoefte aan vrouwen had omdat hij in de gevangenis zonder had gezeten en al opgewonden was geworden toen hij door het raam naar parende vogels had zitten kijken. Ik wist nog goed dat Samira op die avond in Mosoel langzaam maar opgewonden haar vingers over zijn dij heen en weer had bewogen. Geen wonder dat baba niet wilde dat ik bij haar een stap over de drempel zette.

Mama keek me met die grote ogen vragend aan, en ik wist dat ze zich afvroeg wat ik dacht. Ik putte moed uit alles wat ik in de vluchtelingenkampen had geleerd en bood haar medeleven en begrip. Meer kon ik niet doen. Ik kuste haar of hield haar handen vast en zei dat ik van haar hield. Meer niet. Ik deed mijn best om geen enkel oordeel te vellen. Wees sterk, anders zal ze vrezen dat je dit niet aankunt en niets meer willen zeggen, zei ik tegen mezelf. Wees er voor haar, zorg ervoor dat ze er niet voor jou hoeft te zijn. Ze wist niet dat ik, als ik even een moment voor mezelf had, naar onze inloopkast liep, de deur achter me dicht deed en tussen mijn kleren stond te huilen.

Op een avond schreef ze over het plezier dat amo altijd had beleefd aan 'de Dag van het Volk', de dag waarop burgers hem konden vragen of hij hen met problemen kon helpen. Toen ik nog een tiener was, kreeg die dag altijd erg veel aandacht. Amo reisde in zijn grote auto het land rond, gekleed in een witte doktersjas waarin hij net een therapeut leek, sprak onder vier ogen met de burgers en maakte vervolgens in het openbaar een groots gebaar waaruit moest blijken hoe gul hij was: hij veranderde een wet, gaf iemand geld, of stond het een vrouw toe te scheiden van een man die dat niet wilde. Mama schreef dat hij vrouwen bij zich uitnodigde en de mooisten tot seks probeerde over te halen. Als dat niet lukte, verkrachtte hij ze gewoon. Wanneer hij ze daarna weer liet gaan, vaak nadat hij hen nog een gunst had verleend, werd er van hen verwacht dat ze hun dankbaarheid toonden. 'Shoekran jazeelan, sayed al ra'aees,' zeiden ze dan, soms voor de tv-camera's. Dank u hartelijk, meneer de president. Hij was op de Dag van het Volk het liefst in een dorpje bij Samarra, schreef mama. Dat was de streek waar Ehab vandaan kwam en die bekendstond om zijn mooie vrouwen.

Mama had de andere helft van mijn herinneringen, de helft die de mijne aanvulden en betekenis gaven. Door haar woorden kwamen er allerlei herinneringen bij me op, zoals bijvoorbeeld de keer dat mama en ik naar een etentje bij een van mijn tantes gingen en we allemaal iets te eten mee moesten nemen. Ik was een jaar of negen, tien en zat bij de volwassenen aan tafel in de woonkamer. Tante Lamy'a, een knappe weduwe, was aan het woord; ze vertelde de andere vrouwen dat ze met de president was gaan praten over een probleem dat ze had – ik geloof dat het iets met geld te maken

274

had. Ze moest samen met een paar andere vrouwen in een voorver-
trek wachten, en toen de president tevoorschijn kwam, moesten ze
allemaal in een kring gaan staan en een voor een zeggen wat eraan
scheelde. Toen tante Lamy'a vertelde wat haar probleem was, zei
amo dat het erg 'ingewikkeld' was – *muaqada* – ik kan me dat woord
nog goed herinneren omdat het zo veelbetekenend was. Hij vroeg of
ze even mee wilde komen naar zijn privévertrek, zodat ze het er
onder vier ogen over konden hebben. Tante Lamy'a begon te fluisteren, zodat mama en haar vriendinnen allemaal naar voren moesten
leunen om haar te kunnen verstaan. Kort tevoren had er nog gelach
in de kamer geklonken, maar nu viel er een stilte. Ik weet nog goed
dat ik me eenzaam voelde, alsof ik er niet bij hoorde, en me afvroeg
of ik misschien even naar de andere kamer moest gaan. De vrouwen
sloegen hun armen om tante Lamy'a heen, net zoals ze soms deden
wanneer ze met de andere tantes de tuin inliepen omdat ze iets wilden bespreken wat ik niet mocht horen. En ik hoorde gehuil achter
die haag van armen. Toen de vrouwen zich eindelijk terugtrokken,
veegde tante Lamy'a haar tranen weg. Alle vrouwen keken heel verdrietig, mama ook.

'Gaat het wel met tante Lamy'a?' vroeg ik op weg naar huis.

'Het komt allemaal wel goed,' zei mama. Toen voegde ze eraan toe:
'Zainab, lieverd, je moet hier verder maar niet meer over praten.'

Ik praatte er wel over. Het werd mijn levenswerk.

Ik wist dat de meeste verkrachtingen het werk waren van bekenden en familieleden, maar in Irak en veel andere Arabische landen
wordt een verkrachte vrouw uitsluitend als onschuldig beschouwd
als ze door een gewapende onbekende is aangevallen. Op de middelbare school had ik horen fluisteren dat de Moekhabarat de verkrachtingen die door de agenten werden begaan op video vastlegde,
zodat ze de vrouwen konden chanteren en hen zo konden dwingen
om informant te worden. Als ze toegaven dat ze verkracht waren,
liepen ze de kans dat hun echtgenoot hen zou verlaten en ze hun
kinderen nooit meer zouden zien. De eer van de familie, of *aar*, is
immers de verantwoordelijkheid van de vrouw. In conservatieve
Arabische kringen, maar ook in andere delen van de wereld, wordt

de eer van de familie bepaald door het gedrag van de vrouwen. Een man die zijn eer of die van de familie wil redden, kan dat doen door een verkrachte vrouw uit te huwelijken aan haar verkrachter of haar zelfs te doden. Als de verkrachter een familielid is, wordt de kwestie onder tafel geveegd of vergeten. Als de verkrachter een crimineel is, wordt de vrouw als 'onhuwbaar' bestempeld. Maar als de verkrachter de regering zelf is, wordt de vrouw als slachtoffer gezien en geldt de man als ontmand omdat hij niets heeft kunnen doen. Er zijn gevallen bekend van echtgenoten die zelfmoord hebben gepleegd of hun vrouw en kinderen hebben verlaten – alleen maar om de eer van de familie te redden.

Saddam Hoessein had verkrachting geïnstitutionaliseerd, net zoals hij dat met de haat jegens de Perzen en sjiieten had gedaan. Daar twijfelde ik niet aan. Hij gebruikte dezelfde tactieken als Milošević en Stalin: door de vrouwen te misbruiken, maakte hij de mannen duidelijk dat hij, en niemand anders, de macht in handen had. Nu ik steeds meer te weten kwam over de gruweldaden van de man die ik amo had moeten noemen, twijfelde ik er steeds minder aan dat hij seks had gebruikt om zijn netwerk van angst te verstevigen en alle menselijke relaties, zelfs huwelijken, binnen te dringen. Op Koeweit en een deel van Iran na had amo alles ingepikt wat hij wilde hebben, van goud tot granaatappels. Waarom zou het met vrouwen anders zijn?

'Mama, wat bedoelde u toen u zei dat ik niet wist hoe amo kon zijn?' vroeg ik haar op een dag. Ze keek me met haar grote ogen aan en ik wist wat ze vroeg: wil je dat echt weten, Zainab?

Ja.

Ze vertelde over de zigeunervrouwen en over de vrouwen die met bussen vanuit de dorpjes naar de feesten werden gebracht. Soms werden de vrouwen gewoon op straat door de geheime politie staande gehouden omdat amo of zijn broers en zonen blijkbaar hun oog op hen hadden laten vallen. Er was een vrouw die andere vrouwen opbelde om te vragen of ze bij haar 'op de thee' kwamen en die als een soort van hoerenmadam voor hem fungeerde. Mijn moeder kende een vrouw die ook zo'n uitnodiging had gekregen en niet goed nee durfde te zeggen. Daarom trok ze een heel strakke spijkerbroek, een brede riem en heel veel extra kleren aan, in de hoop dat dat hem zou afschrikken. Maar hij behandelde haar alleen maar veel hardhandiger dan de anderen en drong zich met geweld aan haar op.

'Ze werd verkracht,' stelde ik ontzet vast.

'Je kunt het verkrachting noemen, of gewoon erg slechte seks,' schreef ze. Ik vond het vreselijk dat de vrouw die haar dochter had verteld dat seks zo mooi kon zijn me juist die woorden toevertrouwde.

Toen ik die avond naar bed ging, lag ik nog een hele tijd wakker. Ik begon mezelf vragen te stellen over de manier waarop Fakhri me had behandeld. Was het een verkrachting geweest, of gewoon erg slechte seks? Had ik een onjuist oordeel geveld? Ik twijfelde niet graag aan mezelf. Ik dacht aan het bed, aan de gebloemde sloop die ik nog steeds als herinnering in mijn klerenkast bewaarde. Ik weet nog hoe ik me toen voelde: gewelddadig misbruikt, in alle opzichten. Geen enkel deel van mijn lichaam, geen enkel stukje van mijn ziel, had vrijwillig aan die daad mee willen doen. Hij had net zo goed een stuk hout kunnen verkrachten. Hij had me gedwongen. Hij had me pijn gedaan. Ik had het vreselijk gevonden. Ik had me verzet. Het was geen slechte seks geweest, het was verkrachting geweest, en daarom was ik bij hem weggegaan.

Toen ik op een dag thuiskwam van mijn werk, zag ik dat mama met een trots en blij gezicht in haar stoel zat. Het was verbazingwekkend om te zien hoeveel emotie ze met haar blik kon overbrengen. Ze was helemaal alleen. Amjad was voor zijn afsluitende examens aan het leren. Haar verpleegkundige was al naar huis.

'Waar is Fatima?' vroeg ik op plagend-beschuldigende toon toen ik even mijn armen om haar heen sloeg en haar geur inademde, haar zo de kans gevend om, denk ik, ook de mijne in te ademen.

'Ik heb haar naar huis gestuurd,' schreef ze, duidelijk trots op zichzelf. 'We hebben *bamya* voor je klaargemaakt. Pak een bord en kom bij me zitten.' *Bamya* was mijn lievelingseten: okra met knoflook, tomatensaus en tamarinde op zijn Iraaks. Ik pakte wat te eten en ging samen met haar naar *Xena* zitten kijken, zoals we elke dag deden. Dat was een serie over een soort vrouwelijke Hercules, geïnspireerd op de Griekse mythologie. In mijn ogen was het een soort hedendaagse versie van het Vrouwendorp waarover mijn tantes altijd spraken. *Xena* had een grote schare trouwe fans: vrouwelijke gevangenen, lesbiennes, tienermeisjes, en één Iraakse moeder die tijdelijk in Alexandria, Virginia, woonde.

'Het ergste van deze ziekte vind ik dat ik niet meer kan lachen,' schreef ze.

We speelden een tijdje backgammon, waarbij het getik van de dobbelstenen aangaf hoeveel van onze tijd samen er verstreek. Ik was alleen in mijn eigen huis, met mijn moeder. Er was niemand die ons bang kon maken. Er waren geen muren die oren hadden. Op dat moment was er in ons Vrouwendorp geen man te bekennen. Ik wist dat na al die jaren eindelijk het tijdstip was aangebroken waarop ik al die vragen kon stellen die ik als kind niet had kunnen stellen. Ik was niet langer Zainab Salbi, de vrouw die met oorlogsslachtoffers werkte. Ik was mezelf. Haar dochter. Ik moest weten welke prijs we voor zijn vriendschap hadden betaald.

'Weet je nog dat je me een keer hebt gebeld toen ik in Sarajevo zat en dat je me huilend vroeg waarom ik een oorlog opzocht terwijl je alles op het spel had gezet om me daarvoor te behoeden? Ik heb daar vaak over nagedacht, mama, en ik denk dat het zo zit: ik denk dat ik de ene oorlog voor de andere heb verruild zodat ik die vrouwen naar antwoorden kon vragen die alleen u kent, mama. En nu zit u voor me. Ik voel een pijn vanbinnen die maar niet overgaat, mama. U hebt die pijn ook in u gevoeld. En ik vraag me af of het dezelfde pijn is. Ik moet het u wel vragen, mama: waardoor werd u de hele tijd zo gekweld? Heeft hij u pijn gedaan, mama?'

Het notitieboekje lag op haar schoot, haar breiwerk lag naast haar. Ze probeerde iets op te schrijven, maar haar handen trilden te erg. Ze moest moeite doen om adem te halen. Zweetdruppels verschenen op haar gezicht. Ze werd vuurrood. Ik was bang dat ik haar zou verliezen. Ik rende naar haar slaapkamer om het zuurstofapparaat te pakken en haar leven te redden, hoe kort – weken, dagen – dat ook nog zou duren. Het enige waaraan ik op dat moment dacht, was dat ik mijn moeder in leven moest houden. *Als ik een keuze moet maken, dan kies ik voor u, mama.* En ik heb het haar nooit meer gevraagd.

Mei 1999. Stromen vluchtelingen probeerden aan de oorlog in Kosovo te ontkomen en Albanië en Macedonië te bereiken. De meesten waren vrouwen en kinderen. Mama bleef maar naar het nieuws kijken, met de afstandsbediening in haar hand. Op straat werden halfnaakte, verdwaasde vrouwen gevonden die waren verkracht en voor dood waren achtergelaten. Als mijn moeder er niet was geweest, had ik meteen het vliegtuig naar Kosovo gepakt om daar een nieuw hulpprogramma op poten te zetten, maar ik kon nu niet weg. Mama was het allerbelangrijkste in mijn leven.

'Je moet naar Kosovo, Zainab,' zei ze. We hadden het erover dat vrouwen in de chaos van een oorlog zo gemakkelijk slachtoffer worden. 'Je moet die vrouwen helpen, *habibiti*.'

'Nee, mama, ik moet bij u blijven. U bent het allerbelangrijkste voor me.'

'Je moet gaan, Zainab, maak je over mij maar geen zorgen,' zei ze. 'Ik wacht wel op je.'

'Maar ik wil bij u blijven totdat u me zult verlaten, mama,' zei ik. 'Ik wil niet het risico lopen dat ik er dan niet ben.'

'Ik zal niet doodgaan terwijl jij weg bent, Zainab,' zei ze. 'Dat beloof ik je.'

Een week later was ik weer terug, doodop van de reis, het werk, en de pijn die ik met volslagen vreemden had gedeeld. Mama had zich aan haar belofte gehouden, en toen ze naar de foto's keek van de vrouwen die ik had leren kennen, stelde ze me vragen over hen en keek soms zo lang naar hun afbeelding dat ik het gevoel had dat ze het levensverhaal achter elk gezicht wilde leren kennen. Tijdens mijn afwezigheid had ze een hele reeks aquarellen gemaakt, van vastberaden jonge vrouwen, in kleuren die zo levendig waren dat je je amper kon voorstellen dat dit het werk van een stervende vrouw was. Ze had ze op kaarten geschilderd, als een soort wenskaarten. De laatste die ze had gemaakt, was voor mij.

Kort na mijn terugkeer vertelde de verpleegkundige dat ze op vakantie ging. Ik wist dat mama zo dicht bij de dood stond dat ik haar niet aan de zorg van een vervangster toe durfde te vertrouwen, en nam die taak zelf op me. Tegen de tijd dat de verpleegkundige van de hospice vijf dagen later haar wekelijkse bezoek bij ons aflegde, was ik geestelijk en lichamelijk een wrak. Ik leefde op koffie en was uitgeput door alle inspanningen die nodig waren om mama in leven te houden. De verpleegkundige stelde voor om mama een paar dagen in de hospice te laten opnemen, zodat ik een beetje op krachten kon komen en de verzorging daarna weer op me kon nemen. Mama zei met tegenzin ja.

Haider kwam naar ons toe en bleef bij haar in de hospice. Toen Amjad en ik haar twee dagen later kwamen halen, was het voorbij. Ik zag dat ze een potlood probeerde op te pakken, maar haar hand liet haar in de steek en ik kon niet lezen wat ze had geschreven. Haider en ik hielden haar handen vast terwijl Amjad haar uit de Koran voorlas. Ik zag dat ze nog een keer naar adem probeerde te happen, en toen was ze er niet meer. Ik kon het niet geloven. Ze kon niet dood zijn. Ik had haar in huis genomen opdat ze bij mij kon sterven en had haar beloofd dat het zo zou gaan. Dat was het enige wat ze van mij had gevraagd. Ik bleef maar tegen de arts zeggen dat hij haar pols moest voelen omdat ze al eerder zo dicht in de buurt van de dood was geweest.

'Uw moeder is overleden,' zei hij ten slotte vriendelijk. 'Maar ze zal altijd bij u zijn, en soms zult u haar aanraking kunnen voelen. Dat weet ik. Mijn moeder is tien jaar geleden gestorven, maar soms zit ik in de auto en kan ik haar handen op de mijne voelen. Ze zal altijd bij u zijn.'

Met behulp van moslimvrouwen uit de buurt waste ik haar lichaam. Toen we de witte lijkwade rond haar lichaam wikkelden, stroomden de tranen over mijn wangen. Ik voelde me niet alleen verdrietig, maar ook vreselijk schuldig. Toen ik de soera's las die ze had uitgekozen, dacht ik steeds dat ik er niet in was geslaagd haar te geven wat ze had gewild: thuis te sterven. Ik was tekortgeschoten.

Ze had me gevraagd of ik haar naast Bibi in Najaf wilde begraven, maar het duurde bijna een week voordat ik de benodigde papieren had geregeld. Vanwege de sancties waren rechtstreekse vluchten nog steeds niet mogelijk, dus na een twaalf uur durende vlucht naar

Jordanië moesten we nog eens twaalf uur door de woestijn naar Bagdad rijden. Mijn vader had een auto met chauffeur voor me geregeld en kwam me van het vliegveld ophalen. Ik had hem al negen jaar niet meer gezien. Hij zag er veel ouder uit en had een gebedssnoer in zijn handen, zoals zoveel Irakezen die door amo terug in de armen van God waren gedreven, op zoek naar verlichting voor de ellende die door de sancties was veroorzaakt. Een week lang was ik bijna dag en nacht bezig geweest om van alles te regelen, maar nu was ik uitgeput en verdrietig en wilde ik alleen maar dat hij me zou omhelzen en troosten en zou zeggen dat hij van nu af aan alles zou regelen. Maar hij was degene die zich in mijn armen stortte en snikkend bleef zeggen: 'Ik hield vreselijk veel van je moeder, Zainab.' Hij verwachtte van me dat ik de scherven bijeen zou rapen, en weer voelde ik me eerder de volwassene, de therapeut, en niet zijn dochter. Dat leek me niet eerlijk, na alles wat ik had meegemaakt. Tijdens de rit door de woestijn sliep baba de hele nacht door en had ik de tijd om afscheid te nemen van mama en te voelen dat haar ziel me verliet.

'Herken je je oude buurt nog?' vroeg baba toen we bij ons huis aankwamen.

Nee. Ik was negen jaar weggeweest. In de tussentijd hadden jarenlange sancties hun tol geëist. De Irakezen betaalden de prijs voor Saddams tirannie. Alles was ouder geworden en van elke kleur ontdaan. De straten waren bedekt met berusting. Aan het einde van onze doodlopende straat hadden familieleden zich voor ons huis verzameld. Ze waren allemaal in het zwart gekleed. Ik keek of ik mijn kleine broertje Hassan zag, die elf was geweest toen ik hem voor het laatst had gezien, en merkte dat ik een man van twintig omhelsde die als teken van rouw een volle baard had laten staan. Mensen dromden om me heen; neven en nichten die ik probeerde te herkennen, familieleden die me wilden kussen en omhelzen. Te midden van hen stond een vreemde man die zich als het hoofd van onze stam voorstelde. Welke stam, vroeg ik me verwonderd af, toen we ons voorbereidden om meteen met het lichaam van mijn moeder naar Najaf te rijden en haar eindelijk te begraven. Tante Samer kwam naast me in de auto zitten, zodat ze me niet alleen de weg kon wijzen, maar tijdens het laatste stuk van de reis ook passages uit de Koran kon voorlezen waarmee ze mijn moeder zou zegenen.

Sjiitische families begraven hun doden al eeuwenlang op die heilige plaats midden in die uitgestrekte gele zandwoestijn in het zuiden van Irak, die door de jaren heen een van de grootste begraafplaatsen ter wereld was geworden. Ik kon me nog herinneren dat we tijdens de begrafenis van Bibi een kwartier lang door die spookachtige dodenstad hadden moeten lopen, langs jongemannen die delen van de Koran voordroegen en vrouwen die de graven van hun dierbaren met rozenwater besprenkelden, totdat we ten slotte bij het graf van mijn moeders familie waren aangekomen. De begraafplaats had toen zo vol doden gelegen dat je bijna niet kon lopen zonder over de witte grafstenen te struikelen. Nu konden we rechtstreeks naar het familiegraf rijden. De begraafplaats leek half zo groot als vroeger, maar in de afgelopen negen jaar moesten nog meer mensen zijn begraven. Waar was de rest van de graven? Toen ik nog klein was, was ik bang voor deze plek geweest, zoals kinderen bang zijn voor vampieren en zombies. Nu voelde ik een ander soort angst, alsof zelfs de doden niet durfden te spreken.

'Wat is hier gebeurd?' vroeg ik aan tante Samer.

Ze keek om zich heen. De bekende mengeling van bezorgdheid en angst verscheen op haar gezicht. 'Saddam heeft opdracht gegeven de begraafplaats te rooien, als straf voor de sjiitische opstand van 1991,' zei ze zachtjes. 'Maar toen de bulldozers deze kant opkwamen, kwam er een bewaker aanrennen die riep: "Wacht, dat graf behoort toe aan vrienden van de president." Daarom zijn onze doden gespaard gebleven.'

Saddam Hoessein had onze doden gespaard, maar onze levenden niet.

Verhit en uitgeput, met het gevoel alsof iemand mijn hart uit mijn lijf had gerukt, zag ik dat het lichaam van mijn moeder naast Bibi in een graf in het gele zand zakte: het was het moeilijkste wat ik ooit had moeten doen. Het leven van mijn moeder was eindelijk voorbij. Je bent nooit bang geweest voor de dood, hè mama? vroeg ik haar in gedachten. Zocht je naar rust, mama? Heb je die rust nu gevonden? Heb je nu vrede gevonden, mama?

Tijdens de drie dagen durende rouwperiode zat ons huis vol mensen. De vrouwen, die gescheiden zaten van de mannen, waren in het zwart gehuld, lazen voor uit de Koran en huilden om mijn moeder. Sommigen hadden ingehuurde 'rouwenden' bij zich, wier taak het is om religieuze verhalen te vertellen en lofzangen op de dode te houden, zodat iedereen begint te huilen en het verdriet de vrije loop kan laten. We ontdeden de belangrijkste kamers van het huis van alle meubels en legden kussens neer, zodat iedereen kon zitten. Er stonden maar een paar stoelen voor de belangrijkste gasten, onder wie de zussen van amo die ons kwamen condoleren.

Niemand verwachtte dat ik beleefd zou zijn. 'Huil maar zoveel als je wilt, lieverd,' zei een van de tantes tegen me. En drie dagen lang deed ik dat. Ik vroeg me af of al die vrouwen die zo'n verdriet leken te hebben, om zichzelf huilden of om mama. Het leek alsof het hele land rouwde om wat we hadden verloren.

De traditie schrijft voor dat de nabestaanden op de derde avond een maaltijd voor de rouwende gasten klaarmaken. Die avond kwamen honderden vrouwen langs, onder wie talloze tantes die ik niet meer had gezien sinds de etentjes van mama in mijn schooltijd. Ze hadden een feestmaal voor ons georganiseerd, en toen ze me vroegen of ik hen naar de tuin wilde begeleiden, zag ik dat daar overal lampjes waren opgehangen en dat mijn moeders lievelingsgerechten op tafel stonden: gevulde lamsbout, *fesenjoon*, *tourshana*, dolma's. De tuin was zo mooi versierd dat het net een bruiloft leek, en zodra ik naar buiten liep en zag wat de vrouwen hadden gedaan, hield ik op met huilen. Ik zag de schoonheid van de Iraakse avond en voelde een zacht woestijnbriesje op mijn gezicht, als de achterkant van mama's vingers in mijn hals.

'De ziel van je moeder is duidelijk bij ons, Zainab,' zei tante Samer. Ze gaf me een zoen. 'Ze is overal om ons heen. Dit is een gezegende avond. Ik voel het.'

Tijdens die periode van rouw stuurde amo een chauffeur naar ons huis. Die vroeg naar mijn vader, maar toen die er niet bleek te zijn, gaf hij mij de condoleances van amo, alsmede een envelop met het equivalent van vijfhonderd dollar, voor de kosten van de begrafenis.

Ik verstijfde en voelde dat de oude angst onbewust in me opkwam, zomaar, spontaan. Ik toonde hem mijn plastic glimlach, bedankte hem en verliet Irak een paar dagen later, niet van plan ooit nog terug te keren.

Bij de grens met Jordanië moest ik lang wachten. Grote groepen mensen probeerden het land te verlaten en er vonden complete visitaties plaats. Het bleek dat je slechts vijftig dollar of minder bij je mocht hebben. Alles wat ook maar enige waarde had, werd in beslag genomen, zelfs een schetsje dat mijn moeder had gemaakt. Daar, aan de grens met Jordanië, stond mijn moeder voor de allerlaatste keer haar goud af, in de vorm van een klein doosje met halskettingen dat mijn tante me na mama's dood op haar verzoek had gegeven. Er zat een hangertje met een saffier in dat ze ooit van Saddam Hoessein had gekregen.

Alia's laatste brief

Aan het licht van mijn leven, Zanooba.

De dag waarop jij ter wereld kwam, was de gelukkigste van mijn leven. Je was een prachtige baby en ik hield meteen van je. Sinds je drie jaar oud was, ben je mijn vriendin geweest. Ik heb je kracht gegeven omdat ik zwakheid in vrouwen verafschuw. En nu zie ik mijn geliefde Zainab als een vrouw met een sterk karakter en keurige manieren die zoveel goeds voor anderen doet. Wist je maar hoe trots ik op je ben. Je hebt alles waargemaakt waarvan ik heb gedroomd. Ik ben God dankbaar dat Hij mijn leven met jou heeft verrijkt. Ik ben blij dat je gelukkig bent en zal tot God blijven bidden of Hij je voor al het kwaad en menselijk falen en pijn wil behoeden. Dat je voor altijd gelukkig met Amjad mag zijn en dat je voor eeuwig gezegend mag zijn.

Je liefhebbende moeder.

ELF

De middelste vis

Ik stopte mama's notitieboekje in de witte weekendtas die ik vroeger op drukke vliegvelden altijd als zitje had gebruikt en legde de tas weg. Ik rouwde uitgebreid om haar en bracht veel tijd met Amjad door. Haar dood had me doen beseffen dat Amjad en ik aan onszelf moesten denken, en we gingen samen op vakantie, zoals we ook aan haar hadden beloofd. Ik volgde de goede raad op die ze me sinds ik klein was al had gegeven: ik genoot van het leven, ik zong, ik danste, ik leefde in het hier en nu en zag de schoonheid van de wereld om me heen. Naar verloop van tijd ging ik mezelf zien als de 'vrije geest' die ik van haar had moeten worden. 'Wie is deze vrouw?' vroeg Amjad toen we op een avond met elkaar stonden te dansen. 'Waar heb je haar al die tijd verborgen gehouden?' Het was bijna alsof mama haar jeugdige levenslust en haar lach, die al die jaren in haar opgesloten hadden gezeten, op mij had overgedragen. Een jaar na haar dood besloot ik eindelijk mijn masterstitel te gaan halen. Ik ben weliswaar niet gepromoveerd, zoals altijd mijn droom is geweest, maar ik heb wel mijn masters aan de London School of Economics gehaald, terwijl Amjad zich ondertussen in het Midden-Oosten inzette voor de vredesbesprekingen tussen Israël en de Palestijnen. Toen we na een jaar in het buitenland weer terugkeerden naar Washington D.C., keek ik naar de toekomst, niet naar het verleden.

Women for Women International groeide als kool ten gevolge van wat ik soms als een wereldwijde epidemie van geweld en volkerenmoord zag. Overal waar onze hulp nodig was – in Nigeria, Rwanda, de Democratische Republiek Congo en andere landen waar we afdelingen oprichtten – hoorde ik vrouwen in verschillende talen dezelfde verhalen over seksueel geweld vertellen. Het maakte niet uit of de leden van wrede legers zich rebellen of soldaten noemden: ze maakten niet alleen aanspraak op betwiste gebieden, maar ook op vrouwen. Het was geen kwestie van politiek, maar van mannelijk machtsvertoon. En ook al vond dit sinds het begin der tijden plaats, ik werd witheet omdat iedereen dit geweld jegens vrouwen blijkbaar als iets onvermijdelijks zag. Soms maakten zelfs de soldaten van vn-troepen zich schuldig aan verkrachting. Het was alsof de mensheid aan dergelijk geweld gewend was geraakt en er min of meer op rekende. De hele wereld reageerde onverschillig en passief omdat zulke wandaden jegens vrouwen blijkbaar als een logisch gevolg van oorlog werden gezien, en niet als eerste teken van naderende genocide.

Op 11 september 2001, de dag van de aanslag op het wtc in New York, zaten Amjad en ik in Spanje. We maakten eindelijk de huwelijksreis die we zo vaak hadden uitgesteld. Kort daarop staken duizenden Afghaanse vluchtelingen de grens met Pakistan over, doodsbang dat de vs het land zouden aanvallen omdat de taliban de terroristen hadden geholpen. Ik zat net in een bespreking met een paar Afghaanse vrouwen die aan het hoofd stonden van ngo's die zich om de vluchtelingen bekommerden toen we hoorden dat het bewind van de taliban omver was geworpen. Ik was dolblij voor de Afghaanse vrouwen; slechts weinig regimes uit de moderne geschiedenis hadden vrouwen zo onderdrukt. Ik stelde me voor dat ze nu aan een nieuwe grondwet konden gaan werken, een baan konden zoeken, hun dochters naar school konden sturen en eindelijk de boerka's af konden werpen die ze van de taliban hadden moeten dragen.

'Is dit niet geweldig?' zei ik. 'Nu de taliban weg zijn, is het land eindelijk van jullie.'

Natuurlijk waren ze blij dat de taliban niet langer in het zadel zaten, maar ze hadden ook hun twijfels over wie hun plaats zou gaan innemen. 'We zijn moslims, dat vormt de kern van onze identiteit,' zei een van de vrouwen tegen me. 'Niemand moet onze haat jegens de taliban verwarren met haat jegens de islam.' Ze zeiden dat ze graag zouden zien dat de islamitische wetgeving, de sharia, werd ingevoerd en dat ze hun haar zouden blijven bedekken, zij het niet met een boerka. Ik begreep dat ze zich moslim voelden en wat dat voor hen betekende, maar het duurde even voordat ik besefte dat ik ook teleurstelling voelde. Ik had gewild dat ze zich zouden gaan inzetten voor een seculiere wetgeving die hen in mijn ogen zou bevrijden, maar ik werd er alleen maar aan herinnerd dat de politieke boerka die ik en anderen in het westen droegen me net zo blind maakte als de gewaden die deze vrouwen hadden moeten dragen. Ik moest deze vrouwen helpen hún doelen, en niet de mijne, te verwezenlijken. Nu ik in een cultuur leefde waarin het normaal was dat mannen en vrouwen de intiemste details van hun leven op tv bespraken, moest ik ervoor waken dat ik niet ongevoelig werd voor de strijd van de Afghaanse en al die andere vrouwen die hun hele leven onder een bepaalde vorm van tirannie hadden geleefd. Voor hen is vrijheid niet de stap die op de onderdrukking volgt, maar een lange en vaak zware, persoonlijke zoektocht.

Elk bezoek aan een vluchtelingenkamp was voor mij een les in nederigheid die me alleen maar meer begaan maakte met het lot van deze vrouwen. Overal waar ik kwam zag ik dat de mannen als helden werden vereerd omdat ze zoveel wreedheden hadden overleefd, maar iedereen leek de vrouwen te vergeten of zelfs opzij te schuiven. De stilte op zowel het maatschappelijke als het persoonlijke vlak was oorverdovend. Elke keer wanneer ik zag dat dezelfde patronen van onderdrukking en geweld zich over de hele wereld herhaalden, voelde ik opnieuw woede en frustratie in me opborrelen, en ik vroeg de vrouwen die ik leerde kennen of ze alsjeblieft open wilden spreken over het geweld dat ze in hun leven en hun samenleving hadden ervaren. In persoonlijke gesprekken, op tv of tijdens internationale conferenties zei ik tegen hen dat er pas iets zou veranderen als we ons lot in eigen hand zouden nemen en onze stemmen zouden laten horen. Anders zouden we regeringen en politieke leiders nooit kunnen dwingen om aandacht te schenken aan het lot van vrouwelijke oorlogsslachtoffers. Dan zouden we degenen die verantwoordelijk waren nooit voor een rechter kunnen slepen. Dan zou het geweld nooit stoppen.

Ik besefte geen moment dat ik die vrouwen vroeg om iets te doen waartoe ik zelf niet in staat was geweest. Ik had met honderden verkrachte vrouwen gesproken, maar had zelf alleen mijn moeder en Amjad durven vertellen wat mij was overkomen. Ik zou mijn ervaringen nooit durven vergelijken met de verschrikkingen die deze vrouwen hadden meegemaakt; zelfs waar het verkrachting betrof, had ik geluk gehad. Ik moedigde vrouwen aan om de onrechtvaardigheid in hun levens aan de kaak te stellen, maar ik durfde de naam van Saddam Hoessein niet eens in mijn eigen huis uit te spreken. Zolang Saddam nog steeds over Irak regeerde, kon ik nooit over amo praten. Dat wist ik. Mijn angst was nog steeds zo'n groot deel van me dat die emotie als het ware door mijn aderen stroomde. Waar ik ook was, ik was nog steeds voorzichtig aan de telefoon omdat ik bang was dat er iemand meeluisterde.

Dat ben ik nog steeds.

Ik heb heel lang gedacht dat ik mijn angst met mijn werk probeerde te bezweren, maar ik wilde alleen over onrecht praten dat anderen was aangedaan. Ik wilde best over Milošević praten, maar niet over Saddam; ik wilde best over onrecht in Rwanda spreken, maar niet over de situatie in Irak; ik sprak over het lot van Afghaanse vrouwen, maar nooit over dat van Iraakse. Dat had nog jaren zo door kunnen gaan als de Amerikaanse regering niet op een bepaald moment had beweerd dat Saddam Hoessein beschikte over massavernietigingswapens die een onmiddellijke bedreiging voor de wereldvrede vormden. Ik luisterde met gemengde gevoelens naar alle discussies over Amerikaans ingrijpen in Irak. Ik wilde dolgraag dat Saddam zou worden verjaagd, maar ik wist dat het Iraakse volk, onder wie ook mijn familie, degenen zouden zijn die het meest zouden lijden. Toen in december 2002 een oorlog onvermijdelijk leek, besloot ik terug te keren naar Irak. Ik wilde zelf horen wat het Iraakse volk, en met name de vrouwen, over een mogelijke oorlog dacht. Ook wilde ik proberen of ik mijn broertje Hassan het land uit kon krijgen, zodat hij in het geval van oorlog niet voor het leger zou worden opgeroepen.

Ik had het land dertien jaar geleden verlaten om met Fakhri te trouwen en was sindsdien alleen teruggekeerd voor de begrafenis van mijn moeder. Tijdens die paar dagen was ik verblind geweest door verdriet, maar nu niet. Nu reed ik van het vliegveld naar ons oude huis en kreeg ik het gevoel dat ik terugging in de tijd – niet alleen als Zainab, maar ook als Iraakse. Op bijna elke straathoek keek amo me vanaf affiches en monumenten aan. Dezelfde straten waardoor mijn moeder en ik altijd hadden gereden, leken zich aan hem te hebben overgeleverd. Wat vroeger verboden was geweest, was nu toegestaan, en wat toen had gemogen, mocht nu niet meer. Alcohol was verboden en prostituees werden in het openbaar terechtgesteld, waarna hun hoofden bij hun ouders voor de deur werden neergelegd. Op straat hoorde ik mensen Farsi spreken; Iraniërs waren nu onze 'bevriende vijanden', en de Amerikanen waren de vijanden die ons elk moment konden aanvallen.

Toen ik naar ons oude huis liep, kreeg ik een heel vreemd gevoel. In de portiek bij de voordeur voelde ik de kilte hangen, als een onzichtbare sluier van angst. Binnen was er bijna niets veranderd. Hassan, een knappe, maar eenzame student, woonde er in zijn eentje, in een land waar kinderen doorgaans bij hun ouders blijven wonen totdat ze gaan trouwen. De meubels waren nagenoeg versleten. Op de tafels stonden de oude foto's en snuisterijen op nog precies dezelfde plek als waar mijn moeder ze had neergezet. Mijn vader woonde met zijn nieuwe vrouw in een ander huis, maar hij kwam nog elke dag bij Hassan langs. Het was pijnlijk om te zien dat die twee zich vastklampten aan een schim van wat ons gezin ooit was geweest. Tijdens mijn eerste avond daar vroeg Hassan heel verlegen of ik misschien even bij hem wilde blijven totdat hij in slaap was gevallen, net zoals ik altijd had gedaan toen hij nog klein was. Toen ik naast hem lag, viel deze volwassen jongen in slaap, maar bleef ik wakker liggen. Ik voelde me achtervolgd door alle verhalen waarvan dit huis getuige was geweest. Zonder mijn moeder voelde alles anders.

Toen ik mijn vader weer zag, kwamen er op een pijnlijke manier allerlei tegenstrijdige gevoelens in me naar boven. Hij was nog geen zestig, maar hij zag er niet al te gezond uit en was een schim van de vader die vroeger altijd een verse gardenia voor me had geplukt voordat ik 's morgens naar school ging. Nadat mama haar vaderland had verraden en in Jordanië was gaan wonen, had amo mijn vader uit zijn kringetje verstoten en hem daarna godzijdank met rust gelaten. Vanwege de internationale beperkingen die de Iraakse luchtvaart waren opgelegd, was er niet langer behoefte aan de voormalige gezagvoerder van een 747. Hij had een klein bedrijfje opgezet waarmee hij een bescheiden inkomen verdiende en was al heel lang geleden gestopt met drinken. 'Deze,' zei hij tegen me, terwijl hij de kralen van zijn gebedssnoer aanraakte, 'bieden me meer troost dan de whisky me ooit heeft kunnen geven.' Tante Samer, de beeldschone politieke activiste die ik vroeger altijd zo sierlijk had zien dansen, bad dag en nacht in een huis dat op instorten stond. Ze had zich uit het openbare leven teruggetrokken en gekozen voor haar gebedssnoer en bidkleed. Ze durfde Saddam Hoesseins naam niet te noemen, zelfs niet tegen mij.

Iedereen wachtte op de onvermijdelijke volgende oorlog. Mijn neef Dawood begroette me in tranen. 'Mijn zoontje was het eerste slachtoffer van deze oorlog, Zainab,' zei hij. Hij was met zijn familie Irak ontvlucht, maar had zijn zoon bij een ongeluk in Jordanië verloren. Daarop hadden Dawood en zijn Koerdische vrouw besloten om terug te keren naar Bagdad om daar hun zoon te begraven en in de buurt van hun familie te leven of te sterven. Om samen te leven of te sterven. Ik kon me herinneren dat ik diezelfde woorden, diezelfde redenering, tijdens de oorlog met Iran had gehoord. Waarom leek dat altijd onze keuze te zijn?

De economische sancties hadden het volk van de laatste restjes energie en hoop beroofd. In elke zin die ik hoorde, leek een griezelige schroom besloten te liggen. Als de naam van Saddam viel, zei iedereen binnen gehoorsafstand onmiddellijk: 'De heerser! De leider! De president, Saddam Hoessein! Moge God zijn leven beschermen!' Die laatste frase had ik altijd alleen maar in verband met historische religieuze figuren als de profeet Mohammed of Jezus of Mozes gehoord. Het werd me duidelijk dat amo gewoon een nieuwe fase was ingegaan en bij het Iraakse volk nu traditionele ideeën over het noodlot of kismet opwekte, alsof God, en niet hij, verantwoordelijk was voor hun lijden.

De harten van het Iraakse volk waren gebroken, maar het mijne niet. Familieleden en vrienden stelden me, om de censuur van de regering te ontduiken, als sociaal werkster voor aan gezinnen uit achterstandswijken. Veel mensen leefden in armoede en leden onder de sancties die waren ingesteld met de bedoeling hen juist te bevrijden. Voor de eerste keer in mijn leven ontmoette ik moeders die konden lezen en schrijven, maar dochters hadden die analfabeet waren. Er was geen geld voor het kopen van boeken of het omkopen van onderwijzers; het geld dat ze verdienden, was net genoeg om niet te sterven. Ik vroeg een jonge vrouw naar haar dromen voor de toekomst. 'Dromen over de toekomst is iets uit het verleden. Dat doen we niet meer,' antwoordde ze. Ik zag dat ze tien jaar oude schoenen met plateauzolen droeg; ooit had ze gedroomd van een carrière als model. 'Eén bom meer of minder zal niets uitmaken,' zei een ander. 'Misschien zal die ons dodelijk treffen, dan zijn we eindelijk van deze ellende verlost.'

In een van de huizen die ik bezocht, zaten drieëntwintig vrouwen, allemaal in het zwart gekleed. Hun mannen en zonen waren in een van de vorige oorlogen omgekomen. Een grootmoeder was door gebrek aan medicijnen blind geworden, en het hele huishouden moest leven van wat een jongen van zeventien verdiende. Er stonden geen meubels meer; die waren allemaal verkocht.

Toen ik wilde vertrekken, nam een vrouw van mijn leeftijd het woord. 'Ik ken jou nog wel,' zei ze. 'Ik weet nog wat voor kleren je droeg en wat voor auto jullie hadden. Ik ken jou nog wel.'

Ik kromp ineen. Ze kende mij nog wel? Ze vertelde dat we op dezelfde middelbare school hadden gezeten, maar ik kon me haar niet herinneren. Ik sloeg mijn ogen neer, beschaamd omdat we ieder zo'n ander leven hadden geleid, al was dat niet mijn schuld. Lang na mijn vertrek zag ik haar gezicht nog voor me. Ik weet wie zij voor zich had zien staan: de bevoorrechte tiener die zich tot de vriendenkring van Saddam had mogen rekenen.

Ik luidde het nieuwe jaar, 2003, samen met mijn broer en zijn vrienden in, die onder tafel verboden champagne rond lieten gaan. Voordat ik met Hassan naar Jordanië vertrok, hielp ik mijn vader om de oude familiefoto's in de woonkamer van de wand te halen en de fotoalbums bij elkaar te zoeken, gewoon voor het geval ons huis zou worden geplunderd. Baba wilde graag meer weten over mijn werk met de vluchtelingen, en ik vertelde hem dat zulke foto's en andere aandenkens voor vluchtelingen uiterst belangrijk waren. Ik wilde hem naar het verleden vragen, maar ik wist dat dat geen zin zou hebben. In plaats daarvan probeerde ik gewoon met hem te praten terwijl we de foto's sorteerden.

'Bent u bang, baba?' vroeg ik.

Hij dacht er even over na. 'Ik ben moe, *habibiti*,' zei hij. 'Als jou en je broers maar niets overkomt en jullie gelukkig zijn, heb ik niets meer te wensen.'

Toen ik na die reis thuiskwam, beloofde ik mezelf plechtig nooit meer terug te keren naar het Irak van Saddam Hoessein. Een tijdlang had ik niet goed geweten wat ik met een begrip als 'thuis' moest beginnen. Waar was mijn thuis eigenlijk? In Irak, waar ik was geboren? In de Verenigde Staten, waar ik nu met mijn man woonde? In een van de vele landen waar ik had gewerkt en waarvan ik ook was gaan houden? Op weg terug naar Washington dacht ik heel lang over de betekenis van dat woord na. Ik wist niet zeker of ik een thuis had. Ik had niet het gevoel dat ik op één bepaalde plek thuishoorde. Ik voelde me net zo op mijn gemak in de lucht, op weg van het ene land naar het andere, als ergens op aarde.

In maart 2003 zag ik op tv dat de Verenigde Staten wederom ten strijde trokken tegen Irak. De oorlog die ik op tv zag, leek helemaal niet op de oorlogen waarvan ik getuige was geweest. Er klonken geen geluiden van luchtafweergeschut, van bommen, en ook niet van kogels of brekend glas. Niets maakte duidelijk hoe het voelde als je huis op zijn grondvesten schudde omdat er ergens vlakbij een raket ontplofte. Tot op de dag van vandaag schrik ik op van onverwachte geluiden, en soms springen de tranen dan in mijn ogen. Oorlog is smerig en wreed en pijnlijk, maar tijdens de invasie zagen de westerlingen op het Amerikaanse nieuws geen lijken of blauwe voeten die uit doodskisten bungelden. Ik kan me niet herinneren dat er camera's waren die de strijd vastlegden vanuit het oogpunt van vrouwen en mannen die net als ik hadden geleerd om letterlijk iedereen in uniform te wantrouwen. Er klonken geen kreten van moeders die hun kinderen verloren. Geen commentaarstem schonk daar aandacht aan. Wat we wel zagen, waren door computers uitgebraakte beelden van raketten die over keurige plattegronden van Bagdad vlogen, met op de achtergrond een helderblauwe hemel.

Ik heb een hekel aan alle oorlogen omdat ik alleen maar zie welke gevolgen ze op het leven van gewone mensen hebben. Toch denk ik dat de dag waarop er een einde aan het bewind van Saddam Hoessein kwam een van de gelukkigste van mijn leven was. Ik wilde dolgraag teruggaan en het Iraakse volk helpen, zoals ik ooit tegen mijn moeder had gezegd. Ik wilde mijn steentje bijdragen aan de heropbouw en een kantoor in Bagdad openen om de kennis die ik in andere landen had opgedaan met de vrouwen van Irak te delen. Toen ik na het einde van de oorlog naar Irak vertrok, amper drie weken na de eerste aanval, besefte ik niet goed wat me te wachten stond. Ik zat in een vliegtuig met slechts acht passagiers die allemaal voor een of andere ngo werkten. Toen het toestel landde op de luchthaven waar mijn vader jarenlang had gewerkt, werd ik verscheurd door tegenstrijdige gevoelens. Op onze landingsbanen zag ik Amerikaanse soldaten en Amerikaanse toestellen staan, omringd door uitgebrande Iraakse vliegtuigen en tanks.

'Wie hoort er bij Women for Women International?' vroeg een kapitein die in de vipruimte de papieren controleerde. Dat vertrek had ik voor het laatst gezien toen ik voor mijn huwelijk met Fakhri naar Amerika was gevlogen.

'Ik,' zei ik zenuwachtig. Ik was nog steeds bang voor mannen in militaire uniformen.

'Welkom in Irak,' zei deze kapitein Chasteen, die me de hand schudde. 'We kunnen u en uw organisatie hier goed gebruiken.'

Sprakeloos schudde ik hem de hand. Een soldaat die wist wat we deden? Het bleek dat hij me ooit bij Oprah Winfrey had gezien en dat zijn vrouw en hij onze organisatie al twee jaar steunden. Hij zei tegen me dat hij vond dat de vs meer aandacht moesten schenken aan dergelijke initiatieven omdat ze daardoor misschien sneller de harten en het vertrouwen van het Iraakse volk zouden kunnen winnen. Ik beschouwde dat als een teken dat ik op de goede weg was. Toen ik vanaf de uitgestrekte en verlaten luchthaven naar de stad reed, passeerde ik de weg die naar ons weekendhuis leidde. Ik wendde mijn blik af en keek naar het silhouet van Bagdad, met zijn verkoolde palmen en geplunderde, nog steeds nasmeulende ruïnes. Ik werd overspoeld door emoties. Tranen stroomden over mijn wangen. Mijn stad was vrij; mijn stad was een ruïne. De Moekhabarat bestond niet meer; jochies van tien richtten kalasjnikovs op voorbijgangers. Onder Saddam was geweld min of meer een monopolie van de overheid geweest, maar nu had het zich over alle buurten en alle lagen van de bevolking verspreid, zodat iedereen die een wapen bezat, criminele bedoelingen had of op wraak zinde, zich kon overgeven aan verkrachting, plundering of diefstal.

Bij iedereen liepen de tranen over de wangen. Mijn vader omhelsde me steviger dan hij ooit had gedaan. Hij zei dat hij tijdens de bombardementen had gevreesd zijn kinderen nooit meer te zullen zien. Samen met andere familieleden had hij een eigen bunker gebouwd, en hij had een beroerte gekregen toen een granaat hen trof. Vijf van de tien mensen in die bunker waren gewond geraakt, en het duurde drie dagen voordat ze een dokter hadden gevonden.

Saddam Hoessein hield zich nog steeds ergens verborgen, maar voor het eerst in mijn leven zag ik een bres in de muur van angst die hij had opgetrokken. Ik begon zo hard als ik kon op die muur te bonken; ik sprak met vrouwen die zich in de moskeeën verzamelden en in gevangenissen naar hun dierbaren zochten, ik luisterde naar hun vehalen en deed alles om te voorkomen dat deze vrouwen weer het zwijgen zou worden opgelegd. Elk verhaal was anders, elk verhaal was even boeiend. Toen ik naar het huis van mijn oom Adel reed, zag ik een handgeschreven boodschap op de muur van het huis van de sjiitische fabrikant die jaren eerder naar Iran was uitgewezen: DIT HUIS IS WEER IN HANDEN VAN DE OORSPRONKELIJKE BEWONERS. Ik luisterde uren naar de vrouw die er nu woonde en die me vertelde over gedwongen marsen en gevangenschap. Toen ze na twintig jaar ballingschap in Iran met haar gezin was teruggekeerd, had ze in een van de slaapkamers stapels documenten en een tafel met elektrische apparaten aangetroffen. Het bleek dat de geheime politie hun huis als martelkamer had gebruikt. Een van de slachtoffers had een testament achtergelaten, maar zijn beulen hadden niet de moeite genomen dat naar zijn familie te sturen.

Toen ik bezig was vast te stellen hoe we in Bagdad het beste hulp konden bieden, kwam de oude pijn uit mijn jeugd naar boven die ik al die tijd zo goed had weten te onderdrukken. Grenzen vervaagden. Ik voerde besprekingen met Amerikaanse ambtenaren in de oude paleizen van Saddam, omringd door gouden kranen en geesten uit het verleden. Toen mijn chauffeur ontdekte wat voor werk ik deed, vertelde hij dat zijn verloofde door Oedai was verkracht. Een lijfwacht van een van Saddams broers bekende dat hij vroeger tienermeisjes had misbruikt. Ik leerde een vrouw kennen die vertelde dat Oedai bij een vriendin van haar een tepel had afgesneden, en een andere vrouw vertelde me dat haar zus door een broer van Saddam was gedood omdat ze had gedreigd te onthullen dat hij haar had verkracht. Een bewaker vertelde me dat verkrachtingen een onderdeel vormden van het martelen van vrouwen, en een arts met wie mijn moeder bevriend was geweest, onthulde dat ze in het geheim verkrachtingsslachtoffers van 'Iraanse origine' had behandeld die nooit waren gedeporteerd, maar met hun kinderen in de gevangenis waren beland. Hoeveel van zulke verhalen waren er? Hoeveel vrouwen waren er verkracht? In Bagdad waren geen verkrachtingskampen zoals in Bosnië, hier hadden geen massale verkrachtingen plaatsgevonden zoals in Rwanda of Congo. Hier was het veel onopvallender geweest, wat mijn werk moeilijker maakte. Ik wist hoe ik mijn werk in andere landen moest doen, en daar deed ik het goed. Maar ik was niet voorbereid op wat het betekende om het in mijn eigen land te moeten doen, bij mijn eigen volk, in mijn eigen taal. Ik had geen idee hoe het was om een pijn te moeten delen die me grotendeels heeft gemaakt tot wie ik nu ben.

Nu amo niet langer aan de macht was – maar wel nog steeds spoorloos – wilde ik vooral gerechtigheid voor de Iraakse vrouwen. Ik wilde gerechtigheid voor de zigeunervrouwen wier mannen hij naar het front had gestuurd, voor de vrouwen uit de dorpjes die

Saddam had verkracht onder het voorwendsel dat hij hen kwam helpen. Eigenlijk wilde ik vooral weten wat er met één vrouw in het bijzonder was gebeurd: met mijn moeder. Wat had ze me proberen te vertellen toen ze zo naar lucht had zitten happen?

Ik besloot de vriendinnen van mijn moeder te vragen wat zij wisten. In gedachten bereidde ik mijn vragen voor. U kunt me vertrouwen, net zoals u mijn moeder hebt vertrouwd, wilde ik zeggen. Mama heeft me al heel veel verteld, maar u weet hoe ziek ze was, ze kon op het laatst niet meer praten. Vertel me, wat is er gebeurd? Ik ben haar dochter. Ik ben nu volwassen. Ik moet weten waarover u al die jaren geleden in de tuin hebt zitten fluisteren. U kunt me vertrouwen; niet alleen omdat ik de dochter van uw vriendin ben, maar ook omdat ik wereldwijd hulp heb verleend aan vrouwen die een oorlog hebben meegemaakt. Ik weet wat vrouwen te vertellen hebben die zulke gruwelijkheden hebben beleefd.

Ik begon met tante Nahla, van wie ik me herinnerde dat ze tijdens het etentje had verteld wat er op de Dag van het Volk was gebeurd.

'Zanoooooooba!' riep ze toen ze me zag. Ze sloot me in haar armen. 'Hij is er niet meer. O, ik wou dat je moeder hier was, dan kon ik het samen met haar vieren!'

Ze vroeg me binnen te komen, en al snel werd ik omringd door haar echtgenoot en dochters en kleinkinderen. We lachten, dronken Turkse koffie en aten *gliche* en baklava. Het was gezellig, maar het duurde wel even voordat ik haar onder vier ogen kon spreken.

'Tante Nahla,' zei ik, 'ik wil u een paar dingen over mama vragen.'

'O, lieverd, je moeder en ik hebben samen zoveel meegemaakt! Ik ben blij dat ik daar nu niet meer aan hoef te denken. Ik mis haar zo. Toen Saddam nog aan het bewind was, wenste ik soms dat ik me bij haar kon voegen, in de dood.'

Ze vertelde over allerlei misdaden die tijdens het bewind van Saddam waren begaan, maar zweeg over de vrouwen. Ik probeerde haar voorzichtig de juiste richting op te sturen, zodat ik de lege plekken in mama's levensverhaal zou kunnen opvullen.

'Op een dag zal ik je wel over vroeger vertellen,' zei ze, terwijl ze een dienblad voor me neerzette. 'Maar nu moet je wat fruit nemen, dan kunnen we vieren dat je er weer bent.'

Rakel het verleden niet op, smeekte ze met haar ogen, en toen keek ze even naar haar gezin om zich heen.

Toen ik bij tante Nada op bezoek ging, was Luma er ook. Ik was verbijsterd toen ik merkte dat ze de waarheid nog steeds niet wilden horen.

'Ik snap niet waarom iedereen viert dat amo nu weg is, Zainab,' zei tante Nada. 'Hij heeft ons nooit iets misdaan.'

Maar anderen wel, dacht ik, maar ik zei niets. Laat het u koud dat hij anderen wel van alles heeft misdaan, en dat een heel volk heeft moeten lijden?

'Hij heeft niets verkeerds gedaan,' verklaarde Luma op de zelfingenomen toon die ik me van vroeger kon herinneren. 'Ze zeggen zelfs dat hij de Koerden heeft gebombardeerd.'

Het was alsof we in de keuken van het weekendhuis zaten. Nu ik tegenover de vriendinnen van amo zat, een dienblad met koffiekopjes tussen ons in, kon ik de angst nog steeds voelen. Ik vroeg me af wat zij me zouden kunnen vertellen, maar kwam uiteindelijk tot de conclusie dat ik liever niet te lang met hen wilde praten.

'Hoe gaat het met Sarah?' vroeg ik.

'O, die gekke zus van me,' zei Luma. 'Ik weet niet wat er in haar is gevaren sinds ze in Engeland zit!'

We praatten nog even beleefd verder. Het bleek dat Sarah uit liefde was getrouwd en in het buitenland was gaan wonen. Toen ik haar later tijdens een van mijn bezoeken in Engeland opzocht, tastten we elkaar eerst even af, ons afvragend wat we aan de ander hadden. Ze vertelde me dat ze pas in het buitenland had ontdekt hoe amo echt was en toen zo kwaad was geworden dat ze een paar jaar lang helemaal geen contact met haar familie had willen hebben. Nu hadden ze zich verzoend, maar ze kon hen nog steeds niet van de waarheid overtuigen. Ze had rust gevonden bij haar man en kinderen, vertelde ze, maar ze wilde het verleden liever niet oprakelen. We hebben elkaar sindsdien nooit meer gezien. We herinneren elkaar er alleen maar aan dat de nachtmerrie echt was.

Iedere 'tante' bij wie ik op bezoek ging, ontving me zoals ze mijn moeder zouden hebben ontvangen. Hoewel ik niet rookte, boden ze me sigaretten aan, en ik kreeg mijn Turkse koffie zoals mama die had gedronken, zonder suiker. Maar ze praatten met mij niet zoals ze met mama hadden gepraat.

'Je lijkt zo ontzettend veel op je moeder!' zei tante Layla tegen me. 'Ik mis haar zo!'

Van al mijn moeders vriendinnen was zij het openhartigst. Ik weet nog dat we een keertje ergens in het buitenland in een winkelcentrum de lift namen en zij opeens zei: 'Laten we het over amo hebben.' In die tijd had amo er al voor gezorgd dat mama haar eigen vriendinnen niet meer vertrouwde, en ik weet nog dat ze haar blik afwendde.

Ik vroeg tante Layla iets wat ik altijd al had willen weten. 'Tante Layla,' zei ik, 'weet u wat er met die Abbasidische munt van mama is gebeurd?'

Dat was een simpele vraag, zeker in vergelijking met de andere vragen die ik haar wilde stellen, en ze vertelde me dat zij erbij was geweest toen mama hem de munt had gegeven.

'Amo maakt het pakje open, maar toen hij later wegging, vergat hij het en liet de munt liggen,' zei ze. 'Je moeder moest hem achterna-rennen om te zeggen dat hij hem was vergeten.'

'Tante Layla, ik zou heel graag meer willen weten over alles wat u en mijn moeder en de andere tantes hebben meegemaakt,' zei ik. 'Zou u me willen helpen?'

'Ik wil gewoon mijn rust hebben, lieverd,' zei ze.

Ik drong aan. Ze moest met me praten.

Ze zei dat ik moest oppassen voor Raghad en Rana. Wat zouden die zeggen als ze hoorden dat we het over amo hadden? 'Ik ben nog steeds bang voor hen,' zei ze. 'Waarom wil je dat nu allemaal weten, Zainab? Ze zijn nog steeds onder ons. Misschien kunnen we het er later eens over hebben.'

'Hoeveel later, tante Layla?' vroeg ik. 'Als zijn dochters dood zijn, of als zijn kleinkinderen dood zijn, of als zijn hele stam er niet meer is? Hoe lang moeten we gevangenen van onze eigen angst zijn?'

Toen ik bij haar wegging, was ik teleurgesteld en gefrustreerd. Ik had het gevoel dat mijn tantes aan de angst gewend waren geraakt, op dezelfde manier waarop mensen gewend konden raken aan een saaie baan of een slecht huwelijk. Ik wist dat het moeilijk was om over persoonlijke kwesties te spreken, zeker wanneer het om de vrouwelijke seksualiteit ging. Ik wist dat dat tot geroddel of zelfs het verlies van eer kon leiden. Maar ik had tijdens mijn jeugd ook altijd gedacht dat mijn tantes vrije, onafhankelijke vrouwen waren. Ik kende hen. We spraken dezelfde taal. Een groot deel van de vrouwen die ik in andere landen had bijgestaan, hadden tot een lagere sociale klasse behoord of waren in economisch opzicht minder goed af geweest. Na enig nadenken besefte ik dat de aarzeling van mijn tantes met hun afkomst te maken had. Ze maakten zich zorgen over de naam van de familie, over hun eer en het sociale aanzien. Voor vrouwen die alles hadden verloren, ook hun echtgenoten, kinderen, andere familieleden, huizen en soms zelfs hele gemeenschappen, was sociaal aanzien hun laatste zorg.

Ik had een enorm ontzag voor de moed van de vrouwen die ik over de hele wereld had leren kennen. Ik dacht aan Nabito, een vrouw uit een dorpje in Congo die van huis en haard was verdreven. De oorlog daar had vier miljoen levens gekost, en tienduizenden vrouwen waren verkracht. Nabito had ondanks alles haar waardigheid weten te behouden, beter nog dan de sterkste vrouwen die ik ooit had leren kennen. Ze was de witharige moeder van twaalf kinderen en had de wreedste kant van de mensheid leren kennen. Ze was door een groep mannen verkracht die tijdens die gruweldaad haar armen, buik en benen met messen en machetes hadden bewerkt, en ze hadden haar arm met zoveel geweld gebroken dat haar onderarm altijd krom zou blijven. Ze droegen een van haar zonen op haar te verkrachten, maar toen hij weigerde, schoten ze hem dood. De hele tijd hoorde ze haar dochters schreeuwen die rondom haar werden verkracht. Ik zat inwendig te beven toen ze me haar verhaal vertelde.

'Wat moet ik doen, Nabito, wanneer ik verhalen als het jouwe hoor?' had ik haar gevraagd. 'Moeten we de wereld vertellen over het onrecht dat jou is aangedaan, in de hoop dat we andere vrouwen voor dit lot kunnen behoeden, of moeten we het geheim houden en aan niemand vertellen? Wat vind jij?'

Nabito had me recht aangekeken en geantwoord: 'Als ik de hele wereld kon vertellen wat mij is aangedaan en daardoor de daders zou kunnen straffen of zou kunnen voorkomen dat ze dit andere vrouwen aandoen, dan zou ik dat doen. Maar dat kan ik niet. Jij moet het doen. Vertel de hele wereld wat me is overkomen, maar vertel het alsjeblieft niet aan mijn buren.'

Terwijl het lot van Irak nog steeds ongewis was, reisde ik alweer naar andere brandhaarden, en tijdens mijn volgende bezoek aan Congo zocht ik Nabito weer op. Die dag deed ik iets wat ik nog nooit eerder had gedaan. Ik legde mijn hoofd in de schoot van de vrouw die ik wilde helpen en begon te huilen. Nabito liet me uit haar kracht putten, zonder te vragen waarom. Ze liet me op de een of andere manier inzien dat ik in Irak de buurvrouw was. Ik had geprobeerd mijn tantes te 'dwingen' om de waarheid te vertellen, maar wat hun waarheden ook waren, het waren de hunne, en niet de mijne. Het was vreselijk arrogant van me geweest om dat van hen te vragen, alleen maar omdat ik mijn eigen nieuwsgierigheid wilde bevredigen en rust hoopte te vinden. De ene gedachte leidde tot de andere: ik had slechts recht op één verhaal, en dat was het mijne. Wat Fakhri mij had aangedaan, was niets in vergelijking met wat deze vrouwen hadden meegemaakt, maar toch durfde ik er niet over te praten, deels omdat ik daardoor zwak zou lijken en juist graag sterk wilde overkomen. Ik was mezelf als een moedige vrouw gaan zien die altijd de waarheid sprak, maar misschien kwam dat wel omdat anderen me zo zagen. Ik sprak vooral over de moed van andere vrouwen, een moed die ik zelf niet bezat. Was ik zelf soms ook te veel gewend geraakt aan mijn eigen angst?

Op een middag zat ik voor het huis van mijn oom naar de hemel boven de Tigris te kijken, die langzaam een dieprode kleur kreeg omdat de zon onderging en er aan de horizon een zandstorm naderde. Duizenden riviermeeuwen vlogen tussen de wolken door, heen en weer, opduikend, verdwijnend en weer verschijnend. Wat was moed eigenlijk? Ik had andere vrouwen geholpen om hun ervaringen bespreekbaar te maken en had daarna de rest van de wereld verteld wat er was gebeurd, zodat we allemaal konden begrijpen wat ze hadden doorgemaakt. Maar ik was nooit zo open-hartig tegen die vrouwen geweest als zij tegen mij waren. Niet één keer. Ik had hun onder de neus gewreven dat ze niet mochten blijven zwijgen, maar ik durfde zelf niets te zeggen. Ik sprak me uit tegen de angst, maar ik was bang. Ik zei dat onrechtvaardigheid moest worden bestreden, maar ik had nooit iets ondernomen tegen de onrechtvaardigheid die mijn eigen land en mijn eigen volk had getroffen.

Moed heeft niets te maken met je uitspreken tegen de onrechtvaardigheid die anderen treft, maar alles met het onthullen van je diepste geheimen, waarbij de kans bestaat dat je je dierbaren kwetst. Ik wilde niet zo worden als mijn moeder en grootmoeder, die altijd zijn blijven zwijgen en hun verhalen met zich meenamen in het graf. Ik wilde niet zo worden als hele generaties vrouwen die met hun geheimen zijn gestorven omdat ze de familie-eer niet wilden schenden of hun man geen pijn wilden doen. Maar had ik de moed om het beeld dat ik van mezelf had geschapen en waarvoor ik zo hard had gewerkt – het beeld van de sterke, onafhankelijke vrouw die strijdt voor de rechten van andere vrouwen – te bezoedelen? Had ik de moed om te laten zien dat ik kwetsbaar was en een gearrangeerd huwelijk had gesloten met een man die me had misbruikt? Had ik de moed om daarover te praten, ook als mijn vader dan zou moeten huilen?

Ik moest telkens denken aan een gedicht van Roemi, een soefisch dichter uit de middeleeuwen wiens werk Amjad en ik vaak aan elkaar voorlazen. Het gedicht ging over drie vissen in een meer die vissers met hun netten zagen naderen. De eerste vis was de slimme vis. Toen die de vissers zag, zei hij: 'Ik ga ervandoor,' en hij besloot de andere twee niets te vertellen. 'Anders proberen ze me alleen maar om te praten, omdat ze het hier fijn vinden,' zei de slimme vis. 'Dit noemen ze thuis. Hun onwetendheid houdt hen hier.' En zo begon de eerste vis aan de zware reis die hem naar de zee moest voeren. De tweede vis was iets minder slim. 'Mijn gids is verdwenen,' dacht hij. 'Ik had mee moeten gaan, maar dat deed ik niet, en nu kan ik niet meer ontsnappen.' Hij besloot net te doen alsof hij dood was en ging met zijn buik omhoog liggen, zodat ze hem niet zouden vangen. Een visser trok hem aan zijn staart uit het water, spuugde op hem en gooide hem neer. De vis rolde stilletjes terug het water in en wist te overleven. De derde vis, de domme vis, wilde net uit het water springen om te laten zien hoe slim hij was, toen het net zich om hem heen sloot. Toen hij in de pan lag, dacht hij: 'Als ik hier uit weet te komen, ga ik nooit meer terug naar dat meer. Volgende keer wordt het de zee. De oneindige zee wordt mijn thuis.'

Telkens wanneer ik dat gedicht las, zag ik mijn ouders als de middelste vis. Was ik soms ook de middelste vis?

Het lot houdt ieder mens op zijn eigen manier een spiegel voor. In mijn leven verscheen het lot in de vorm van een dvd vol beelden die in de paleizen van Saddam waren opgenomen.

'Zainab, we zagen je op een van de dvd's die op straat worden verkocht,' zei de vrouw van Dawood op een dag tegen me, toen we bij oom Adel thuis zaten – het fijnste van mijn bezoek aan Bagdad vond ik dat ik mijn neven, nichten en hun kinderen zo vaak kon zien. 'Mijn zoon van negen herkende je.'

'Wat?'

Ze gaf me een dvd met een hoesje waarop slecht gekopieerde foto's van amo en zijn dochters te zien waren, en ze vertelde wat erop stond. Tussen het puin van een van amo's paleizen had iemand een videoband met opnamen van een van de feestjes gevonden. De vinder had de beelden op dvd overgezet en verkocht de schijfjes nu op straat, onder het mom dat ze een kijkje in het leven in de paleizen boden. Ik durfde er pas naar te kijken toen iedereen in huis al naar bed was. Ik ging vlak voor de tv zitten en zette hem aan. De beelden wisselden elkaar hortend en stotend af; de plunderaars waren tijdens het kopiëren blijkbaar niet al te zorgvuldig te werk gegaan. De film begon in zwart-wit en ging toen verder in kleur. Ik zag vrouwen die ik al jaren niet meer had gezien dansen op traditionele muziek, gekleed in de opzichtige jurken vol glittertjes die in de jaren tachtig mode waren geweest. Terwijl ik naar hun zwierende gestaltes keek, voelde ik dat al mijn oude vooroordelen nog in al hun hevigheid aanwezig waren. Daar was Sajida, met haar hooghartige, veel te zwaar opgemaakte gezicht, en haar dochter Hala, wier lijfwacht Hassan als een voetbal in het rond had gegooid. Ik zag Raghad en Rana en probeerde medelijden voor hen te voelen omdat ik nu wist dat hun vader op een dag hun echtgenoten zou laten doden, maar ik kon het niet.

303

Welk feestje was het? Ik had geen idee. Het was een groot vertrek vol vloerkleden ergens in Bagdad, misschien wel in een paleis, maar het was moeilijk te zeggen waar precies. Afgezien van de zangeres was het gebabbel van de vrouwen op de achtergrond het enige wat ik kon horen. Hun stemmen klonken iets luider dan gebruikelijk, zoals op feestjes wel vaker het geval is. Soms viel het geluid helemaal weg en dansten de vrouwen in stilte, met hun armen gekruist boven hun hoofd. Toen zat ik opeens oog in oog met het meisje voor wie ik me had willen verstoppen, de dochter van de piloot, een meisje van hoogstens zeventien, half zo oud als ik nu was. Mijn haar was toen nog lang en krullend. Ik droeg een grijze jurk en zat op een van de talloze banken die voor het feest tegen de muur waren geschoven. De cameraman moest zijn statief helemaal aan de andere kant van de ruimte hebben neergezet, want ik zat op de achtergrond, de plek waar ik het liefste was. Ik klapte zonder veel enthousiasme in mijn handen, net niet op hetzelfde moment als de vrouwen om me heen. Op een gegeven moment stond het meisje dat ik was geweest verlegen op, toverde haar plastic glimlach tevoorschijn en voegde zich bij de anderen, die een vaderlandslievend lied inzetten.

Alle oude angsten die ik tijdens die feestjes altijd had gevoeld, kwamen in één keer terug. Ik had het allemaal weggestopt, op dezelfde manier waarop mijn tantes hun oude levens hadden weggestopt, maar nu was iemand mijn gehate verleden binnengedrongen en was mijn 'kunstmatige' leven weer werkelijkheid geworden. Ik was als voorzitter van een internationale vrouwenorganisatie naar Irak gekomen, maar hier was ik weer het kind dat bekend had gestaan als de dochter van een van de mannen uit het kringetje rond de tiran die dit land naar de afgrond had gebracht. Zou ik worden herkend?

Ik lag bijna de hele nacht wakker, in dezelfde kamer waar ik lang geleden mijn moeder na haar zelfmoordpoging had vastgehouden, bang haar te verliezen. Ik was bang. Maar ik was nog banger voor de angst. Ik kon mijn leven niet langer in stukjes verdelen. Ik kon niet langer mijn ogen sluiten voor wie ik was, en ik wilde degene die ik was geworden niet opofferen. Ik was dat meisje. Ik ben deze vrouw. Ik ben beiden.

Ik was op een congres in Jordanië toen het nieuws bekend werd gemaakt dat Saddam Hoessein gevangen was genomen. Op het tv-scherm zag ik amo tevoorschijn kruipen uit wat de Amerikaanse soldaten een 'spinnenhol' noemden. Het was geen bunker met airco. Er stonden geen rekken vol conserven of dozen met whisky, er was zelfs geen lijfwacht of een stuk zeep. Hij had in Tikrit in de modder geleefd, in een gat dat hij zelf had gegraven. Toen hij uit dat gat kroop, vuiler en verfomfaaider dan ik me ooit had kunnen voorstellen, werden de man die ik als amo kende en de dictator die ik Saddam Hoessein noemde voor mij eindelijk één persoon. Ik schrok me kapot toen ik merkte dat ik uit medelijden zat te huilen. Mijn tranen waren meer voor mezelf dan voor hem: ik wilde niet genieten van de vernedering van een ander, ook al was hij mijn vijand. Toen we op het congres allemaal naar de tv zaten te kijken, keek een van de Iraakse vrouwen ons aan en zei: 'Dat is als vergelding voor mijn vader.' Later die dag hoorde ik dat haar vader op dezelfde dag was gedood als de vader van Basma. 'Dit is om mijn broer te wreken,' zei een man uit Irak, en ik mompelde zachtjes in mezelf: 'Voor mijn moeder.' Ik kon mijn angst niet langer voor mezelf rechtvaardigen. Ik had niets met de regering te maken en verkeerde niet in de positie om amo voor een rechter te slepen, maar ik kon wel doorgaan met mijn eigen, persoonlijke waarheids- en verzoeningscommissie.

Ik wilde met mijn vader praten. Dat had ik al eerder geprobeerd, maar hij leek vast te zitten tussen heden en verleden, een verloren ziel die op zoek was naar zijn eigen rust. De avonden bracht hij met zijn tweede vrouw door, maar 's morgens wandelde hij uren door onze oude buurt of werkte hij in onze tuin. Tijdens mijn afwezigheid had hij geduldig de heggen en bomen door zorgvuldig snoeien in hoog oprijzende kunstwerken veranderd. Hij kon niet langer vliegen, maar wanneer hij bij ons in de achtertuin in de Luchtvaartbuurt stond, werd hij omringd door enorme bebladerde vogels die in de aarde waren geworteld en elk moment hun vleugels leken te kunnen uitspreiden.

Baba, juist u had ons naar de vrijheid kunnen vliegen. Waarom hebt u dat niet gedaan?

Ik had zijn nieuwe vrouw nooit ontmoet omdat ik na de bittere scheiding van mijn ouders trouw aan mama had willen blijven, maar op een dag besloot ik dat ik vrede in ons gezin wilde en ging ik naar hun huis om kennis met haar te maken. Baba omhelsde me met tranen in zijn ogen, liet me binnen en stelde me aan haar voor. Ze was zo vriendelijk om mij en baba wat tijd samen te gunnen. We zaten met zijn tweetjes in hun tuin en dronken thee, knabbelden op verse amandelen en pistachenoten en ademden de naar munt ruikende tabak uit mijn opa's oude waterpijp, de *sjisja*, in. Het was een prachtige avond. Voor het eerst sinds lange tijd voelde ik me weer op mijn gemak bij hem, en ik zag aan zijn gezicht dat hij zich wat meer begon te ontspannen.

Nu ik een nieuw soort nederigheid voelde, kon ik hem pas vragen stellen over het verleden. 'Ik wil het met u over amo hebben, baba,' zei ik. 'Mama heeft me al veel verteld en ik heb haar veel kunnen vergeven; mijn huwelijk, het feit dat ik in Amerika achterbleef, dat soort dingen.'

'Je weet dat ik wilde dat je hier zou blijven, Zainab,' zei hij.

'Ja, baba, dat weet ik, en dat heb ik altijd kunnen waarderen,' zei ik. 'Nu wil ik graag meer te weten komen over uw relatie met amo. Nu hij van het toneel is verdwenen, wil ik het hebben over al die dingen waarover we vroeger nooit mochten praten. Maar ik wil vooral één ding weten, baba: waarom bent u niet weggegaan?'

Hij dacht erover na. Ik wist niet of hij wel antwoord zou geven.

'Weet je, Zainab, ik heb nooit vrienden met hem willen zijn, en je moeder ook niet,' zei hij. 'We hadden geen belangstelling voor politiek of politici, dat hebben we nooit gehad, en we bleven onszelf maar wijsmaken dat hij nooit zo dicht bij ons in de buurt zou komen. Tegen de tijd dat hij onze levens begon te bepalen, was het te laat om nog te vertrekken. Het was te gevaarlijk voor de familieleden die achter zouden blijven.'

Voor het eerst in zijn leven gaf mijn vader tegenover mij toe dat hij bang voor amo was geweest. Ik vroeg me af waarover hij tijdens zijn dagelijkse wandelingen allemaal nadacht.

'En trouwens, Irak is mijn thuis, Zainab. Dit is mijn land. Ik had drie kinderen voor wie ik moest zorgen en die ik een goede opleiding wilde bieden. Hoe had ik voor jullie kunnen zorgen als we het land waren ontvlucht? Als we weg waren gegaan, had ik je nooit zo'n leven kunnen bieden, Zainab. En toen ik de kans kreeg, was de prijs zo hoog dat ik die niet wilde betalen.'

'U had de kans om te vluchten, maar u hebt het niet gedaan?'

Hij vertelde me een verhaal waarvan ik me vaag kon herinneren dat ik het jaren geleden ook al eens had gehoord, al wist ik niet precies waar en wanneer. Het ging over een hoge piet bij Boeing die dolgraag toestellen aan Saddam Hoessein wilde verkopen. Toen baba een keer bij hem op kantoor zat, had de man hem een blanco cheque onder de neus geschoven en gezegd: 'Een miljoen? Meer? Vul maar wat in!'

'Ik heb hem die cheque teruggegeven,' zei baba. 'Als ik zijn aanbod had aangenomen, had ik alles verloren waar ik in geloofde: mijn normen en waarden, mijn principes, mijn eigenwaarde. Dat kon ik niet, Zainab. Ik heb er geen spijt van. Dat heb ik nooit gehad. Ik ben hier gebleven en heb daar een prijs voor betaald, maar ik had nog veel meer moeten boeten als ik mijn eigenwaarde zou hebben verloren.'

Ik moest denken aan die koppige man die Samira de toegang tot ons huis had geweigerd, puur uit principe. Voor de eerste keer in jaren voelde ik enorm met mijn vader mee en had ik erg veel respect voor hem. Aan het behoud van zijn integriteit had een prijskaartje gehangen, maar ik begreep nu tenminste waarom hij zo had gehandeld. Wat betekende moed voor hem? Geen concessies doen aan zijn eigen normen en waarden? Ons gezin had moeten boeten, maar nu ik hem dit allemaal hoorde vertellen, besefte ik dat ik liever de dochter was van een man die een dergelijke keuze had gemaakt dan de dochter van een man die het geld had aangepakt en zijn eigen land had verkocht. Wie zei dat je moed maar op één manier kon zien? Dat de enige slimme vis de eerste vis was? O, God, dacht ik, toen ik daar met mijn vader zat, wie heeft me het recht gegeven om een oordeel over mijn ouders te vellen? We moesten ieder onze eigen weg zoeken. Dat zag ik nu wel in, en ik wilde dat baba het ook zou inzien.

'U hebt me vernoemd naar iemand die befaamd was om haar moed en om het feit dat ze zich tegen onrecht uitsprak,' zei ik. 'Ik heb mezelf ook heel lang als zo iemand gezien, totdat ik werd geconfronteerd met de vraag of ik me moest uitspreken of omwille van mijn familie mijn mond moest houden.'

En toen vertelde ik mijn vader over de persoonlijkste gebeurtenissen uit mijn leven. Ik vertelde hem over Fakhri, over de twijfels die ik had gevoeld toen ik me afvroeg of ik wel of niet moest praten over wat hij me had aangedaan. Ik vertelde hem dat ik het gevoel had dat ik twee levens leidde en dat ik, als ik die twee met elkaar wilde verenigen, niet langer kon zwijgen. Ik geloofde niet dat de eer van de familie tot elke prijs moest worden bewaard, niet wanneer dat betekende dat de vrouw moest zwijgen over wat haar en haar familie was aangedaan. Ik had niet durven praten over problemen in de familie en al helemaal niet over seks, omdat ik bang was dat iemand dan zou denken dat ik schande over mijn familieleden bracht, maar als er íéts was waarover een vrouw kon beschikken, dan was het haar stem, of niet soms? En als ik mijn stem wilde verheffen om mijn verhaal te vertellen, hoe kon ik dat dan doen zonder te praten over degenen die me het dierbaarst waren?

'U hebt bepaalde keuzes gemaakt omdat u uzelf trouw wilde blijven, baba,' zei ik. 'Nu is het mijn beurt om dat te doen, en daarbij heb ik uw steun nodig. Ik wil me kunnen uitspreken, en dat betekent dat ik niet langer kan zwijgen over de band tussen ons gezin en amo. Ons gezin is altijd verdwaald geweest tussen twee werelden, baba. Mensen in het paleis beschouwden ons als buitenstaanders, en mensen buiten het paleis zagen ons als vrienden van Saddam. Als we blijven zwijgen, zal iedereen denken dat we instemmen. Ik kan niet langer zwijgen. Als we nu niet onze eigen waarheid naar buiten brengen, zal de geschiedenis dat voor ons doen.'

Nadat ik was uitgesproken, bleef hij een tijdje zwijgen. De frons op zijn voorhoofd werd dieper.

'Het is jouw beslissing, Zainab,' zei hij ten slotte. 'Ik wil alleen maar dat je weet dat ik altijd mijn best heb gedaan om een goede vader voor je te zijn.'

Meer kon ik niet van hem vragen. 'Dat weet ik, baba,' zei ik. 'Ik hou van u.'

En toen sloegen we onze armen om elkaar heen en probeerden te begrijpen welke keuzes de ander had moeten maken, en tegen welke prijs.

Ik was nog heel klein toen mijn vader me leerde hoe het voelt om te vliegen. Later duwde mijn moeder me de kooi uit. Ik koos niet voor de vluchtroutes die ze me beiden hadden gewezen, maar samen gaven ze me vleugels.

We richtten in het huis van mijn opa een afdeling van Women for Women International in. Mama had me vroeger verteld dat liefdadigheid in haar ouderlijk huis een grote rol had gespeeld, en daarom ging ik na mijn aankomst in Bagdad op zoek naar dat huis. De buurt was in armoede vervallen, vreemden werden vol argwaan bekeken. De straten lagen vol vuilnis die niet werd opgehaald en riolen functioneerden niet – het was allemaal onderdeel van Saddams pogingen om de voornamelijk door sjiieten bewoonde wijken in Bagdad en andere steden te veranderen in arme achterbuurten. Toen ik de straat inliep waar mama was opgegroeid en haar oude huis probeerde terug te vinden, voelde ik dat mensen van achter hun ramen naar me keken.

'Wat zoekt u?' vroeg een man me argwanend.

'Ik ben de kleindochter van Hajji Mohammed,' zei ik, de naam van mijn opa gebruikend, 'ik ben zijn kleindochter.'

De uitdrukking op zijn gezicht veranderde op slag. Hij spreidde zijn armen. 'Natuurlijk!' riep hij uit.

Opeens werd ik omringd door een hele troep kinderen en voelde ik dat ik door vreemden werd meegesleept, het oude huis in. Er woonde nu een dakloos gezin, dat voor onze familie op het huis paste, en ze gaven me thee. Overal hadden zich duiven genesteld, en de ruiten waren kapot. Maar we wisten het huis van mama's jeugd te veranderen in een plek waar vrouwen elkaar konden ontmoeten, een nieuw vak konden leren en hun leven weer op de rails konden zetten. We legden kussens op de grond, zodat ze konden gaan zitten om te praten over hun sociale, politieke of economische rol in de maatschappij of zomaar met elkaar konden gaan zitten lachen of huilen. Ik kan me één bepaalde dag nog goed herinneren, toen we een kleine, maar belangrijke overwinning vierden: de buurt had een

succesvolle campagne gevoerd die duidelijk maakte dat ook vrouwen de straten konden reinigen en dat dat niet langer een taboe
hoefde te zijn. De binnenhof stond vol met honderden vrouwen in
zwarte abaja's. De tranen stroomden over mijn wangen, ik kon er
niets aan doen. Het huis zag eruit zoals ik me dat altijd had voorgesteld wanneer mijn moeder vertelde over de viering van Asjoera of
een van de andere gelegenheden waarbij mijn grootouders de deuren voor iedereen hadden geopend. Die dag gebruikten we dezelfde
pannen en schalen die mijn grootouders hadden gebruikt, alleen
vulden we die niet met *fesenjoon, tourshana* en rijst, maar met
broodjes kebab, pizza's en blikjes Pepsi.

'Ik ben er weer, mama,' zei ik tegen haar. 'En ik wou dat je bij me
kon zijn.'

Ik ging naar haar oude kamer boven, die nu een kantoor was
geworden, en liep het balkon op. Ik keek uit over de rivier waarvan
het waterpeil eindelijk weer steeg en ademde de lucht in die vrij was
van Saddam. Ik volgde de schaduwen van de meeuwen die boven
het aardekleurige water buitelden en herinnerde mezelf eraan dat
onze keuzen niet de gemakkelijkste waren. Amo had vissen bevolen
in zijn meren te zwemmen. Hij had de Tigris in een miezerig
stroompje veranderd en de eeuwenoude moerassen aan de kust
droog laten leggen. Wanneer kwam het moment waarop wij moesten kiezen? Ik hoorde de oproep tot gebed vanuit een moskee nabij
het eeuwenoude heiligdom van de profeet Khedir, ook wel bekend
onder de naam Elias. Ik keek naar de overkant van de rivier, waar de
veerlui opnieuw konden aanmeren en zag een van de oudste universiteiten ter wereld. Erachter zag ik een pluim zwarte rook opstijgen,
scherp afgetekend tegen de onrustige middaghemel. Hoeveel steden
ter wereld wilden zo graag overleven dat ze zichzelf in hun pogingen
daartoe bijna vernietigden? Hoeveel worden er zo oud en zijn nog
steeds ongeboren? De vochtige, frisse geur van de Tigris voerde me
terug naar mijn jeugd. Ik zag weer de ogen van mijn moeder voor
me, omrand met kohl, en ik zag haar zoals ze al die jaren geleden
hier op dit balkon had gestaan. Er gebeuren vreselijke dingen,
mama, maar amo is weg. Tussen de wereld der gruweldaden en de
wereld der goede daden is een plek gekomen waar we elkaar kunnen

ontmoeten. Er is een tuin waar vrouwen niet langer hoeven te fluisteren, dat weet ik. Je echte land is dat waarnaar je onderweg bent, heeft Mohammed gezegd, en niet waar je bent.

Nawoord

Nadat ik in de herfst van 2002 tijdens een bijeenkomst van vrouwelijke journalisten een toespraak over het lot van vluchtelingen had gehouden, kwamen er talloze toehoorders het podium op om vragen te stellen of commentaar te geven. Een van de vrouwen bij het podium kwam me bekend voor, maar ik kon me niet herinneren waar en wanneer ik haar eerder had gezien. Toen ze zich voorstelde als Laurie Becklund, journaliste uit Los Angeles, en me een vraag wilde stellen, onderbrak ik haar meteen. 'Tijdens de eerste Golfoorlog heeft er een artikel over mij in de *Los Angeles Times* gestaan. De verslaggeefster heette Laurie...'

Ze deed een stap achteruit en keek me aan. 'Je bent toch niet die Zainab?' vroeg ze, met een verwonderde uitdrukking op haar gezicht.

'Ja, dat ben ik. Ik zie er nu anders uit. Ik ben nu anders,' antwoordde ik, terwijl ik over mijn hele lichaam begon te beven.

Laurie, die tijdens de eerste Golfoorlog veel artikelen over Iraakse Amerikanen had geschreven, had me leren kennen tijdens een persconferentie die door de Iraaks-Amerikaanse gemeenschap in Los Angeles was georganiseerd. Ik was de jonge vrouw die stilletjes had staan huilen en daardoor haar aandacht had getrokken. Ze schreef over hoe ik in Amerika was gestrand en niet wist of mijn familie in Irak nog leefde. Dat was het eerste van een reeks artikelen in de *Los*

Angeles Times, en daarna volgden nog ettelijke interviews voor tv-zenders in de Verenigde Staten en andere landen waarin ik vertelde over het leven in Irak zoals ik dat kende, over Irakezen die ook gewoon een baan en een gezin hadden, en zelfs over een brief die mijn moeder me tijdens de oorlog had geschreven en waarin ze uit de doeken deed hoe moeilijk het was om te overleven. Veel Iraakse Amerikanen werden vanwege hun afkomst in het verdomhoekje gezet, maar ik leerde, voornamelijk dankzij haar artikelen, juist de vrijgevige en meelevende kant van het Amerikaanse volk kennen. In het winkelcentrum waar ik werkte, hielden mensen me staande om te vragen of ik nog iets nodig had. Ze omhelsden me en zeiden dat ze zouden bidden dat mijn familie de oorlog zou overleven.

Toen ik haar op de bijeenkomst voor journalisten tegenkwam, stonden de Verenigde Staten net op het punt om weer ten strijde te trekken tegen Irak. Toen ik mijn armen om haar heen sloeg en vocht tegen mijn tranen, wist ik dat het geen toeval was dat ik nu weer de vrouw tegen het lijf liep die mij door haar artikelen door een moeilijke periode had weten te loodsen.

Er gingen weken, maanden voorbij, en een nieuwe oorlog tegen Irak brak uit. Deze keer werd het regime van Saddam omvergeworpen, en ik besloot een boek te schrijven over de vrouwen van Irak omdat ik het gevoel had dat over hen nog te weinig was geschreven. Ik belde Laurie om haar te vragen of ze me daarbij wilde helpen. Dat deed ik zonder nadenken. Ik wist dat dit de reden was dat we elkaar twee jaar geleden weer tegen het lijf waren gelopen.

Dit boek begon niet als een autobiografie. Die wilde ik helemaal niet schrijven. Wie ben ik om een autobiografie te schrijven, dacht ik bij mezelf. Ik had veel minder geleden dan veel andere Iraakse vrouwen die ik kende. Ik was opgegroeid in een bevoorrecht huishouden, in een andere positie dan de rest van het land. In mijn boek wilde ik duidelijk maken wat Iraakse vrouwen tijdens het bewind van Saddam Hoessein hadden moeten doorstaan. Toen me werd gevraagd of ik wat meer uit mijn eigen ervaringen kon putten, verzette ik me hevig. Ik huilde, ik schreeuwde, ik schopte, ik wilde alles doen, behalve mijn eigen verhaal optekenen. Ik was bang dat mijn verhaal geen bestaansrecht had. Ik wilde niet de zoveelste bevoorrechte persoon zijn die haar visie met de rest van de wereld deelde. Ik zag mezelf als niets meer dan een boodschapper, als iemand die in het kader van Women for Women International het verhaal van al die andere vrouwen zou vertellen. Ik wilde niet dat mijn stem het duidelijkst te horen zou zijn, alleen maar omdat ik wel toegang tot de media in binnen- en buitenland had en zij niet. En toch kwam er tegen het einde een punt waarop ik het gevoel kreeg dat ik wél mijn stem moest laten horen, wél mijn verhaal moest vertellen, wél mijn stempel op dit boek moest drukken. Ik had het gevoel dat ik tot dan toe vooral had geput uit de verhalen van andere vrouwen en uit hun moed om de waarheid te vertellen. Misschien was het nu mijn beurt om de sprong te wagen en mijn mond open te doen. Dus hier ben ik dan. Ik vertel mijn eigen verhaal.

Het blijkt een ervaring te zijn die me nederig heeft gemaakt. Het was mijn eigen beslissing om dit boek te schrijven, maar ik had het niet kunnen doen zonder de hulp van mijn familie en vrienden. Ik heb ter bescherming van familieleden en vrienden hun namen veranderd, zodat niemand zal weten over wie ik heb geschreven. De stukjes uit het dagboek van mijn moeder zijn ontleend aan al die herinneringen die ze tijdens haar ziekte in een paar maanden voor me op papier heeft gezet. Ik heb de tekst uit het Arabisch vertaald en hier en daar aangepast omwille van de duidelijkheid en de chronologie.

Het is voor iedereen moeilijk om herinneringen uit zijn of haar jeugd op te halen, zeker als er veel pijnlijke momenten zijn geweest. De ene herinnering roept de andere op, en daarmee komt het balletje aan het rollen. Ik heb mijn best gedaan om mijn herinneringen zo getrouw mogelijk op papier te zetten. Ik heb geprobeerd om westerse lezers een kijkje te bieden in de Iraakse cultuur en religie, maar ook die beelden worden gekleurd door mijn persoonlijke ervaringen. Het laatste wat ik wil, is beweren dat ik namens alle Iraakse vrouwen spreek, laat staan namens alle Arabische vrouwen of het hele Iraakse volk. Ik ben een mengeling van de culturen en tijdperken in welke ik tot mijn geluk heb mogen leven.

Tijdens het schrijven van dit boek heb ik zeeën aan tranen vergoten, maar uiteindelijk ben ik blij dat ik dit heb mogen ervaren. Ik heb nu meer begrip en respect voor mijn ouders. Ik besef nu meer dan ooit dat ik geluk heb gehad, maar ook dat ik pijn heb gekend. En voor de eerste keer in mijn leven ben ik trouw gebleven aan mezelf, en daardoor aan de vrouwen voor wie ik me inzet.

Ik had dit allemaal niet kunnen doen zonder de liefde en steun van veel mensen om me heen. Ik ben Laurie ontzettend dankbaar dat ze me bij het schrijven heeft willen helpen, dat ze me ertoe heeft aangezet om steeds dieper in het verleden te graven, op zoek naar antwoorden, en dat ze al die tijd geduldig en begripvol is gebleven. Ook wil ik onze agente Sandy Dijkstra en onze vriendin Liz Bianco bedanken voor hun hulp, geduld, en geloof in dit boek en voor de feedback en de steun die ze Laurie en mij hebben gegeven. Ook ben ik de staf en de bestuursleden van Women for Women International uiterst dankbaar omdat ze me tijdens het schrijven van dit boek hebben gesteund en altijd begripvol zijn geweest.

Verder wil ik de vrienden bedanken die ik, na mijn man, als eersten delen van het verhaal uit dit boek heb verteld. Dat is allemaal begonnen met een cursus leidinggeven die mijn vriend David Baum in de wildernis van Canada heeft gegeven. Daar leerde ik dat er momenten in het leven zijn waarop je gewoon de sprong moet wagen. Daar hoorde ik voor het eerst het gedicht van de dertiende-eeuwse Soefi-dichter Roemi dat de inspiratie voor de oorspronkelijke titel van dit boek vormde: 'Ergens voorbij je ideeën over goed en fout ligt een veld, en daar zal ik je ontmoeten.'

Ik ben ook dankbaar voor de lieve omhelzingen en reacties die ik ontving toen ik mijn verhaal voor het eerst vertelde aan mijn goede vrienden Hoda, Rene, Niraj, Amerjit, Narayan, Faith en Farah. Ze hebben me geholpen om in te zien dat degene die ik nu ben, sterker is dan degene die ik vroeger was, en dat ik sterker ben dan Saddam. Speciale dank gaat uit naar mijn goede vriend Emad Fraitekh, die me tijdens het schrijven enorm heeft geholpen door telkens weer nieuwe versies van het manuscript te lezen, me van opbouwende kritiek te voorzien, de research te verrichten en gewoon een geweldige vriend voor me te zijn. Dank je wel.

Verder mijn speciale en liefhebbende dank aan mijn vader en

mijn broers, die hebben begrepen dat ik dit boek wel moest schrijven. Ik hou heel veel van jullie. En ten slotte is er nog een laatste persoon die ik ongelooflijk dankbaar ben: mijn geweldige man Amjad. Dankzij zijn liefde en steun kon ik degene worden die ik vandaag de dag ben. Ik ben hem dankbaar voor zijn geduld, zijn steun en zijn geloof in mij, en voor zijn bereidheid om tijdens het schrijven van dit boek op mijn instincten te vertrouwen. Dank je, liefste, voor de schoonheid waarmee je mijn leven hebt verrijkt.

Een woord van Laurie

Toen ik Zainab Salbi voor de allereerste keer ontmoette, viel ze al op tussen alle anderen, ook al was ze nog maar eenentwintig. Ze was toen al een persoonlijkheid en had dezelfde uitstraling die ze later zou gebruiken voor Women for Women International, een organisatie die vrouwen in een oorlogssituatie hoop biedt en duizenden levens probeert te verbeteren. Ze gaf me de kans om te zien hoe een mens grip kan krijgen op de belangrijkste vragen in het leven. Ik heb zo ontzettend veel van haar geleerd.

Terwijl dit boek werd geschreven, stond Zainab aan het hoofd van een grote organisatie en vroegen ook nog talloze andere dingen om haar aandacht, maar toch wist ze op de een of andere manier tijd vrij te maken om over haar leven na te denken en ondanks strakke deadlines talloze verbazingwekkende inzichten op papier te zetten. Toen ik haar op een gegeven moment keer op keer dezelfde vraag stelde, alsof ik haar op een perverse manier opnieuw haar pijn wilde laten beleven, keek ze me opeens aan en zei: 'Wist je dat dit in veel landen een algemeen aanvaardbare martelmethode is?' Dank je, Zainab, voor je geduld en je inzicht, en voor het delen van je levensverhaal met mij. Je enorme kracht is een inspiratie voor me, en wat je op deze bladzijden ook mag beweren, jij bent de eerste vis. Dat is duidelijk voor iedereen die jou leert kennen, ook voor mij.

Ik mag me ook gelukkig prijzen en wil al die lieve en behulpzame mensen bedanken die belangrijke bijdragen aan dit boek hebben geleverd: Sandy Dijkstra, Phyllis Peacock, Kathryn Harris, Victoria Riskin en met name Anne Roark, vriendin en schrijfster die me heeft geholpen recht te doen aan een leven dat zo rijk is als dat van Zainab. Ik wil nog meer mensen bedanken, om uiteenlopende redenen: Carty Spencer, Rocky Dixon, Julianne en Nicki Spencer, Bud Larsen, Steve Lowe en Marilyn Levin, Jeff en Susan Brand, Amanda Parsons, Hillary Terrell, Ted en LeeAnn Lyman, Greg Krikorian en Ann Hailey. Dan McIntosh en Doug Mirell gaven op beslissende momenten hun mening. Liz Bianco en Marc Green gaven vanaf het allereerste begin opbouwende kritiek. Zainabs familie en echtgenoot, Amjad Atallah, boden me in Bagdad en Washington een warm en gastvrij onthaal. Zonder JAWS, het Journalism and Women Seminar dat Zainab en mij weer samenbracht, zou dit boek er nooit zijn geweest.

Ik heb enorme waardering voor de talenten en persoonlijke aandacht van onze agente Sandy Dijkstra en haar staf, onder wie Elisabeth James, Elise Capron, Taryn Fagerness en Jill Marsal. Dank je, Sandy, voor je steun. We zijn allebei ook onze uitgever, Bill Shinker van Gotham, erg dankbaar, alsmede onze redactrice Lauren Marino. Ze hebben ons gesteund en ingezien dat Zainabs verhaal veel en veel meer is dan alleen maar een verslag over het leven onder een beruchte tiran.

Ten slotte wil ik mijn familie bedanken: mijn zus Julie Strasser Dixon, die me heeft leren schrijven, samen met mij aan mijn laatste boek heeft gewerkt en me talloze tips over dit boek heeft gegeven. Mijn zus Nancy Spencer, die als geen ander oog heeft voor zowel teksten als mensen, hielp me te begrijpen dat zinnen oprechte emoties kunnen uitdrukken. Tijdens het jaar waarin ik me over Zainab en haar moeder boog, heb ik minder tijd kunnen doorbrengen met mijn eigen moeder, de niet klein te krijgen Elizabeth Larsen. Aan haar draag ik mijn deel van dit boek op; zij heeft me laten zien wat het betekent om moeder te zijn.

Ik heb de beschikking gehad over de twee beste redacteuren die er zijn, mijn echtgenoot Henry Weinstein, werkzaam bij de *Los Angeles Times*, en onze dochter Elizabeth Weinstein. Henry stort zich niet alleen met zijn kennis, maar met zijn hele ziel en zaligheid in elke beroepsmatige uitdaging die hij aanneemt, waaronder de mijne; hij heeft me nog nooit een slecht advies gegeven. Elizabeth is meer dan een redacteur; ze is vooral een schrijfster met zoveel talent dat ik er versteld van sta, ze is een dochter wier bestaan elke dag van mijn leven tot een feest maakt.